国家哲学社会科学成果文库

NATIONAL ACHIEVEMENTS LIBRARY
OF PHILOSOPHY AND SOCIAL SCIENCES

网络语言与
社会表达

隋 岩 等著

科学出版社

内 容 简 介

群体传播时代的网络语言已经深刻影响到整个社会的交流方式、文化方式、精神方式乃至组织方式。

本书从作为社会特殊表达的网络语言及其群体传播本质、符号传播特性与话语权、社会情绪、价值观、政治文化的关系等方面，对网络语言与社会表达之间的逻辑关系、互动作用、彼此影响进行了深入剖析。本书建立起一个复合型的网络语言研究的理论模型，将网络语言置于文化学（如媒介文化理论等）、语言学（如话语分析、二分理论等）、传播学（如群体传播、准社会交往理论等）、符号学（如含蓄意指的演变与颠覆等）、心理学（如社会情绪理论等）、社会学（如社会阶层、共同体理论等）、政治学（如话语权理论等）等理论背景下进行多维、综合考察。

本书涉猎的论题较广泛，可供传媒、社会、语言、政治、文化等领域的研究者参考。

图书在版编目(CIP)数据

网络语言与社会表达/隋岩等著. —北京：科学出版社，2021.5
（国家哲学社会科学成果文库）
ISBN 978-7-03-068166-9

Ⅰ. ①网… Ⅱ. ①隋… Ⅲ. ① 网络用语–语言表达–研究 Ⅳ. ①H034

中国版本图书馆 CIP 数据核字(2021)第 035773 号

责任编辑：杜长清 高丽丽 / 责任校对：杜子昂
责任印制：师艳茹 / 封面设计：黄华斌

科 学 出 版 社 出版
北京东黄城根北街 16 号
邮政编码：100717
http://www.sciencep.com

北京盛通印刷股份有限公司 印刷
科学出版社发行 各地新华书店经销
*
2021 年 5 月第 一 版 开本：720×1000 1/16
2021 年 5 月第一次印刷 印张：16 插页：4
字数：256 000
定价：99.00 元
（如有印装质量问题，我社负责调换）

作者简介

隋 岩　教育部"长江学者"特聘教授，国务院学位委员会新闻传播学科召集人，中国传媒大学新闻学院院长，《现代传播》主编，教育部人文社会科学重点基地中国传媒大学国家传播研究中心主任。入选"国家百千万人才工程"、"教育部新世纪优秀人才计划"，国家级"有突出贡献中青年专家"、国务院政府特殊津贴专家、全国新闻出版领军人才，中国新闻史学会副会长。

完成国家社会科学基金重大招标、国家社会科学基金重点项目、教育部哲学社会科学研究后期重大资助项目等国家级、省部级项目 11 项。在研国家社会科学基金重大招标项目、国家社会科学基金重点项目 2 项。获第八届高等学校科学研究优秀成果奖一等奖，北京市哲学社会科学优秀成果奖一等奖、二等奖，以及吴玉章奖优秀奖等。

发表论文 100 多篇，其中 CSSCI 正版期刊论文 70 余篇，《新华文摘》全文转载多篇。代表作《符号传播模式》《符号里的中国》在美国、俄罗斯、韩国出版了英文、俄文、韩文版。代表作《群体传播时代：信息生产方式的变革与影响》发表于《中国社会科学》2018 年第 11 期，《网络叙事的生成机制及其群体传播的互文性》（与唐忠敏合著）发表于《中国社会科学》2020 年第 10 期。

《国家哲学社会科学成果文库》

出版说明

为充分发挥哲学社会科学研究优秀成果和优秀人才的示范带动作用，促进我国哲学社会科学繁荣发展，全国哲学社会科学工作领导小组决定自 2010 年始，设立《国家哲学社会科学成果文库》，每年评审一次。入选成果经过了同行专家严格评审，代表当前相关领域学术研究的前沿水平，体现我国哲学社会科学界的学术创造力，按照"统一标识、统一封面、统一版式、统一标准"的总体要求组织出版。

全国哲学社会科学工作办公室
2021 年 3 月

目　　录

Contents

绪　　论

作为社会表达的网络语言

一、社会表达及其主体、形态在媒介发展视域中的流变

法国心理学家 Moscovici 在 1961 年指出，社会表达"是关于社会思考和交流的理论。社会表达是日常生活中个体交流过程产生的一系列的概念、陈述及解释，是包括了概念和意象的一系列环境，如同普通意义的环境一样，社会表达既影响人群也被人群影响，且是历史的产物，详尽记录了历史发展的完整顺序及变化，并在历史过程中成功转化"[①]。社会表达的历史流变依附于媒介域的历史分期。"媒介域"是由法国思想家雷吉斯·德布雷提出的媒介学概念，它是指"以信息传播的媒体化配置（包括技术平台、时空组合、游戏规制等）所形成的包含社会制度和政治权力的一个文明史分期"[②]。从媒介史学观出发，德布雷将媒介域划分为以口语、文字为表达形态的逻各斯域；以活字印刷为表达逻辑的书写域；以视听感官为主，"将书籍从其象征底座赶下台"的电子图像域。[③]此后，接踵而至的技术繁殖又将媒介域延拓到集多种传播形态于一身的数字域。在线性的历史流变中，媒介域的发展不断影响

---

①　转引自：刘雁书、肖水源：《〈人民日报〉近六十年自杀行为的社会表达及变迁》，《全国第九届危机干预及自杀预防学术年会论文汇编（二）》，2011 年，第 36 页。

②　转引自：陈卫星：《传播与媒介域：另一种历史阐释》，《全球传媒学刊》2015 年第 1 期，第 9 页。

③　[法]雷吉斯·德布雷：《普通媒介学教程》，陈卫星、王杨译，清华大学出版社 2014 年版，第 455 页。

着社会表达的转化；基于人类交流互通需求的社会表达也在所处媒介域的不断更替和叠加中，实现着从媒介形态的表层改变到质变的历史性变革。

由此，笔者从媒介学研究范式出发，结合社会表达形态与媒介域的依附关系，突出以人为核心的主体地位及其表达形态的演变，来探讨社会表达的变革律动。需要说明的是，印刷技术的诞生使社会进入大众传播时代早期，而后期出现的以广播、电视为代表的图像视听媒介则在大众传播时代发挥着不可替代的作用。在以印刷为技术特征的书写域和以视听为感官特征的图像域中，社会表达所使用的表达形态与表达主体的性质密切相关，因此，本书在论述中将"书写域"和"图像域"统归于"大众传播时代"，将以互联网为代表的数字域归为"群体传播时代"，以更好地划分媒介和表达的疆界。

通过梳理可以发现，社会表达经历了三个重要时段：①在囿于地缘的社会发展早期，社会表达经历了小范围、封闭式人际表达的"前大众传播时代"；②基于工业化的物质生产能力，社会表达进入了"渠道霸权时代"[①]，以及由传统媒体控制表达渠道的"大众传播时代"；③20世纪末，信息技术的高速发展带领社会表达走进了以社交媒体为平台、以网络语言为主要表达形态的"互联网群体传播时代"。这一系列的时代迁移逐步消解了媒介的时空偏倚与主体的阶层制约，使社会表达的主体、形态与效果都在历史的研判中或改变，或创新，或凸显。

（一）前大众传播时代

此时由于物理空间的褊狭和技术的落后，社会表达的特征主要表现为主体单一、渠道单向、形态单薄。初民社会的原始表达是缔造以人的身体为媒介、以口头语言和表情动作为手段的"亲身传播"[②]，例如，原始赞歌、神话、教义的传颂和舞蹈的形体表达。在我国上古时期，"乐"是重要的社会表达形式，它"是一种集诗歌、音乐及舞蹈为一体的复杂的艺术形式，在当时的

---

① 王一岚：《反向社会情绪：舆论引导的靶标——以"山东非法疫苗案"和"雷洋案"为研究对象》，《新闻爱好者》2016年第12期，第35页。

② 张国良：《传播学原理》，复旦大学出版社1995年版，第8页。

政治生活中具有表达政治意见的重要功能，是其时重要的政治语言之一"①。
"乐"并不局限于政治表达，如农事祭祀乐舞的"葛天氏之乐"②则是人们寻
求精神寄托的民意表达。"正因为集音乐、舞蹈及诗歌为一体的'乐'，是
反映民风、民情的重要载体，所以早在夏代，王朝中就设有遒人一职，负责
到各地采集诗歌，以了解民风民情。例如，《夏书》中就记载：'遒人以木
铎徇于路。'晋杜预注云：'求歌谣之言。'又《礼记·王制》记载古制也
说：'命大师陈诗，以观民风。'"③然而，当时的社会处于发展早期，囿于
逻各斯域的技术，文明曙光初显且稚嫩无比，历史发展的轨迹变幻莫测，即
使"遒人"一职的设置有利于民意的采集，媒介的单一仍使得话语权及话语
传播效度局限于极少数的社会精英。随着文明羽翼的不断丰满，文字符号开
始出现并丰富了人类的表达形态，然而行为活动场域和传播技术的拘囿仍使
得普罗大众的社会表达长期局限于邻里亲友间，其对外传播用时较长、传播
范围狭窄，有效性颇为微弱。

（二）大众传播时代

农业社会向工业社会的转型，使得前大众传播时代得以落下帷幕。机械
复制急剧增加、电子媒介平台开始出现，社会表达渠道和传播疆界均有所突
破。19 世纪 30 年代，以《太阳报》为代表的廉价报刊依托于蒸汽驱动印刷
技术，大大削减了生产成本、降低了售价。加之以本杰明·戴为代表的创刊
人在报刊内容方面的通俗化改造和经营运作的市场化转向，极大地扩大了报
纸的消费群，报刊发行量呈指数级增长，标志着真正意义上大众传播时代的
到来。基于工业革命的红利，西方资本规模急剧扩大，并形成霸权态势向海
外扩张，也向中国蔓延。19 世纪末至 20 世纪初，中国在政治、经济、思想
上面临极大的内忧外患，民族危机空前。时处书写域的国内有识之士和先进
知识分子救亡心切，他们深感群众思想觉醒的重要性和运用报刊宣传中国思

---

① 许兆昌：《试论上古时期"乐"的政治表达功能》，《吉林大学社会科学学报》2006
年第 1 期，第 52 页。

② 刘世嵘：《我国原始农事祭祀乐舞考》，《兰台世界》2011 年第 5 期，第 60 页。

③ 许兆昌：《试论上古时期"乐"的政治表达功能》，《吉林大学社会科学学报》2006
年第 1 期，第 53 页。

想大变局的必要性，积极投入办报事业中。其中，以《循环日报》《时务报》为代表的政论体报刊开启了我国政治家办报的先河，为变法强国制造舆论，突破了封建统治阶级的言禁。"如果说印刷传播实现了文字信息的大量生产和大量复制，那么电子传播最重要的贡献之一就是实现了信息的远距离快速传输。"① 从1837年大西洋西海岸的美国"电报之父"塞缪尔·莫尔斯发明电报机，到20世纪20年代太平洋西海岸的中国第一批自办的广播电台开始在混沌的社会秩序中发声，再到1930年无线广播几乎遍及全世界，电子媒介的逐步应用使基于书写域的社会表达畛域有了进一步突破，以"听"为新型表征的电波渗透无孔不入，使远隔重洋不再成为人类沟通的阻碍，进而实现了从传声渠道进行宣传和传播。电子图像域的电视则诞生于20世纪20年代；中国电视机构较之则晚，诞生于1958年，而快速发展于改革开放以后，新闻、节庆、仪式、娱乐、故事、生活等多种类型的电视影像内容走上改革开放后的中国荧屏。集声音和影像信息于一身的体外传播给予受众强烈的视觉冲击和现场感，作为一件家用电器，电视所提供的新兴时尚、直观易懂、形象生动的文娱内容建构了重要的家庭社交场景，为大众传播奠定了广博的受众基础。

由此可知，大众传播时代书写域和电子图像域的大规模覆盖，打开了受众知悉社会的窗口，从理论上来说，越来越多的报纸、广播电视媒体出现，使社会表达变得更加便捷和可行。然而，获取信息的便利不代表社会表达的便利，传播媒介的更迭未能使民众获得更多的社会表达契机，媒介组织仍然是大众传播时代占据社会的表达主体。其原因主要有以下两方面：一方面，大众媒介建构一系列的社会议程，将受众置于"拟态环境"之中。普通群众有部分发声渠道，但由于对社会的经验性触达范围狭小，发声内容往往也只是对拟态环境的反馈，在媒介组织的把关后，产生微弱的影响抑或不产生影响。这种传播路径的成熟实际上引致了社会表达的两极化趋势，即精英话语权的垄断和个体话语表达的微弱。另一方面，以印刷、电子媒介为代表的文化工业的批量生产和机械复制，使受众通过大众媒介接收到的信息趋于一致或完全一致。长此以往，在不断大众化、城市化的社会发展中，语言也在不断地标准化和规范化，语言的丰富性和话语活力难以得到增强，这也在很大

---

① 郭庆光：《传播学教程》，中国人民大学出版社1999年版，第32页。

程度上限制了个体进行社会表达的内涵与外延。因此，大众传播时代，媒介组织成为社会表达的主体，普通受众的社会表达在大众媒体上无法集中实现，也很少受到鼓励，对社会产生的影响、发挥的作用有限。

（三）互联网群体传播时代

20世纪末，随着信息技术的高速发展，"信息总量的扩大、抵达人群的广度及信息传播速率的增长，都在呼唤一种与此相应的媒介"[①]，基于此，以互联网为代表的数字媒体开始普及，为人类的社会表达建构了另类的公共场域。互联网的社交性、共享性及草根性在本质上培育了新兴的网络群体，即网民。互联网数据研究机构 We Are Social 和 Hootsuite 于2019年发布的报告显示，全球人口总数为 76.76 亿，随着互联网技术的普及和深耕，网民人数已达 43.88 亿，同比增长 3.67 亿人，其中有 34.84 亿人活跃在社交媒体上；从网络使用时长来看，全球互联网用户平均每天上网时间为 6 小时 42 分钟，也就是说人们生活中的 1/4 的时间在上网。[②]由此可见，新时代的数字土著（数字原住民）以及在新技术的流布中持续黏附的数字移民为互联网群体传播提供了庞大、多元、广阔的传播源。"所谓群体传播，是群体进行的非制度化的、非中心化、缺乏管理主体的传播行为。"[③]依托于不被约束、自发、平等的特征，群体传播所积聚的力量在自觉中产生新的社会意识和媒介感知，改变了传统精英阶层垄断社会表达路径的局面，重组了社会表达结构，使多元、异质的互联网群体的自由社会表达在技术上得以成立。"新信息更接近新技术，二者黏合在一起，就形成新的话语方式或舆论形态"[④]，只要具有互联网或移动互联网终端，凭借具体的社交平台，任何网民均可以在"观点的自由市场"中投入社会表达的生产，进而输出多元话语，展现主体性地位的提升。

---

① 黄华：《语言革命的社会指向——对中国近代史的一种传播学考察》，广西师范大学出版社 2016 年版，第 91 页。

② 新浪财经：《最新全球网民数量公布：中国增长规模排第二》，2019 年 1 月 31 日，http://finance.sina.com.cn/china/gncj/2019-01-31/doc-ihrfqzka2633567.shtml。

③ 隋岩、曹飞：《论群体传播时代的莅临》，《北京大学学报（哲学社会科学版）》2012 年第 5 期，第 139 页。

④ 陈卫星：《媒介域的方法论意义》，《国际新闻界》2018 年第 2 期，第 14 页。

在此过程中，新媒介的传播格局加速了网民社会表达的多样性与变异性传播，形成网络体系中新兴且不可分割的社会表达形态，网络语言就此诞生。

二、精练与多元：群体传播中网络语言表达的特性

Moscovici 认为，"我们的现实是建立在社会表达的基础上，对表达的认知与对客体的认知同样重要，所有的客体都包括一个社会表达，社会表达是认知、态度及观点链中我们唯一能看到的一环"①。社会表达输出的主要表征为语言形态，语言是人类社会所独有的符号系统。在基于虚拟空间的互联网群体传播时代，携带亚文化社交属性并集认知、态度、观念于一身的网络语言，是呈现网民社会表达非常重要的符码。网络语言是指产生并运用于网络的语言，狭义的网络语言一般只包括网民创造的、用于网络交流互动和信息传播的语言，它是通过互联网群体的社会表达而呈现出来的新兴语言形态，它把人们编织进整个网络的社会。因此，网络语言与网民及其社会表达共存共生、彼此依存。伴随互联网的更新换代和网民人数的不断激增，注重个人体验、具备自由感知的网络语言为互联网单元群体传情达意、交流互动、实现社会参与提供了新锐的手法，增强了语言的活跃性，传播力、影响力越来越大。语言永远是现实生活的一面镜子，网络语言主体特征的草根性、犀利机智的表达风格、多样化的传播介质表现出的话语权逆转趋势，使其不断从虚拟走进现实，并在很大程度上融入社会之中。

（一）网络语言分类多样化

从梵·迪克关于话语分析的语境视角出发可知，语言的产生、传播、更迭与其所对应的时代特征、社会文化和物质生产力水平存在"共变"关系。以社交媒体为代表的互联网平台的兴起伴随着社会发展的进程，经济体制转轨、社会结构转型、传播资源盈余引致了社会生活方方面面的变化。"新的规则、观念的输入敦促人们对既有的社会实施改造。同时，已有的语言系统无法表述新的社会情境，面临'莫可名状'抑或'失语'的状态时，就需要

---

① 转引自：刘雁书、肖水源：《〈人民日报〉近六十年自杀行为的社会表达及变迁》，《全国第九届危机干预及自杀预防学术年会论文汇编（二）》，2011 年，第 36 页。

从他处寻找新的语言资源。"① 由此,基于社交媒体而崛起的互联网单元群体,从数字媒介生态营造的这种新语境中寻找、发明、建构新兴的精练、生动、运用广泛的网络语言,以弥补该状态下社会表达的"缺场"。例如,因应多主体表达和传播需要,建构的社会化媒体平台词汇,如两微一端、社交媒体、视频平台、论坛贴吧、网络直播、视频弹幕等;由于生活方式的变迁而发明的移动终端词汇,如支付宝、知乎、小红书、抖音、快手、美团外卖、百度地图、共享单车等;因聚焦社会热点而走红的舆论声讨词汇,如高铁霸座男、昆山龙哥、过期疫苗等。

网络语言种类固然繁多,但就其文本语法而言,主要涵盖以下几个方面:第一,以数字、字母、缩略语、混合字词等模式呈现,突破传统语境中固定能指和所指关系的短字词,如书写电子商务模式的"O2O""B2C";戏谑调侃的异质兼容词,如"深藏 blue""book 思议""skr 而止";日常交流简词,如"3Q"(Thank you)、"666"、"打 call"等;由社会热点事件提炼出的具有一定反讽意味的"关键词",如"奇葩证明""C 位出道""逃犯克星"等;延拓词语或事件性质的"切糕体""甄嬛体""你好体"等类聚词汇,简洁明快、生动形象。第二,在后现代语境下渲染出的犀利机智的网络段子,如"少壮不努力,老大转锦鲤","间歇性踌躇满志,持续性混吃等死"等。第三,受可视化传播的启示而创造出的多模态话语表情包,汇聚了网民的精深"脑洞"和多样的文字符号、动态影像,打造幽默风趣的专利、成为情感流通的源泉,如源自日本并由苹果公司加以推广的 emoji 表情、火爆社交媒体、源于对知名人物面部抠图的人脸表情包,以及将网络段子与表情包黏合在一起的次生的静态和动态图等,多结构交互的图形语言使社会表达更加直观、感性,对我国数字媒体的视觉文化传播、话语体系的符码更新都产生了颠覆性的影响。

无论哪种类型的网络语言都是依据表达需要刻画出来的,是在群体传播的时代语境下,多元传播主体的广泛运用中脱颖而出的新兴符码,其简洁明快、幽默风趣、犀利机智的语言特点倾覆了过去严谨、单一的语言表达模式,

---

① 黄华:《语言革命的社会指向——对中国近代史的一种传播学考察》,广西师范大学出版社 2016 年版,第 12 页。

其耳目一新、与时俱进的话语体验深受后现代传播群体的偏爱。

（二）使用主体多元化

"媒介资源的丰富性增加和可得性降低,使得社会传播媒介不再垄断在少数社会精英手里。"[1]互联网媒介权力的序列易位使曾经的文化受众成为兼具信息生产与消费的"与众"(prosumers)。[2]新身份的转变吸引了大规模、多领域、广范围的社会群体进入数字空间,他们徜徉在充满话语张力的舆论场,随时随地、随心所欲地践行社会表达。

这一群体的规模在我国表现尤甚,中国互联网络信息中心发布的《第47次中国互联网络发展状况统计报告》显示,截至2020年12月,我国网民规模达9.89亿,网民属性泛博。从年龄来看,网络群体以青少年、青年和中年群体为主,其中30—39岁年龄段的网民占比最高(达20.5%),其次是40—49岁、20—29岁的网民,分别是18.8%和17.8%[3],中老年群体占比增速快,互联网在该群体中的渗透加强。除此之外,幼年及老年群体占比也很明显,网民年龄分布极广,表明虚拟空间的资源共享颠覆了代际前喻秩序,后喻时代[4]的蓬勃而生消弭了年龄界限,更使传统权威失去了根基。从职业来看,学生群体数量最大,占比高达21%[5];党政机关事业单位人员、企业管理人员、专业技术人员、商业服务业职工、农村外出务工人员、农林牧渔劳动者等网民职业种类分布广泛。由此可见,精英阶层不再独居"神坛",并与普罗大众同存于网络市集,无论是精英阶层抑或"吃瓜群众",均享有随时发声、自由发声的机会,他们在提升自我效能感的同时,共建了扁平化、

---

① 隋岩、李燕:《论群体传播时代个人情绪的社会化传播》,《现代传播》2012年第12期,第11页。

② 张成良、甘险峰:《融媒体语境下"第三媒介时代"媒介形态研究》,《编辑之友》2018年第1期,第53页。

③ 中国互联网络信息中心:《第47次中国互联网络发展状况统计报告》,2021年2月3日,http://www.cac.gov.cn/2021-02/03/c_1613923423079314.htm。

④ [美]玛格丽特·米德:《文化与承诺——一项有关代沟问题的研究》,周晓虹、周怡译,河北人民出版社1987年版,第7页。

⑤ 中国互联网络信息中心:《第47次中国互联网络发展状况统计报告》,2021年2月3日,http://www.cac.gov.cn/2021-02/03/c_1613923423079314.htm。

社会性的"有机团结"。①由此可知，新媒体对网民群体的多元包容产生了极大的网民指数，网络的覆盖范围"已经接近全社会的概念"②，庞大的网民群像构成了群体传播时代网络语言使用主体的多元化。

（三）话语平台虚拟化

前群体传播时代，社会表达平台多限于具象化的具体物件，如书信、报刊、电话、收音机、电视。基于数字技术的传播契机，网络 PC 端、移动终端等传播设备得以普及，社会表达渠道逐渐转移到更具延展性、开放性和互动性的虚拟平台，作为主要表达形态的网络语言也在表达路径的开拓中大胆发展。

20 世纪 90 年代，网络语言就已出现在我国的互联网传播中。当时的互联网还只是襁褓中的"新生儿"，普及率和使用率很低。因此，与互联网相伴而生的早期的网络语言只是为了提高"网虫"群体的聊天效率而零星出现在聊天室、网络论坛等最初的社交平台，词汇欠缺实际的意义和张力，传播范围较小。21 世纪的前十年间，数字技术更新换代，网络语言的生产媒介不断推陈出新。但媒体人士与学术专家对于网络语言的崭露存在迥然相异的立场，不断针对此类语言形态进行讨论和争论。尽管发展气氛窘迫，网络语言仍没有停止进步，其能指在社会发展的节奏中不断推陈出新，所指也伴随着社会发展而拓展意义。直至 2010 年，时新的网络语言"给力"一词赫然出现在《人民日报》的头版头条，致使原本作为"后台"③语言的网络语言冲出了聊天室、网络论坛等场域，开始弥散在整个互联网语境中。自此，网络语言开始摆脱"小语种"命运，成为与社会生活联系紧密的语言形态。与此同时，网络语言的传播平台也在开疆拓土，呈现出分众并行的多样化话语表达路径。例如，知乎、微博等信息分享平台，快手、抖音等微视频互动平台，爱奇艺、

---

① [法]埃米尔·涂尔干：《社会分工论》，渠东译，生活·读书·新知三联书店 2013 年版，第 14 页。

② 严励、邱理：《网络话语：一种特殊的舆论形态》，《新闻爱好者》2017 年第 1 期，第 22 页。

③ [美]欧文·戈夫曼：《日常生活中的自我呈现》，冯钢译，北京大学出版社 2016 年版，第 22 页。

优酷等影视娱乐平台，均以"广场式"[①]开放的网络环境接纳能指丰富、所指变异的网络语言，信息交流、民意传播、弱关系链、态度各异等特征链接着用户复杂多样的选择心理，每个人畅游在浩如烟海的网络语言信息中，在围观、拍砖的同时，也学会了效仿、自嘲和批判。然而，以微信、QQ 等即时通信为代表的"茶馆式"[②]封闭环境，则以强关系链、局限感知、圈子文化等特征迎合用户感性化的态度诉求，使熟人圈子内部的归属感更为强烈。

两种类型的呈现平台涉类繁多、针对性强，成为如今网络生态的介质依托，也是多数网络语言的发酵室和培养皿。依附于网络的表达语境和互联网多元群体的参与共享，语言意义上的生命力也在进一步增强，使用价值逐渐显现。

三、民意的聚焦：作为社会表达的网络语言的使用功能

综上可知，网络语言是用于社会表达的重要工具和符码，是传播民意、形成舆论的重要话语资源。与传统媒体相比，互联网社交媒体的嵌入式传播降低了社会表达的成本，为曾经"沉默的大多数"提供了畅所欲言的路径。基于这一技术变革，为网民所青睐的网络语言以其简洁明快、幽默风趣、犀利机智等特征迅速推动了社会表达方式的发展，充分展现了语言符号在新媒体传播渠道中诡异多变的趋势、营销推广的作用及其背后隐含的社会心理复杂性，尤其是那些伴随着社会热点、娱乐事件等出现的形象化、戏谑化的网络语言代表着网民态度、彰显民意图腾的价值，展现了更深层次的民众意识的崛起。

（一）语言符号在新媒体渠道中的嬗变

语言文字是最典型的符号，是人们用来表达和传播的有效工具，其发展

---

① 祝华新、潘宇峰、陈晓冉：《2016 年中国互联网舆情分析报告》，见：李培林、陈光金、张翼主编：《2017 年中国社会形势分析与预测》，社会科学文献出版社 2016 年版，第 229—231 页。

② 祝华新、潘宇峰、陈晓冉：《2016 年中国互联网舆情分析报告》，见：李培林、陈光金、张翼主编：《2017 年中国社会形势分析与预测》，社会科学文献出版社 2016 年版，第 229—231 页。

过程具有明确的历史记忆。大约 5000 年前，人类最古老的楔形文字诞生于美索不达米亚地区；约 3000 多年前的殷商后期，汉字雏形"甲骨文"伴随求神问卜的需求演变而来，语言文字逐渐开始为社会表达的远距离传播提供可用符码。随着时代的更迭和文明的发展，文言词汇逐步代替甲骨文成为中国传统社会表达中的主导符号，并作为朝廷文牍的通用语在中国古代长期占据社会表达的统治地位。直至"五四运动"时期，"清末对'民众'的发现，以及由知识阶层发起的面对下层民众的启蒙运动，在某种程度上已经宣告了既定的信息边界正在发生位移，维持原有社会的集体想象的内聚力和舒适性正在发生改变。如果还是遵从固定化的传播速度和格局，汉字·汉文就难以适应社会观念、结构急剧动荡的客观现实"①。由此，顺应时代需求的"白话文"应运而生，并借力语言的环境魅力，联动着整个民族思维的转换与运动的展开。

自 21 世纪以来，因应传播介质的演变而引发的社会表达形态的质的飞跃，顺应互联网群体传播特色的网络语言成为新媒体环境下民意图腾的宠儿。一方面，作为对象语言的网络语言经历了对自然语言能指的拆解和重构，以最简洁的呈现方式契合了省力的语言经济学原则，例如，"O2O""3Q""××体"等。另一方面，网络语言通过对能指的再造、延异来颠覆传统语言固有权威的所指，展现互联网开放的个性与多元气息。例如，起源于微博的"中年少女"一词，其意为：提早感受到中年危机的姑娘们，她们喜欢粉色，开始脱发，开始养生，想和"小鲜肉"谈恋爱。该词在构成上显征为"中年"与"少女"的异质组合，在主体上填补了年龄的跨度和鸿沟，并在害怕衰老但不能服老的"90 后"群体的情绪共振中不断创新出周边段子，如"可乐加枸杞、啤酒配当归，还要紧握保温杯"等。在互联网群体传播中，"中年少女"等系列词汇不仅携带了语言符号嬗变的显征，也传达了这一群体时不我待的无奈和恐慌，网络语言承载的信息与情绪在民意聚焦中发挥着不可忽视的隐喻作用。

（二）营销推广的新趋势

工业化步伐和互联网发展使人类社会迅速进入产能过剩的注意力消费时

---

① 黄华：《语言革命的社会指向——对中国近代史的一种传播学考察》，广西师范大学出版社 2016 年版，第 13—14 页。

代，核裂变式的信息繁殖导致人类注意力的贫乏，走马观花式的信息提取方式已成为注意力分配模式。因此，在注意力影响一切的互联网时代，眼球竞争和情绪消费成为市场逐利本质下营销推广的新趋势。

网络语言的表达特性使其成为统合注意力的重要符码，大量广告主发现这一形势后接踵而至，纷纷运用网络语言提升广告点击率，为品牌营销众筹影响力。2018 年，由爱奇艺独播的某古装宫廷剧收视率颇高，吸引了大批广告商的入驻。其中，"雍禾植发"的广告在呈现方式上大胆发挥网络语言的注意力价值，通过话题感十足的"金句"，贴合剧情的推进，制造出全新的营销模式。

网络语言成就的注意力经济已经成为广告商吸引消费者眼球、塑造品牌形象的重要手段。然而，网络语言是利弊共存的话语形态，其在展现营销优点的同时，自带"易黑体质"。当广告主的创收欲望不断提高时，作为文化快消品的网络语言极易产生戏谑倾向、触及大众的视觉底线。因此，在借力恰当应景的网络语言实施营销推广的同时，广告商需始终保持理性的判断能力，真正从产品文化和产品初心入手，打造良好的品牌形象。

（三）社会心理的复杂化

德国存在主义哲学家海德格尔曾说"语言是存在的家"①，它赋予了客观世界的一切事物社会属性和意义。同时，作为最重要的传播形态和载体，语言为人类认知社会环境、建构社会关系、表达社会心理提供了重要的输出方式。因此，语言是连接人类心灵与客观世界的纽带，是反映主体意识形态的显性表征。作为一种与时俱进、随时代而动的语言符号，网络语言能指生动形象，所指丰富、更新迅速，是互联网群体通过网络平台感知世界、评价社会、表达诉求，进而投放注意力和赚取注意力的重要话语形态，映射的群体心理也在注意力的集散过程中随着情绪的互动变得多样化和复杂化。

复杂化心理一方面表现为网络语言的个性化使用。"南非国父"曼德拉曾说："用一个人能听懂的语言同他讲话，你触动的是他的大脑，用一个人

---

① 转引自：谢坦：《海德格尔存在主义诗歌本质论》，《外国语言文学》2015 年第 4 期，第 235 页。

的母语同他讲话，你触动的是他的心灵。"①网络语言正是当代青年人适逢其时的"母语"②，网络像是专门为青年人打造的话语平台，承载着他们个性化的价值输出。根据《第47次中国互联网络发展状况统计报告》并结合出生年份推算，当前网络使用主体主要为"80后""90后"群体。③他们出生和成长在改革开放成效显著、信息技术飞速发展的年代，网络成为伴其出生、鉴其成长的"自然环境"。"80后""90后"亚文化主体是信息时代的先验者，是自主表达、个性张扬、娱乐先行的数字土著，在审美和话语取向方面也与前人大不相同。在这种社会语境下，个性化的心理诉求从一开始便印刻在他们的表达基因里。他们不满于传统话语的威权制约，其内心深处的反叛因子在互联网群体传播时代得到释放：自由解构传统语言，随意拼凑极具个性色彩的符号，娱乐、戏谑、蔑视与颠覆的言论快感甚嚣尘上，描绘出一幅充溢着自由、叛逆、新颖气息的网络语言画卷。例如，在2018年的网络综艺节目《中国新说唱》中，由"90后"制作人吴亦凡频繁使用而走红的拟声词"skr"，原是模仿汽车漂移或猛然转向时与地面的摩擦声，用在说唱中是为了烘托气氛并推进歌曲进程。在吴亦凡的引申和使用中，该词被赋予了形容词的含义，即对某些事情或某些人特别认可，类似于网络语言中的"赞"。"skr"一词因其发音的流畅性而极具感染力，加之著名制作人吴亦凡的流量效应，"skr"一词高频出现并一夜爆红，"病毒式"的传播使个性极强的数字土著开始按捺不住并纷纷献出"脑洞"，重构出各种以skr为词源的个性化网络语言，如"这很skr""你真skr人才""真是热skr人""请skr而止"等，并配合后现代的表情包，致使话题热度持续升温。此外，近期受关注颇多的"安排""大猪蹄子""家里有矿""确认过眼神"等诸如此类被网友"玩坏"了的网络语言均以娱乐、夸张的形象，适应群体传播时代网民对娱乐文化和审美偏向的个性化消费，诞妄不经却也不乏兴味。

　　另外，复杂化心理表现为网络语言的从众化模拟。我国现代心理学奠基

---

　　① 转引自：段韬、潘友星：《科学思维和汉字思维的结晶——科学专著系列出版20年记》，《科学》2016年第5期，第2页。
　　② 介子平：《网络语言是年轻人的母语》，《编辑之友》2017年第1期，第1页。
　　③ 中国互联网络信息中心：《第47次中国互联网络发展状况统计报告》，2021年2月3日，http://www.cac.gov.cn/2021-02/03/c_1613923423079314.htm。

者朱智贤认为，"趋向于一定的群体是人的一种生存方式，当个人被他所在的群体所排斥时，通常会体验到莫大的痛苦，群体对它所属的成员具有一种力量"①，这种力量在群体互动中为持有相似观念的人群编织人际网提供了便利，这种人际网一旦扩大到一定规模，则会形成一种认知壁垒，在认知的弥散过程中，只有与群内所持观点相同的个体方能进入，其他个体则被排斥在群体外。因此，群体给予个体的归属感固化了内群成员的同质性以及与外群成员的互异性，使得游离在群体与群体之间的单薄个体产生屈从于某一群体观念的心理，该种心理在网络上通常表现为对所屈从的"集体心理的信息模具"，尤其是群体共享的网络语言的模拟，以此营造抱团取暖的归属感。例如，自 2017 年开始爆红的"小猪佩奇与社会人"这一共享话语模拟，成为普通个体实践从众心理的典范。《小猪佩奇》原是来自英国用于儿童智力启蒙的动画片，在传播过程中，经由快手、抖音等社会化媒体中"小猪佩奇身上文，掌声送给社会人"的口号渲染，以精力充沛、搞怪呆萌的"社会人"姿态迅速走红，并在众多流量明星的带动下掀起各大社交媒体的狂欢盛宴。处于狂欢中的部分粉丝对其含义并不了解，只是从众心理驱使他们适应、保持这种认知图景，并采取跟风使用的参与方式，消弭了由于个体认知失调而出现的紧张感，进而打造"我也懂"的假象以修正自身与内群的关系，在享受"想象共同体"的同时，逃避同质化群体压力外的孤立感和恐惧感。

在互联网群体的运用中，网络语言从本体的结构性嬗变，到作为眼球竞争的利器被运用于商品营销，再到表征互联网群体的复杂心理，逐步弥散作为社会表达的使用价值。然而，新事物的发展总是好坏参半、利弊相生的，网络语言在适度的表达中产生价值的同时，也在过度的表达中制造罅隙。

四、舆论的指向：作为社会表达的网络语言的负面影响

大众传播时代，使用大众传播工具形成舆论并影响政策走向是政治言论的主要参与手段。随着互联网的发展和普及，过去基于大众传播的政治言论经过携带的网络语言，开始进入众声喧哗的网络世界。至此，"社会大众的

---

① 转引自：张楠：《植入式广告的心理学动因探析》，《新闻世界》2012 年第 11 期，第 94 页。

政治诉求得到了集中的释放，网络的政治参与日趋形成了比较鲜明的'大众政治模式'"[1]，进而建构出明确的民间舆论场。互联网赋予多元化主体的舆论权力，改变了大众传播时代由精英主导话语机制的线性表达模式，进而在社会热点事件中充斥着网格化的网络群体异议的声音。在此之间，作为政治表达主要形态的网络语言发挥着传统语言无法比拟的表达优势，成为形成社会舆论的重要话语力量和态度合力。值得注意的是，在主体极端多元化的群体传播的自由话匣中徜徉的网络语言若得不到正当使用，容易显征为反讽性或暴力指向，造成网络空间的话语混沌和逻辑抵牾，阻碍客观的政治表达。

（一）　从文本重构看语言罅隙

在进行政治表达时往往采用围观、吐槽、评论等方式隐喻或显喻自己的态度，引发网络舆论传播。在互联网群体中，具有波普创作思维的网民在追求个性、标新立异的过度表达中容易导致语言的歧义化、戏谑化甚至低俗走向。例如，使用一些在符号能指上样态过于简化、别字连篇的网络语言，有"837"（别生气）、"冲鸭"（冲呀）、"木有"（没有）等；又如，保留符号能指，但打破其传统的固定所指，创造另类的意义延伸，有"一望无际"（一眼过去，看不到发际线）、"以茶会友"（特指当代年轻人的一种交友方式，以奶茶为诱饵，将万年不出门的朋友从家里拉出来）等；再如，通过拆解、重构符号能指以创造新的符号所指，有"工作 CD"（工作十分钟，Cool Down 一小时）、"排遣式进食"（在一点都不饿的状态下，总想吃点什么，仅仅是因为嘴巴很寂寞）等。

语言的流传要具有符合时代发展、适应语言生态的生命力体征，"物竞天择、适者生存"同样适用于互联网语境中的语言进化现象。然而，以上三种能指与所指关系重构的网络语言均在一定程度上破坏了作为政治表达的网络语言的纯洁性，并不能长期占据网民的注意力空间。一方面，过于简单的文本所指搭配复杂的能指，展现更多的是语言的景观价值，言之无文，行而不远，生命力极弱。另一方面，话语分析理论认为，任何有意义的话语实践

---

[1]　孙卫华：《表达与参与：网络空间中的大众政治模式研究》，《新闻大学》2016 第 5 期，第 74 页。

背后均涉及编码者的意识形态，而以上所述情况由于其对传统编码序列的易位、解构，致使语言使用者很难猜测个中含义，容易造成解码者的误读和社会表达的价值虚无。值得警惕的是，霍尔将传播机制设想为一个"占主导地位的复杂结构"，语言的隐喻被纳入编码者的意识形态建构中，着重强调编码者的主观认知，而当这一认知演变为情绪宣泄并凌驾于理性交流之上时，表征着歧视和谩骂、充斥着戾气和粗暴的标签词汇则成为传播者实施情绪审判的主观强制符码，大量的针对性使用极易对解码者造成心理创伤。

（二）从"后真相"看情绪审判

2016 年，《牛津词典》将"后真相"（post-truth）这一词语选为年度词汇[①]，该词最早出现于 1992 年的《国家》（*The Nation*）杂志中，强调民众身处后真相的被动性和话语意识的觉醒。随着社会化媒体的深耕，"后真相"的特征和使用主体均有所转变，真相已经变得不那么重要且不再是被极力遮掩的对象，在互联网多元群体"以我为本"的话语体系中，情绪与感觉才是信息认知、传递和互动的第一触发因素。

情绪作为一种态度，是伴随人对客观事物的认知和意识而来的，它是人脑对外界既存事实与主体诉求之间关联的反应。情绪是带有偏向性的，积极的情绪体验源自对某种需要的满足，若需要得不到满足则会引起消极情绪。情绪的偏向很大程度上是表达情绪发出者的潜在意见，在互联网这一透明、自由的表达环境中，互联网多元群体的情绪通常以激烈的效果提炼社会热点事件、左右舆情走向。据《2018 年中国社会形势分析与预测》得知，网络热点舆情更多地围绕与普通人利益攸关的民生问题展开[②]，诸如医疗卫生、公共安全、环境管理等。一旦涉及此类话题，例如，与医疗挂钩、与人性缠绵的"罗一笑事件"，与道德伦理紧密联系的"江哥刘鑫案"，揭露公共安全隐患的"滴滴顺风车司机杀人案"等，网民的"代入感"和移情惯习立刻启动。

---

① 人民网：《"后真相"跃居牛津字典年度词汇榜首》，2016 年 11 月 17 日，http://world.people.com.cn/n1/2016/1117/c1002-28875414.html。

② 李培林、陈光金、张翼：《2018 年中国社会形势分析与预测》，社会科学文献出版社 2018 年版，第 255 页。

主导情绪倾向一旦形成，便会呈现出"病毒式"传播的轨迹，情绪审判甚嚣尘上。

情绪的外显是语言、生理、行为和神经机制彼此配合的一组反应，当情绪无法通过面对面的形式自如运转时，其生理、行为和神经机制的能量就会大规模输入语言符号中，通过以文字为主的可视化表达进行传递，这种文字传播在互联网平台主要表征为对网络语言的大规模运用。其中，情绪审判则表现为拥有键盘逻辑的网民对部分过于解构、戏谑甚至粗鄙化的网络语言的使用，其表达内容背离理智、背离真理，并在实时互动机制的传播和解读的过程中形成冲突性、侮辱性和针对性指向，由此引发的语言海啸，极易引致网络暴力、网络谣言以及网络民粹主义的产生。

当然，后真相并非无真相，真相并未被破坏，只是在极端多元化群体的忽视下从第一性退居到第二性。然而，真理总是要战胜谬误，在情绪先行的后真相时代，如何挖掘真相并合理地传播真相，进而维护正常健康的社会秩序，是值得关注和研究的。

五、共识的重构：作为社会表达的网络语言的共情触媒

"社会共识是指社会成员对社会事物及其相互关系的大体一致或接近的看法"[①]，提供这种共识是社会传播的一项重要功能，"一旦全社会的意见达成一致或接近，社会共识就会涌现"[②]。大众传播时代，传统媒体的话语形态隐匿了民众的社会表达自觉，其建构的社会议程形态会规训受众的认知、判断和行动，在社会共识的达成上发挥了巨大作用。随着互联网平台的深入发展和社会化媒体的不断驱动，基于技术赋权和关系赋权的网民诉求在圈层群体的话语互动和情绪共享中开始苏醒并呈现出愈演愈烈的态势，"娱乐至死"的狂欢场在网络语言话语机制的承载下逐渐转向参与工厂。这一现象突出表

---

① 王锁明：《凝聚社会共识的重要性及路径思考》，《人民论坛》2014 年第 4 期，第 27 页。

② 王世雄、潘旭伟、姜毅：《基于线上线下互动网络的社会共识涌现研究》，《情报杂志》2017 年第 3 期，第 68 页。

现为身处"风险社会"①的新媒体大众对传统媒体公信力的质疑，导致过去的社会共识遭遇解构和断裂。当代西方著名的话语分析学者诺曼·费尔克拉夫曾说："话语实践方式在传统方式和创造性方式两方面都是建构性的，它有助于再造社会本身（社会身份、社会关系、知识体系和信仰体系），它也有助于改变社会。"②因此，当新媒介可以成为公众寻求资源分配制度改革和利益结构重新调整的重要方式时，承载网民社会诉求的网络语言则在不断涌现和聚集的社会表达中呈现出相当的平民性、公共性和冲突性，成为扭转话语走向、再造社会本身、重构社会共识的利器。

　　网络语言在社会性共识的重构中显著表现为脱胎于社会公共事件的"关键词"形式。依托于互联网群体传播的多元交互，网络语言裹挟着社会转型期产生的利益分化，一并投向与民众的物质和精神生活密切相关的政策性、社会性事件的舆论热潮当中，进而在两个舆论场的正面交锋中出现极化发展，既可能在意见剧烈撕扯后导致群体极化的刻板对峙，也可能在意识高度融合后达成官民情感的一致共识。在这里，我们主要举例分析在情绪联动中达成的社会共识。2018 年 8 月 27 日，在昆山市震川路发生的于海明致刘海龙死亡案，备受社会舆论的关注，案发视频公布了事件始末：一辆宝马车进入非机动车道行驶，并压白线逼停正常行驶的电动车，引发了双方的激烈争执。醉驾宝马车主气急之下从车上拿出刀挥砍电动车主，不料刀不慎落地，电动车主捡起刀反砍宝马车主致其死亡。视频一经传播，直指该事件的"关键词"——"昆山龙哥""宝马男""文身哥""花臂男"等迅速以民意崛起的社会表达形态贯穿在此事的热议中。截至 2018 年 9 月 15 日，以"追砍电动车主遭反砍"为标题的话题在微博热议榜上高居不下，阅读数达 12.5 亿，讨论频率达 72.3 万。此事之所以关注度极高，是网民对事件主体恶霸形象的倾轧和对弱势群体的恻隐，更重要的是勾勒了网民在"语言的共同体"中产生的对自身安全的忧患和渴望。

---

　　① 于德山：《新媒体舆情场域互动与社会共识建构》，《社会科学战线》2017 第 11 期，第 144 页。

　　② ［英］诺曼·费尔克拉夫：《话语与社会变迁》，殷晓蓉译，华夏出版社 2003 年版，第 59 页。

现代世界已经变得彼此依存，各种形象、角色、阶层的人在网络语言的勾连中被纳入一个相互依偎、紧密联动的整体中，冗余信息的甚嚣使互联网多元群体更加依赖他人的影响，并相信自己与他们同属一个群体且命运与共，别人的遭遇也可能隐藏着自己的潜在遭遇。由此，网民对于公共安全事件的极高关注和运用网络语言的情感触媒、情绪触媒，也在不断呈现出社会共识重构的本质，即基于对社会风险危机的"共情"成为构建后真相时代社会秩序的重要情感基础，若新规则的制定和主流媒体的引导能够满足人们的公平诉求，社会共识也将出现重构的契机。2018年9月1日，昆山市人民检察院公布，该案以"于海明的行为属于正当防卫，不负刑事责任"为由做出撤销案件决定。由此可知，主流媒体提供的文化压舱石依然存在，其创建的社会议程将人们聚集在容易辨识的网络空间，使民心所向的结果得到舆论的极度好评。该事件呈现出的网络政治透明化、社会治理及时性和群体的热烈呼声，基于网络语言共同语系的底座交相辉映，汇聚、融合进社会机体中，共同推动法治的完善，促成社会共识的重构。然而，值得注意的是，共识的构建并非止于一朝一夕、一事一例，两个舆论场的博弈也将持续发酵、切磋、冲撞、磨合，双方利益的最大化需要在网络引导、治理的不断推进和基层智慧的充分发挥中继续交叠、融合、实现。

随着以社交媒体为平台诞生的网络语言在网民的拥趸下逐渐融入现实生活，打破了线下社会一直以来"差序格局"的关系结构。网络语言由最初"小语种式"的零星散用，发展至今成为全民舆论共享的社会共同语，其意义在于语言本身隐喻的社会发展、社会问题、社会情绪等社会现实，契合了新媒体环境下网民的生活需求和心理生态，并借力网民的解读和传播孕育了互联网群体传播时代的社会共识，推进政府政策的落实和社会问题的解决。此外，与规范用语不同的是，网络语言的戏谑、娱乐、情绪化的本质，为社会表达尤其是政治表达提供了更加鲜明的价值指向，并在不断演化和价值观的影响下去粗取精，以致在舆论的高涨中进入党政机关和传统媒体的话语体系，缔造着互联网群体传播时代的网络文化，形塑着社会共识的文化表征。由此，可以说网络语言既是一种有益的社会表达，但超出适当范围、偏激的表达则也会成为悬于网络文化安全之上的"达摩克利斯之剑"，需要网络治理与网络语言的研究者持续关注和研究。

六、表达的清朗：作为社会表达的网络语言的价值构筑

"语言不仅仅是一个简单的表达问题，同时更是一个生存状态问题……语言的贫瘠意味着生命的贫瘠，语言的苍白象征着生命的苍白，语言的僵化标志着生命的僵化。"① "新鲜、深刻、真实的话语代表了执政党的正心诚意，代表了执政党理解世界、领导国家的能力。也是它团结社会、动员人民的力量源泉。"②

"为了做好这些工作，我们的各级干部也是蛮拼的。当然，没有人民支持，这些工作是难以做好的，我要为我们伟大的人民点赞。" "中国将永远向世界敞开怀抱，也将尽己所能向面临困境的人们伸出援手，让我们的'朋友圈'越来越大。" "蛮拼的" "点赞" "朋友圈" 等网络热词接连亮相一年一度的国家主席新年贺词中。同世间万物一样，语言也是与时俱进地发展和变化着的。互联网的普及催生出许多新的词汇，尤为青年人所喜用。习近平将一些网络热词用于正式讲话中，不仅反映出他对互联网发展的重视，也表明了他与青年一代心灵相通。③

党的十九大报告提出"加强互联网内容建设，建立网络综合治理体系，营造清朗的网络空间"，这是对互联网时代与国家社会治理关系的深刻理解。固然，网络是一个可以相对自由置身的虚拟空间，网络语言是一种可以相对自由组合的表达形式，但这种自由是有限的，网络空间文化安全不可忽视。

营造清朗的网络空间需要有网络安全的保障，网络安全在很大程度上又来自网络内容安全，而网络语言恰恰是构成网络内容的基础。因此，我们需要对网络语言的研究高度重视，以保障网络语言的"趋利避害"，既能够有效表达新时代的新风貌，又能够谨防意识形态因素嵌入不良网络语言现象之中。

同时，网络语言的清朗还事关社会主流价值观安全的构筑。特别是在这样一个新媒体成为生活本身的时代，网络语言既有对大规模甚至"全龄"使

---

① 李彬：《中国新闻社会史》，清华大学出版社 2009 年版，第 162 页。
② 李书磊：《再造语言》，《战略与管理》2001 年第 2 期，第 110—115 页。
③ 黄玥：《习近平的"大白话"》，2016 年 4 月 18 日，http://www.xinhuanet.com//politics/2016-04/18/c_128899662.htm。

用者的高度渗透性，又表达着政治、经济、文化等社会生活的"全域"现象（特别是不少关键问题、热点话题、典型矛盾、核心诉求），这些都使得网络语言成为社会主流价值观建构的一股 "短兵相接"的力量。

在这一过程中，我们必须坚持以马克思主义为指导，确保马克思主义在网络内容建设中的核心地位；要坚持网络内容建设的社会主义性质，确保社会主义意识形态在网络中的主导地位。①网络语言与社会表达研究事关国家和社会的价值安全和价值构筑，应该成为加强互联网内容建设的重要支撑，成为建设网络综合治理体系的智力支持，最终为营造清朗的网络空间做出贡献。

---

① 王成志：《加强网络内容建设 推进十九大精神进网络》，《学习时报》2017 年 11 月 17 日。

第 一 章

网络语言的群体传播本质

第一节　网络语言的群体传播机制的复杂性

一、多元化传受主体使网络语言的产生具有复杂性

（一）传受主体的多元化及传受关系的不确定性

与在传统媒体中使用的语言系统不同，网络语言发展于网络媒介，在形式和使用上具有很多新特点。网络语言通常包括字母、标点、符号、拼音、图标和文字等多种组合。网民和非网民共同构成了网络语言传播主体和对象，因此网络语言传播从源头上就具有复杂性。网民是网络语言的主要使用人群，除了具有网民所共有的"多、杂、散、匿"等特点和年轻化的趋势之外，还有迫切要求自由表达与社会参与、得到环境认知以及其他边缘性的需求；其行为也具有解构性，试图打破传统，追求另类，不仅群体感染力强，暴力行为也容易被激发；在思维方面，质疑已经成为一些网民思维的基调，容易被简单化的思维主导；在价值取向上，他们具有道德上的双重性、文化上的叛逆性、政治上的激进性。[①]青年人群是网络语言的主要使用者，男女青年群体对于网络语言的使用差异也在一定意义上呈现出社会语言学的性别差异特征。

---

① 彭兰：《现阶段中国网民典型特征研究》，《上海师范大学学报（哲学社会科学版）》2008 年第 6 期，第 48 页。

众所周知，很多网络语言更是从社会热点事件中的焦点语句发展而来，使得网络语言的信源具有不确定的特征。

网络语言使用者的数量之多、年龄跨度之大、社会资本之不同，使得每一个传播者都有着自己的传播动机，引发了不同的网络语言建构。其一，是对语言的建构化创新。在建构化的思维路径下，网民具有高度的主动性和创新能力，他们思维活跃，创造性十足，而网络语言就是这些具有高度主动性的个人在网络上通过沟通与交流而逐渐生产出来的。[①]丰富的网络表情符号是典型代表，如（￣▽￣）～■□～（￣▽￣）表示干杯等。其二，是功利化传播，在一定程度上与商业炒作有关。网络语言具有便捷化、口语化、形象化、娱乐化、个性化等特征，多数情况下，炒红一个耳熟能详的网络词语，比设计过目不忘的广告所花费的成本要少很多。其三，是批判化的呈现。质疑精神和简单的价值取向判断是中国网民的思维特征，一些网民的言论偏激进，网络语言是在表达网民的负面情绪。

网络语言的创造者和使用者是由有着不同传播动机的网民和非网民组成的，传受关系的不确定性更加剧了网络语言产生的复杂程度。网络具有交互性，在网络语言传播过程中，当网民在寻找和接收信息时，他们的身份是受众。当网民主动使用网络语言时，他们的身份就发生了转变，变成了传播者。传受关系的不确定性本就是互联网群体传播的重要特征。"群体传播是去中心化的传播，它消除了传播的权力中心，消除了传受双方的阶级差异，让大众能够平等地参与到传播过程中来。"[②]

网络语言的生产中，传播主体和传播对象是可以进行"转移"和"互动"的。比如，2016 年里约奥运会上傅园慧那一句"我已经用了洪荒之力了"，经央视转播和网络"病毒式"传播后，迅速成为全国人民关注的焦点，从一个接受采访的传播主体，到成为表情包爆红网络，其本身也成了传播对象，她夸张的表达更容易受到年轻网友的喜爱。"洪荒之力"也被《咬文嚼字》

---

① 王炎龙：《网络语言的传播与控制研究——兼论未成年人网络素养教育》，四川大学出版社 2009 年版，第 41 页。

② 隋岩、曹飞：《论群体传播时代的莅临》，《北京大学学报（哲学社会科学版）》2012年第 5 期，第 141 页。

杂志社评为 2016 年十大流行语之一。

（二）传受主体影响网络语言的生产

与现实生活不同，在网络空间中，网民最初都是通过键盘、鼠标、显示屏和对方进行无声无息的去情景化交流，双方几乎是"聋哑人"状态。为此，虚拟空间中的在线或非在线交际要尽力弥补现实空间中的主题缺位，单纯的文字交际显然无法完成这一任务，于是，各种具象化和情景化的印象符与示意符应运而生，并具有强烈的直观临摹性特点。观物取象、依声托义、寓意于形、比附会意是其常用的表达手段。①除了"去情景化"的交流推动网络语言的"象似性"发展之外，由于汉字的特殊性，将其输入计算机并不像英语那样简单，为了便捷，大多数网民干脆用符号来快速表达自己的喜怒哀乐。网络语言最原始的形式符号有:-)（微笑）、:-(（不悦）、;-)（使眼色）、:-D（开心）、:-P（吐舌头）、:-O （惊讶，张大口）、8-) （戴眼镜者的微笑）等。

随着互联网技术优势不断显现以及网民思维的积极创新，网络语言交际符号也出现了一种"返祖"现象，即一种符号体系的返璞归真。网络信息传播与人际交流过程中出现了一种"视觉转型"。除了最初的表情符号之外，网友还创造出了各式各样的颜文字、非主流的火星文、菊花文等，文字图画化已经成为一种潮流。在这样一个读图时代，网络信息传播与人际交流过程中已经出现"视觉转型"，很多冷僻的古汉字由于字形的趣味性和画面感而重出江湖，比如，"囧""槑""烎"。由于人类具象化思维的偏好，网民依据个人口味和喜好进行的创新和搞笑，也使得网络语言发展得如火如荼，认知情景再造、思维返璞归真和读图视觉转型共同促成了当代网络语言中象似性变异符号的产生与流行。

除了追求趣味性和创新，还有不少网络语言的产生更多地触及了社会热点，唯有戳中社会集体敏感心理的网络词汇才会走红。曾有学者提出"社会燃烧理论"，如同自然界中的燃烧需要燃烧材料、助燃剂和点火温度三个条件，社会与自然界雷同，人与自然、人与人之间的矛盾是"燃烧物质"，社会舆论是"助燃剂"，而某一处理不当的突发性事件则是"点火温度"，即

---

① 吉益民：《网络变异语言现象的认知研究》，南京师范大学出版社 2012 年版，第 96 页。

"导火索"。①在互联网群体传播时代，判断社会是否会"燃烧"的较为简单的方法就是观察网络语言的蛛丝马迹，网民若对社会事件或现象有明显的情绪变化，很容易在网络匿名环境中表达出来，如果一个网络热词得到了众多网民的热捧，那其背后折射的社会问题或许已经到了一触即发的地步。

网络语言可以映射出热门词汇所戳中的社会集体敏感心理，或唤起集体记忆。当今互联网时代的社会氛围相对宽松、自由，人们可以通过网络随时表达内心的看法，有了群体做支持，情感也更容易被他人感染，尤其是对于热门社会事件，一呼百应的情绪表达让很多网络语言一瞬间就传播开来。从近些年来流行的网络语言可以窥见网友的社会心理，如"暖男""小鲜肉""心塞"等。一些网络语言的使用还能够表达网民的自尊心理，如"裸考""打酱油""老司机""吃瓜群众""你们城里人真会玩""明明可以靠脸吃饭却偏偏要靠才华"等，一些看似自嘲的网络热词实际上反映了人们敏感而又自尊的心理状态。

除了一些直接由当事人创造的社会热点词语传播成为网络流行语之外，网民也通过社会热点事件炒红了一些网络词语。几乎每一个爆红的网络流行语背后都有一个社会热点话题，这体现了网络语言的非范畴化变异。首先，一些畸变的社会事件和现象常常会在网络语言中反映出来。比如，当代大学生就业造假内幕催生出"被就业"。几乎每一条网络流行语背后都联系着一个社会热点事件或现象，并通过非范畴化变异折射出这些社会事件或现象的荒谬、怪诞。因此，网络语言非范畴化变异也蕴含了批判性功能。因为语言建构是网民对社会热点事件或现象进行概括加工，并通过互联网群体传播得以流行的特殊变异表达方式，是一种相对曲折、晦涩的评论话语，蕴含着"讽刺性民意"。网络语言的非范畴化变异本质上是为了满足网民批判现实的心理需求。②

---

① 牛文元：《社会物理学与中国社会稳定预警系统》，《中国科学院院刊》2001 年第 1 期，第 17 页。
② 吉益民：《网络变异语言现象的认知研究》，南京师范大学出版社 2012 年版，第 96 页。

二、互联网群体传播混沌状态使网络语言具有复杂性

（一）互联网群体传播复杂性影响网络语言的扩散

混沌理论起源于 20 世纪中后期，它应用整体、发展和联系的观点研究复杂非线性系统的秩序与规则。互联网群体传播就是一种混沌系统，具有"非线性秩序、自相似性、自组织性和对初始条件的敏感性等主要特点……在互联网的群体传播中，混沌而不是混乱成为主导秩序；反馈与迭代机制，是网络传播中充满重复与自相似的主要原因；自组织性是混沌系统的特有秩序，在互联网群体传播中，它常以'围观'和景观两种方式展现出来；互联网群体传播中，作为个体是微弱无力的，但作为整体通过蝴蝶效应所展示出来的'微力量'则是惊人的"[①]。此外，小世界网络、无尺度网络、吸引子等概念也与互联网群体传播相关。这些复杂的网络特性都使网络语言的扩散产生了微小而又巨大的蝴蝶效应。

网络语言在互联网群体传播中存在三种传播模式，分别为单核、双核、多核（图 1-1—图 1-3），每一种模式的传播途径、重要时间节点、关键舆论领袖的数量都不尽相同。从数理构成的复杂性来看，网络语言的传播过程可以被看作基于拓扑结构的数字网络平台。如果将每一个参与网络语言传播过程中的人当作一个有效节点，将网络语言的传播轨迹绘制出来，则会发现同一媒介平台内部的流行语扩散最终将形成类似于"流行语团"的结构。[②]

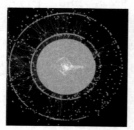 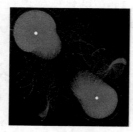 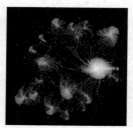

图 1-1 单核传播模式　　图 1-2 双核传播模式　　图 1-3 多核传播模式

---

① 隋岩、曹飞：《从混沌理论认识互联网群体传播特性》，《学术界》2013 年第 2 期，第 86 页。

② 马婧：《网络流行语传播属性与价值研究》，陕西师范大学硕士学位论文，2011 年。

（二）传播渠道的多样性形成网络语言的多种特性

网络语言主要的传播平台是网络媒介，而具体的传播渠道则主要是聊天室、论坛贴吧、虚拟社区、博客、微博、微信、QQ、短视频 App 等即时通信工具、社交网站和视频平台。如"你家里人知道吗"起源于一个在网吧看《新闻联播》的网友，是从贴吧开始传播；而"且行且珍惜"出自某明星的微博，从社交媒体开始传播成为网络热词，并出现了"且吃且珍惜""且学且珍惜"等相似语体。微博等社交媒体作为网络语言传播的典型信道具有以下几个特性：第一，扩散及时性。作为草根媒体，其便利性让普通人可以简便运用并表达观点，一旦有社会热点出现，甚至能产生"只要一个人在微博上发帖，立马全世界都知道"的惊人传播力。第二，内容碎片化。网友随意化、情绪化的表达使微博内容呈现出碎片性，网友的互动让信息的传递更为私语化。第三，多级裂变特征。每一个粉丝都是一个传播节点，网络语言一旦产生，就会在传播过程中不断裂变、蔓延，这也是一些网络语言能一夜爆红的原因。

孕育于互联网的网络语言也有自己的传播特点。第一，传播的时效性强。大部分网络流行语在网络上的传播力极为迅猛，甚至主题帖一经发布，短短数天内就会有上百万的点击率和成千上万的回复帖。第二，传播的周期短。网络语言更新换代极快，除了一些可以被现代语言系统收编的网络语言，其他网络流行语的生命力主要体现在刚刚开始传播的时候，而当大部分人都在使用时，它就离消失不远了。第三，传播的超范围。网络语言虽然产生于网络，却常常成为各种传统媒体的头条标题。第四，传播的变异性。网络语言结构简单、内容灵活，人们的再创作空间很大，传播过程中常常会不断发生变化。

（三）狂欢化拟态空间成为网络语言的传播语境

新媒体的兴起，不仅改变了人类获取信息的方式，也对人们的言行方式造成了极大的冲击，开创了互联网群体传播的新语境时代。网络语言的传播语境是狂欢化的，"网络技术的特点与人们在网络上的现实表现都显现了狂欢的本质，网络成为人们摆脱各种压制力量与繁琐无趣乏味的日常生活的方式，成为过第二种生活的广场"①。对权威的反抗和社会狂欢在网络随处可见，作为狂欢情绪的表达，网络语言在形式和内容上都具有狂欢性。如同行话无法被圈外人理解一样，网络语言也是圈内人的狂欢，只有了解并熟练使用，才算加入到狂欢中来。这种狂欢产生于网络，无论是传播者、受众还是传播环境都有虚拟感。匿名性也让狂欢更不理智，出现了很多故意歪曲传统三观的言语。由于这是一种少有责任感的集体狂欢，网络语言在传播过程中变异的可能性极大，传播也更为复杂。

三、多种传播形态交织下网络语言具有复杂性

网络语言的传播在人际传播、群体传播、大众传播等多种传播形态的交织下存在，具有复杂性。

（一）人际传播是网络语言形成与扩散的基础

网络语言通常诞生于社交网站，包括很多 SNS 网站，如网络聊天、网络交友、长短视频分享、微博、微信、网络社区、音乐共享等类型的平台。社交网络源于六度分割理论——你和任何一个陌生人之间所间隔的人不会超过六个。正是由于"小世界网络"交际模式，网络语言可以一传十、十传百。六度分割理论是一种在宏观上对人与人之间连接关系的理解，这与关系的强弱和建立联系的区别以及传递的成本和激励都有着密切的关系。

人际传播使得网络语言扩散的同时，也让网络语言的变异有了进一步编码的可能。斯图亚特·霍尔总结过电视话语的生产流通过程。他认为"编码"是第一步，也是电视话语可以生产出"意义"的重要阶段。在这个阶段，电视节目的制作者根据自己的世界观、价值观等对原材料、符号进行编码，生成的节目就变为"成品"，进入第二个阶段。节目一旦变为成品，就成了多意义的存在，是一个开放的、多义的话语系统。在观众收看节目的同时，节目的意义得到了观众的检释，也就是得到了观众的"解码"，这是意义生

---

① 胡春阳：《网络：自由及其想象——以巴赫金狂欢理论为视角》，《复旦学报（社会科学版）》2006 年第 1 期，第 116 页。

成的第三阶段。[①]如今编码解码理论已经不仅限于电视领域，网民也不断参与到该理论的建构中，使其内涵不断丰富。

（二）群体传播加速网络语言扩散

互联网群体传播主要在虚拟社群中进行，以陌生人居多，交际面和传播面广，网民之间的联系松散且不稳定，加之信息来源多，语言创新也多。网络社群可以划分为两类：第一类是在现实生活中已经存在的社群利用网络在线上进行社交活动；第二类则是原本并不存在，因为网络而集结产生的社群。这两种群体都促成了网络语言的快速扩散。经济学中的巴斯扩散模型（Bass diffusion model），本意是指新产品被市场接受的程度以及在市场中扩散的速度，对于一种新的网络语言的扩散，这个模型有很高的借鉴价值。一种网络语言一旦被网民接受，其扩散速度就会超乎人们的想象。

当网民受互联网群体传播影响而使用某一网络语言时，一些本没有接触或不愿接受这一网络热词的人由于害怕脱离群体而加入讨论，网络语言拟态化机制由此形成。例如，"给力"一词本来在现实生活中并不常用，但不知从何时起，网络上处处可见"给力"。在这种拟态环境下，受众会产生网络热词"给力"在生活中同样流行的感觉，于是更频繁地使用该词。一些受众也开始使用"给力"，生怕被落在时代后面。随着越来越多的人使用，"给力"这个词语最终火遍了线上和线下，成为名副其实的网络热词。

由不同网络社群对网络词语的使用，也可以看出其使用群体的特点。物以类聚、人以群分，有些网络词汇的传播恰恰迎合了一部分网民的利益诉求。网络群体集中讨论问题，或有相同诉求，就会形成一个网络集群。"网络集群传播是网民集群通过网络中介平台，以契约（习惯或需求）的关系联系在一起。"[②]同时，网络地理空间具有集群效应，集群使得交流的成本降低。社会流瀑效应使得网络部落的集群范式最终形成。

转引自：罗钢、刘象愚：《文化研究读本》，中国社会科学出版社 2000 年版，第 203 页。

② 王炎龙：《网络语言的传播范式》，《新闻界》2008 年第 10 期，第 9 页。

（三）大众传播形成网络语言"狂欢螺旋"

传统媒体受众，尤其是很少上网的中老年受众，更多的是通过大众传播方式受到网络语言的影响，比如，报纸、广播、电视。随着新旧媒体的不断融合发展，很多传统媒体的受众也可以在几小时内了解到最新的网络语言。况且，随着微信的"全龄化"使用，不少中老年受众的微信卷入度也非常高，很多时候他们对网络语言信息的了解甚至和年轻受众大致同步，只是他们对网络新语言的敏感度和理解力不如年轻受众。

传统媒体的受众作为新媒体用户的补充，让网络语言在整个社会得以渗透。例如，网民自造的"累觉不爱""十动然拒""人艰不拆""不明觉厉""男默女泪""喜大普奔""细思恐极"等一大批四字新词被称作"后现代成语"，不仅在网络爆红，形成狂欢热潮，而且这种狂欢又反馈于社会，形成"狂欢的螺旋"。如今线上线下都在频繁使用同一个网络热词的现象十分普遍，就连央视《新闻联播》和《人民日报》头版标题也曾大张旗鼓地使用"给力"一词，而每一次传统媒体的运用也可以被看作现代汉语对网络语言的认可和收编。

尽管网络词语被人们津津乐道，《现代汉语规范词典》中也已经出现了"给力""吐槽"等网络热词，但其是否应该在社会层面被任意使用，还是存在争议。语言传播一方面靠人际传播，另一方面通过媒体的大众进行传播，后者在权威性上更有优势。大众媒体对于网络热词的态度可以更包容和更灵活，对于晦涩难懂、需要语境去使用的网络语言，尽量减少使用，不让受众误解，以免影响传播效果；但对于已经被人们熟练使用的正能量网络语言，还是可以适宜使用和传播的，这也是推动语言创新发展的重要举措。网络语言发展是大势所趋，应顺势而为。

四、网络语言内容及传播过程变异的复杂性

（一）网络语言本身具有多样化的特征

在内容上，网络语言的特点明显，容易与传统语言区分。第一，网络语言简明扼要，会使用大量缩略语、短句等。第二，网络语言具有扩展性，

每年都会涌现出大量新的网络热词、网络流行语。第三，网络语言具有口语化特征，会使用一些方言词以及大量的语气词。第四，网络语言具有随意性，比如，语言文字符号混用、多种语言混用、一词多义等。第五，网络语言具有创新性，这与网络语言本身具有自我更新和进化的特性有关。第六，网络语言具有幽默的特征，它常常诙谐、俏皮，让人感到使用起来兴味十足，这是网络语言吸引网民主动使用并进行传播的重要原因。创造和使用网络语言时，网络受众一方面在辞格中运用仿拟、别解等手段；另一方面也借助网络的匿名性，表达内心的无奈或反抗，或用黑色幽默来自嘲。例如，"秀儿，是你吗"这样幽默的网络语言总能让理解这句话的人会心一笑。

（二）网络语言在传播过程中的变异

网络语言的创新性、随意性、扩展性使其在传播过程中存在复杂变异的可能。网络语言存在超经济性变异，这也是网络语言传播过程中的最主要变异形态。效用最大动机是人们进行很多活动的准则，人们往往会选择最经济的方式去最大限度地利用资源和处理问题，使用网络语言也不例外。这种变异形态分布于语言符号系统的不同层面，主要表现为字母缩略、数字谐音、汉字合音、示意符号、拟像图谱、模态衍生、将错就错、混合谐音变异、动态语篇变异等。[①]比如，网络用语"活久见"就属于这种变异，意思是活得时间长了，什么样的情况都有可能看见。同时，还有的变异与隐喻和转喻有关。与文学修辞手法类似，这种传播过程中的变异一般是为了表达传播主体的需求，满足主观表达意趣。这可以是用数字或者汉字的谐音隐喻，也可能是从概念指称到性状描述的转换。例如，在网络语言中，"锦鲤"不再是一种供人观赏的鱼类，而是指拥有好运气的人，人人都希望成为"锦鲤本鲤"。

---

① 吉益民：《网络变异语言现象的认知研究》，南京师范大学出版社 2012 年版，第54 页。

（三）网络语言意义的动态确立及系统的不断完善

语言的发展要经历漫长的过程，网络语言也在不断地发展、变异和完善。网络语言是一个开放的动态变迁的系统，在此过程中出现的许多形态各异的语言具有包容性，可以结合数字、英语、图画等多种形式，并借助社会热点问题而不断丰富其文化内涵。网络语言本身也在不断地进化，有的网络语言随时间变迁演变成新的表达方式，有的则被渐渐埋没并被网民遗忘。如果将整个语言看作生态系统，也只有适者生存的网络语言才能在语言的发展变化中拥有生命力。一些打破生态平衡的网络语言就算在短时间存在，却无法延续。此外，具有生命力的网络语言还必须经常被使用，只有人们在交流和互动中把它挂在嘴边，才能让网络语言的意义被共享。也只有这样，这些网络语言的内涵才能有再次被加工和创新的可能性。可能开始几个人对于同一句网络用语有着不同的理解，但当网络用语广泛流传后，人们会对其意义达成共识，并进一步传播这种共识。网络语言在动态变化中带来的共享意义自然也促进了网民之间的交流。

五、网络语言传播渠道三因子使传播效果评估具有复杂性

（一）从三个层面理解网络语言传播效果评估

在网络语言的传播过程中，受众因为接收信息可能会导致思想认知、情感心理、行为发生变化。这种变化有的是传播者所希望的，有的也可能是他们意料之外的。网络语言的传播效果有正负之分。在思想认知方面，网络语言使人们养成了模仿与被动式的思维习惯。大量的网络语言在短时间内扑面而来，很多信息只会过一遍眼睛而不会在大脑里留下太多印象；同时网络语言所构建的社会图景并不完全是真实社会的镜像，以此来认知社会容易影响人们对社会的判断。在价值形成方面，网络语言所蕴含的价值观并不一定全是合理的，这也造成了部分网民内心的迷茫，尤其是对正处于三观形成重要时期的青年网民而言尤其如此。此外，网络语言的使用人群也有着性别、年龄、爱好等差异，同在一个网络，却存在"语言代沟"。例如，一个从来不玩游戏的青少年第一次听到"大吉大利，今晚吃鸡"的网络语言，一定会一头雾水。在行为示范方面，因为网络语言而改变了价值观，甚至被激发出社

会参与热情的网民也不在少数，我们鼓励正向的推动社会进程的参与，也要警惕有碍社会稳定和发展的行为举止。

（二）网络语言传播渠道中的重要因子：噪声、把关与反馈

通常情况下，信息传播过程中都存在噪声，网络语言的传播中也存在绝对噪声和相对噪声。网络传播中的假消息、被国家法律禁止的消息、会引起道德谴责的信息是绝对噪声。个体网民接收的一些自己不需要的信息，则可以被看作相对噪声。正是由于这些噪声的存在，我们很难对网络语言的传播效果进行判断。在传播过程中遇到噪声时，网络语言的内容会不断地被修改，此时传受主体会带入自身的想法。比如，网络词汇由原先的带有美好期望到反转后带有消极情绪的案例比比皆是。

在网络语言传播的过程中，把关人的作用在弱化，但其仍然起到了关键作用。微博中的网络语言的创造常常来自个人，能够促使其快速传播的却是"网络大 V"等舆论"领袖"。在社交平台，每天产生的网络语言不计其数，如果不是有影响力的、掌握着话语权的舆论"领袖"进行二次传播，几乎无法让一个网络词语红起来。美国学者罗杰斯等曾提出 N 级传播概念，认为在传播媒介所传递的信息作用于受传者的过程中，存在着多种方式和途径，有的可直接作用于受传者，有的需要经过多种中介因素。可见，传播产生的效果不仅仅是经过"意见领袖"这个中心环节，还受其他许多因素的制约，要经过多种形式的人际传播过程。网络语言在传播扩散中是从人际传播开始，形成规模后转变为群体传播，最后被大众传播收编。对于这样一个复杂的传播过程，我们很难评估网络语言的传播效果。

受众接收网络语言这种信息后，会用文字等对传播者有所回应，这种反馈也是网络语言传播的重要环节。对于传播主体，当传播的信息产生的效果与自己的意图一致时，反馈信息对原信息起增强作用，这就是正反馈；反之，当反馈信息与原来传输者输出的信息有所区别时，则为负反馈，这种反馈没有取得传播者预想的效果，反馈信息甚至会对原来的信息产生削弱作用。网络语言在传播中存在不少负反馈，但正反馈居多。在人们的不断反馈和互动过程中，网络语言不断变异，加之有些网民是盲目、偏激的，因此对于网络语言的传播效果产生的较大影响也不可忽视。

第二节 网络语言的群体传播本质及其互动

一、网络语言、群体传播与互联网发展

自 20 世纪 90 年代以来，由于互联网的飞速发展与普及，网络语言和群体传播呈现出显性发展之势。

（一）互联网场域是网络语言的居所

"场域"是社会学的重要理论之一，其基本观点是：人的每一个行动均被行动所发生的"场域"所影响。法国社会学家布迪厄认为，场域是"在各种位置之间存在的客观关系的一个网络（network），或一个构型（configuration）"[①]。"场域的界限位于场域效果停止作用的地方。" [②]互联网是由网络串联而成的"社会小世界"，也是一个"场域"。

网络出现之后，网络语言随之出现，最早出现的网络语言是与互联网有关的专业术语，它们的使用者主要是互联网专业人士。20 世纪 90 年代，互联网进入大众视野，逐渐成为大众传播信息的一个平台，大众借助这一平台充分发挥其想象力，创造了各种各样的网络语言。这一时期的网络语言主要产生于网络游戏、聊天室、论坛，对其的使用场所也主要集中于互联网场域，几乎没有进入普通大众的视野。

进入 21 世纪，互联网在中国迅猛发展，中国网民人数迅速增长，各种网络聊天工具在普通大众的日常生活中发挥的作用越来越大，网络沟通和交流俨然成为人们生活中的一部分。在此背景下，某些网络语言逐渐走出网络成为街头巷尾热议的话题，并影响到传统媒体。习近平总书记在 2015 年新年贺词中使用了"蛮拼的""点赞"等网络流行语。以上案例不仅显示了网络语言走进传统媒体的发展趋势，更说明了官方对某些网络语言的接纳态度。

---

① ［法］皮埃尔·布迪厄、［美］华康德：《实践与反思——反思社会学导引》，李猛、李康译，中央编译出版社 2004 年版，第 133 页。

② ［法］皮埃尔·布迪厄、［美］华康德：《实践与反思——反思社会学导引》，李猛、李康译，中央编译出版社 2004 年版，第 138 页。

（二）互联网为群体传播提供了无时不在的"物理空间"

"群体"的含义十分广泛，日本社会学家岩原勉认为，"具有特定的共同目标和共同的归属感，存在着互动关系的复数个人的集合体"就是群体。[①]群体的本质特征有两个：第一，目标取向具有共同性，参与群体活动的个人都是带着某种共同的目的集合到一起，比如，共同的利益、关心点、兴趣等。第二，具有以"我们"意识为代表的主体共同性。群体具有重要的社会功能，它是连接个人与社会的桥梁和纽带。个人首先是"群体人"（局部社会的成员），然后才是"社会人"，个人的很多需求只有在群体中才能实现。个人通过群体满足其基本需求，通过群体获得信息和安全感，通过群体实现自我表现与自我实现的需求。

互联网的诞生改变了传统社会群体的出现和成员之间的关系。首先，互联网的出现加快了群体的组成和发展，这大大缩短了组成群体的时间或是降低了加入群体的成本。其次，传统群体成员之间基本上属于"熟人关系"，互联网群体成员之间则是一种虚拟关系，他们是因为共同的兴趣和关注点而形成的"想象的共同体"。因此，网络群体更多具有的是文化而非地理意义上的共同特征。

"共同体"的想象需要媒介，人们只有通过媒介才能意识到"共时性"与"他者"。马歇尔·麦克卢汉认为，人类文明史就是一部媒介演进史，纸质出版物给人们提供了一个全新的世界，这样人们可以从横向和纵向两个角度关照彼此、认识差异、想象和认同油然而生。之后，随着电视、广播等大众传媒的发展，想象的载体覆盖到更多的人群，想象的空间不断扩大。当前，互联网这种新兴媒介的兴起正在极大改变着人类沟通和交流的基本形态。无论是印刷文本还是广播电视大众传媒都是自上而下地传递信息，而在网络提供的"物理空间"中，大众不仅仅是被动的接收者，同时也是传播者，群体成员之间进行着频繁的交流。与民族这种"想象共同体"一样，"想象共同体"这种网民身份"不仅包括对共性的想象，还包括他者的想象，从与他者

---

① 转引自：郭庆光：《传播学教程（第二版）》，中国人民大学出版社 2011 年版，第 89 页。

的差异中界定网民的'文化身份'"①。

"互联网为这种新型的群体传播信息提供了一个成本低廉却又无时不在的物理空间"②，这个平台突破了以往传播交流活动所受到的空间和时间的阻隔。从空间角度来说，无论你身处何地，只要可以上网就可以进入这一"物理空间"接收和传播信息。从时间角度来看，当有热点事件爆发时，其相关信息凭借这一"物理空间"疯狂传播，其传播的速度、广度是传统群体传播方式无法企及的。从这个角度来说，网络重新定义了人类的关系。以往人类的关系更加强调空间因素，如今即时通信技术的发展使得人类关系更加强调时间因素。因此，社交媒体在一定程度上改变了人类的集体关系和组织关系，互联网时代的群体传播应运而生，并深刻地改变着人类的情感交流和信息传播方式。

二、网络语言是互联网群体传播的核心介质

互联网时代，人们交流的方式发生了变化，语言符号随之产生了变异。网络不仅催生了这种变异，而且为这种变异语言提供了存在空间。网络语言成为人们在互联网"场域"交流的符号系统。

（一）网络语言与"亚公共领域"

网民在互联网形成的"场域"中传递信息，那么，网络是否是公共领域呢？哈贝马斯在其著作《公共领域的结构转型》一书中指出，公共领域的构成要素包括公众、沟通媒介和公共舆论。③公共领域是指公众利用沟通媒介形成公共舆论，"公共舆论的来源不是单纯的个人偏好，而是私人对公共事务的关注和理性公开的讨论"④。从这个角度来看，互联网已经具备了公共领域

---

① 赵乐平、范明：《互联网群体传播中网络语言的社交属性研究》，《中国出版》2016年第3期，第56页。

② 隋岩、曹飞：《论群体传播时代的莅临》，《北京大学学报（哲学社会科学版）》2012年第5期，第140页。

③ [德]哈贝马斯：《公共领域的结构转型》，曹卫东等译，学林出版社1999年版，第32页。

④ 范燕宁、赵伟：《中国网络公共领域的两面性及网络秩序的合理构建——兼谈哈贝马斯公共领域理论的当代启示》，《湖南社会科学》2014年第6期，第38页。

的一些特征，但是因为网络的虚拟性、匿名性以及由此带来的网络讨论的非理性，它还不足以成为真正意义上的"公共领域"。网络给人们提供了自由表达的渠道和平台，越来越多的网民在这个"场域"发表自己的看法，中国的新意见阶层在互联网"场域"悄然出现，这使得该领域成为社会舆论的"亚公共领域"或是哈贝马斯所认为的非正式的、个人的、非公共的意见系统。[①]

在网络亚公共领域内，网民根据诸多社会现象充分发挥想象力，创造了许多与社会事务有关的网络语汇。网民一旦通过网络媒体、传统媒体或是小道得到信息后，容易制造出一个与之相称的网络语汇，进而在各种网络平台传播，这是网络语言传播的初级阶段。如果这一网络语言吸引了更多网民的注意和模仿，这个网络词语可能会发展为网络流行语，相关讨论就开始从网络"亚公共领域"向"公共舆论"演化。"网络语言成为网民表达意见、交流思想和沟通情感的重要工具。从这个意义上讲，没有网络语言参与的网络传播，并不能称之为完整意义上的网络传播。"[②]网络语言是网络传播的重要介质，是网络人际交往的重要工具，网络是网络语言的居所，"亚公共领域"是网络语言活动的舞台。

（二）网络语言的互联网群体传播

网络语言由网络的各种交流方式产生，凭借网络传播符号而发展，经由模因而播撒，通过网民群体大规模传播。

1. 符号是网络语言的启动器

网络语言是网民赖以交流和传播的工具，网络传播的跨文化、跨技术、跨地域、跨符号等特征无一例外地在网络语言中得以实现。[③]在互联网时代，信息传播突破了时间、空间障碍，信息的生产、消费与传播方式的变化使得信息的基本载体——符号也发生了前所未有的变化。

---

① ［德］哈贝马斯：《公共领域的结构转型》，曹卫东等译，学林出版社 1999 年版，第 292 页。

② 隋岩、周琼：《互联网群体传播时代的网络语言与准社会交往》，《社会科学战线》2016 年第 11 期，第 151 页。

③ 曹进：《网络语言传播导论》，清华大学出版社 2012 年版，第 234 页。

信息是无形的，人们在进行沟通时必须借助具有物质形式的符号，比如，语言、声音、文字等，符号是人类传播的介质。符号的功能表现在三个方面：一是横向交流；二是纵向传递；三是促进思考。关于交流功能，即传播者首先通过符号化将自己要传递的信息转换为语言、声音、文字或其他符号，之后接收者对其符号进行解读。关于传递功能，即无形的信息只有在符号化之后才能在时间和空间中得以传播和保存。关于思考功能，思考本身就是一个操作符号、在各种符号之间建立联系的过程，思维离不开语言，也就离不开符号。

语言是一种符号，符号的具体意义由使用者决定。网络语汇由语言符号和非语言符号两大系统构成，因为符号本身所具有的开放性和创造性以及网络的交互性和平等性，使两大系统的符号相互借鉴，并在网络传播中迅猛发展。鉴于此，网络语言摆脱了传统元语言规则对其发展的束缚，这使得它会在自己独有的"场域"内肆意生长。网络语言是一种虚拟社群的语言，作为符号体系，它首先是一种交际工具，与此同时它渗透着使用者对社会现实的认知和阐释。在群体传播的环境中，大众使用这种符号寻找新的社会定位、形成新的社会认同，从而形成"想象的共同体"，并参与其中。在传播过程中，一方面，不同网民根据自己的认知不断对某一网络语言进行解读；另一方面，随着话语场不断发生变化，网络语言的内涵和外延不断发生动态变化，这构成了网络语言运行的根本逻辑。

2. 模仿是网络语言的复制器，模因是网络语言传播的加速器

网络作为传播的重要载体，是语言符号传播的重要条件。在网络时代，信息按照模仿、复制、传播的逻辑传向四面八方。模仿是人类知识、生活和艺术产生的根源，是传播的基因，语言是一切模仿的伟大载体。当模仿的人群不断扩大，并被多数人理解和使用时，就容易流行起来。如果说在自然界基因是一种复制因子，它通过自我复制而进行繁衍，通过相互竞争促进了生物的进化，那么在人类社会领域，社会文化传递的复制因子就被称为模因，其外在表现是符号。模因是网络传播的加速器，模因的传递、变异与发展均无法离开模仿。

模因这一概念最早是由理查德·道金斯在其著作《自私的基因》中首次

提出的。① "模因的原词 meme 在拼写上模仿了基因 gene，其词源是来自希腊词 mimeme（模仿）……基因通过遗传而繁衍，而模因通过模仿而传播。"② 基因在不同的代际纵向传递，其传播需要至少一代人的时间，其在代际也进行横向传播。模因既可以纵向传递也可以横向传递，其传播力胜过基因，在短时间内可以迅速扩散。

模因论从历时和共时的视角解释了事物之间的横向联系以及纵向的传承。模因是一种"非遗传复制器"，它是"在复杂以及社会化的头脑提供的环境中发展起来的"③。模因作为文化传播单位，语言、习俗、声音、思想观念等都是其表现形式，它们一旦传播开来，就是各种各样的模因。简单来说，模因是指可以通过"模仿"而被复制的信息。模因论的核心观点是，模因通过模仿而非遗传的方式进行自我复制。模因的复制特性与基因的复制特性一样有三个明显特征，即长寿性（longevity）、多产性（fecundity）和保真度（copying-fidelity）。也就是说，模因存在的时间长、复制速度快、保真度高。在互联网群体传播时代，因为计算机的特性，与传统方式相比，网上模因复制的以上三个特征更加明显，从而促使模因通过网络被更有效地复制和传播。

布赖森认为，精确的模仿能力和第二次序表征能力的结合使人成为模因物种。前者为语言信息传播提供了丰富的基底，后者使我们具备了对语言进行组合计算的能力。模因论认为，模因携带者是宿主，模因传递是指宿主携带模因并进行传播的过程，这一过程也被称为复制。在新的宿主选择某一模因并进行传递的过程中，模因要经过同化、记忆、表达和传输四个不同的生命周期。这个生命周期在不同的宿主身上周而复始，从而实现广泛传播。某些模因之所以能够成为强势模因，一是因为它们易于被记忆；二是因为它们易于与宿主已有的知识结构联系起来，从而容易被宿主理解和接受并被传播，然后再影响新宿主。

网络在诞生之初就与语言模因结下了不解之缘，网络语言在人们自觉或

---

① Dawkins R, *The Selfish Gene*, New York: Oxford University Press, 1976.

② 张国、姜微：《模因论视阈下的网络流行语的传播研究》，《中国海洋大学学报（社会科学版）》2011 年第 3 期，第 108 页。

③ Dawkins R, *The Extended Phenotype—The Gene as the Unit of Selection*, London: Oxford University Press, 1982, p. 109.

不自觉的网络交流中不断形成、模仿、复制和传播，网民早已深陷网络语言模因的汪洋之中。模因在网络语言的形成和传播过程中发挥了巨大的作用，网络语言的模因特色不只是复制和传播某一个网络语汇，网络语言的创造方式也将通过模仿而流传。网络语言模因的发展过程充满了竞争和选择，那些经过竞争、选择和淘汰保留下来的网络语言就是最终生存下来的、高质量的强势模因，它们成为网络语言的种子。在这个过程中，它们既斗争又联合，联合的结果就是形成模因复合体。通过这些简单模因和模因复合体，网络语言在互联网上不断被复制和传播。

在互联网时代，人与人之间的交往更加频繁，模仿更加频繁，这增加了语言模因传播的机会，推动网络语言"模因库"不断扩大。除此之外，网络的出现使得模仿更快捷、更准确。因此，网络成为模因保存、复制、模仿与传播的有力平台，它推动了模仿的急剧增加和传播的无限扩大。网络语言作为一种媒介语言，凭借其大量强势模因在互联网群体交流中异军突起。离开模因，网络语言无法在短时间内实现迅速的复制和传播；离开传播，模因也缺少传递的通道，无法在时空中延续下去。因此，二者是相辅相成、相得益彰的关系。

模仿理论和模因理论是网络语言快速、大面积传播的理论基础，模仿是网络语言的复制器，模因是其传播的助力器。网络流行语的形成、发展，很大程度上归功于模因的力量。通过创造性的模仿和复制，网络语言遵循模因传递规律，按照其特有的生命周期与选择标准，通过模因基因型的相同信息异形传播，以及表现型的形式相同、内容各异两种模式传播，自我复制、相互复制，在复制中创新，在创新中组合，使网络语言模因不断壮大。[①]某些网络语言凭借其强势模因迅速在网络上走红，成为人们的日常生活用语，甚至直接影响到平面媒体，这在某种程度上也推动了文化的进步。

3. 网络语言是一种社会表达和情感的宣泄

网络语言是一种表征符号，它的出现和发展是一种复杂的社会现象。它是在网络环境中成长起来的符号系统。作为"亚文化符号体系"，其具有"去中心化""娱乐化""解构权威"等后现代主义视域下的特征，是一种碎片

---

① 曹进：《网络语言传播导论》，清华大学出版社 2012 年版，第 243 页。

化的社会表达和情感宣泄。从某种程度上来说，网络流行语是热点事件与网民心理相互作用的结果。网络语言的流行离不开群体模仿的推动，因此这些网络语言只有迎合网民针对社会现实的情绪和心理，不断增强传播的持续性，才能产生较为广泛的影响力。

网络语言是互联网传播兴起之后最典型的群体行为特征之一。很多情况下，群体传播是展示自我、传达情感的需要。对于网民来说，参与群体传播很多时候传达的是一种群体归属和认同的情绪，而这种情绪很容易被感染和强化，从而带来更强的传播效果。网民在不断地建构、解构、重构网络符号的过程中体验着语言符号和非语言符号被创造与变造的快感与狂欢。"这种狂欢蕴含着复杂的个人和社会心态，有为自由、解放、新奇的歌唱，也有发泄、无聊、慰藉的惆怅，更有孤独、荒诞、颓废的表露，在身体'缺场'的网络体验中，在共同使用传播符号体验着心理宣泄的快感。"[①]

中国的网络流行语多发酵于网络热点事件，其传播也受制于热点事件发生、预热、高潮、降温、平息的发展周期。"一个热点事件爆发，往往生产出一个相应的网络符号，而事件降温和其他事件的层出不穷，使这个网络语言迅速淡出，说明网络语言的内容总是以事件为中心。"[②]这是一种典型的事件性符号，网民的关注点在不同热点事件上游走，难以对事件背后的因素进行深入、理性的分析和探讨。因此，当前的一些网络语言在一定程度上是一种非理性的情感宣泄而非理性讨论。

三、互联网群体传播是网络语言的助力器

网络语言与群体传播，一个是传播内容，另一个是传播方式，两者借助互联网提供的"场域"相互推动。

（一）互联网群体传播的网络语言特征

网络语言是互联网传播兴起之后最典型的群体行为特征之一，它成为互

---

① 曹进：《网络语言传播导论》，清华大学出版社 2012 年版，第 150 页。
② 赵乐平、范明：《互联网群体传播中网络语言的社交属性研究》，《中国出版》2016年第 3 期，第 55 页。

联网群体传播的表达方式，具有明显的去中心化、平面化、碎片化和草根化特征，这是网络语言生存的土壤和传播的基础。群体传播中的个人曾是大众传播主导时代的受众，但是在互联网群体传播时代，他们既是信息的传播者又是接收者。网络传播的独特性粉碎了大众传播一对多的简单传播模式，网络语言把传者、受者、把关者等角色融合在一起，网民可以自由创造、选择、使用和传播语汇。网络语言的这些特征与大众传播学的受众特征具有高度的相似性，群体传播的特征突出表现为自发性、平等性、交互性、信源不确定性，两者的特征是相互关联的。在网络语言的生产与消费过程中，群体传播具有突出的作用，群体的语言生产能力成为网络语言的"搅拌机"，标准语、方言、符号全部被巨大的网络搅拌机杂糅在一起，以实现群体传播。

（二）互联网群体传播的情绪化和非理性

互联网提供的"物理空间"大大降低了身份和地位在传播过程中的作用，无论你是什么身份、身居何处、位居何位，只要识字，只要可以上网，就可以通过微博、微信、QQ 群组等平台参与群体传播。同时，随着通信技术的发展，上网的资费越来越低廉，手机上网越来越普及，这样普通大众可以更加方便、快捷地进入互联网"场域"。这一场域是廉价和多样的文本信息的散播场所，网民根据自己的喜好接收和传递信息。这样从社会权力的角度来说，群体传播打破了权力垄断，消除了传播的权力中心，消除了传受双方的话语权差异。从传播内容的角度来说，群体传播强调内容的多样性、冲突性和戏剧性。因此，群体传播强调的是信息的传递与分享，这是一种去中心化与分散化的传播方式。与传统的大众传播相比，这种传播方式具有组织无序、内容琐碎、意义多元的相关特征，这使得情绪化和非理性主导着信息的解读和阐释，从而造成逻辑与理性的缺失。

当前，中国正处于社会转型期，大众在社会现实和自身境遇面前容易滋生焦虑的情绪，这些情绪在严重时会引发群体事件，当前不少群体事件就是转型时期社会心理和情绪的集中反映。互联网的兴起为大众提供了表达诉求的"亚公共领域"，网民积极参与到与之相关的群体传播中释放情绪。对传统媒体符号的意义进行颠覆，或是修改、补充，或是解构，甚至扭曲并创建新的符号和话语意义，成为大众交流情感和发泄情绪的一种有效方式。情绪具有极强的感染力，极易在群体传播中引起共鸣，因此以轻松、调侃、幽默、娱乐、戏谑、讽刺、影射等方式解构传统大众传播的正统、正面、主流、权威、强势符号所指成为"草根"的社会表达方式。一些网民借助网络语言这种符号不是反映真实事件而是表达诉求、发泄情绪，并且形成网络围观的景象，正如波德里亚所言："大众寻求的不是意义，而是景观。"[①]

（三）互联网群体传播是自我实现和群体认同的需要

马斯洛将人的需求划分为五级：生理需求、安全需求、社交需求（包括友爱和归属两方面）、尊重需求和自我实现的需求。在前两个需求得到满足后，人们就会转向社交需求、尊重需求和自我实现需求。作为社会化的动物，人需要群体生活。无论在何种社会形态下，群体认同和归属都是人类的基本需求。群体归属划分的标准可能是地域、宗教、肤色、出生年代等因素，这些因素使得人们有相同的记忆、共同的责任、同样的追求，从而促使人们进一步加深对群体文化的认同。群体既是社会化人类的归属所在，也是人们实现社会价值和自我价值的社会空间。

网络媒体的出现和发展使基于地理空间的群体传播发展为基于互联网物理空间的群体传播。在互联网群体传播时代，每个人都可以成为传播者，主动参与传播过程，大众在获取信息的同时，渴望放松身心、展现自我，获得身份认同。"大众可以通过网络方便地加入一个或多个群体，体验并满足多种身份和角色。"[②]网络语言是网民自己的发明创造，其体现的不是某个人的个性和特征，而是一个群体的个性和特征，这种模式化特质体现了网络的群体传播特征。互联网为群体传播提供了新型的"物理空间"，人们根据自己的关注点、喜好和兴趣等因素形成不同的群体，在每个群体中，其成员自由交流从而实现自我身份的建构并营造出一种归属感。因此，从某种程度上来说，网络语言体现了发明者和使用者的身份和认同，并成为群体交流的核

---

① 转引自：隋岩、曹飞：《论群体传播时代的莅临》，《北京大学学报（哲学社会科学版）》2012 第 5 期，第 146 页。

② 隋岩、曹飞：《论群体传播时代的莅临》，《北京大学学报（哲学社会科学版）》2012 第 5 期，第 141 页。

心。网民通过使用网络语言参与到群体传播中，并形成一种"想象共同体"的群体认知。网民对热点事件的关注不断塑造并加深这样的群体身份认同和归属感，而网络语言就是这种群体身份认同和归属感的显著表现。这种社会认同爱憎分明，有时也有模糊或是明确的诉求，但鉴于网络"虚拟社区"的特性，从某种程度上而言，这些认同缺乏理性之光的指引，最终停留在社会心理层面的感性认同上。

（四）互联网群体传播是网络语言的放大器

传播方式不一样，传播的主体和客体不同，这使得能够传播和接受的内容和文本的类型也不尽相同。传统的大众传播是指专业化的媒介组织运用先进的传播技术和产业化手段，以社会上一般大众为对象而进行的大规模的信息生产和传播活动，其传播主体是专业化的媒体从业人员，其传播客体是社会上所有的"一般人"。这是一种单向性传播方式，具有专业化和制度化的特征，其内容具有商品性和文化性。

互联网群体传播没有明确的主体和客体的区分，从某种程度上来说，这种传播是群体内部"所有人对所有人的传播"。互联网上群体众多，群体成员则更是千差万别，群体传播的内容和文本类型也具有鲜明的群体特色。在大众传播中，其专业化和制度化约束了传播的内容和文本。在群体传播中，没有过滤机制约束其内容和文本，网民可以根据自己的喜好随意选择、自由发挥。除此之外，"在叙事原则上，群体传播中更强调的是经验、判断与情感，而不是事实、逻辑和理性"[①]。因此，网络语言"多""杂""散""匿"的特征成为群体传播文本叙事的特色。

形色各异的网络语言反映了该群体的特质，它不仅推动了网络上各种"群"或"圈"的形成，而且密切了群体成员之间的关系。如果说网络是人们交换知识、交流感情和传播信息的大动脉，那么网络语言则是"网络交往的血液"。网络语言的生产过程没有经过传统媒体把关，其传播范围超越了人际互动交往的小圈子，网络语言依靠庞大数量的网民参与而形成并不断传播。

---

① 隋岩、曹飞：《论群体传播中的第三人效果》，《新闻大学》2012 年第 5 期，第 19 页。

网络语言随着互联网的发展而被人熟知,它在互联网场域中借群体传播之力不断发展壮大,同时也丰富了群体传播的表达,承载着群体传播的内容,适应了群体传播的特性。在网络语言的助力下,群体传播的效果不断增强,群体传播也推动了网络语言的发展。网络语言和群体传播之间隐藏着一种互动关系。群体传播加快了网络语言的更迭,加速了网络语言的传播,拓宽了网络语言的传播地域,扩大了网络语言的使用范畴。

互联网的诞生使语言的生产和传播方式发生了革命性变化,网民在这一新的"场域"充分发挥其想象力和创造力对传统语言和非语言符号进行改造。网络语言降临世间,成为群体内部和群体之间的重要交流工具。网络语言是一种符号表达系统,是一种社会表达和情感的宣泄,依靠强势模因在网络上迅速传播。群体传播具有典型的网络语言特征,还具有强烈的情绪化和非理性的特征,在群体传播中,网民使用网络语言进行交流,这不仅满足了成员自我实现和认同的需要,而且迅速扩大了网络语言的传播面和加快了网络语言的传播速度。

网民利用语言符号和非语言符号相互传播信息、传递情感、释放情绪、表达诉求,从而形成互动关系,这个过程促使虚拟群体形成,实现了互联网群体传播。在这一过程中,网络语言在网络群体内不断传播并不断补充发展,群体传播借助网络语言这种符号满足了交流的需要,并维系了群体关系。可以说,网络语言与群体传播就是一对咬合的"齿轮",只有彼此"依偎"才能实现"转动"。

第 二 章

网络语言的符号传播特性

第一节 群体传播中网络语言的社交属性

"语言是最重要的人类交际工具。"①这在口语表达中发挥得淋漓尽致。"你好""上哪儿去""忙吗""吃了吗"等见面语是常见的寒暄方式，目的虽不在信息交流，却具有重要的人际沟通作用，看似冗余，但在维护社会关系方面发挥着不可或缺的作用。同样，书面语也被用来表达情感和思想。文学作品、报纸杂志、商业信件等都是进行信息沟通和交流的重要工具和手段。两种形式的语言都体现了最基本的交际功能。所谓交际，语言学给出的定义是："指人与人之间的往来接触，相互交流思想和传递信息……语言作为一种社会现象区别于其他社会现象的本质特点，在于语言是一种社会交际工具。"② "语言交际就是借助语言这个媒介进行的交际活动，它使得人们的思想得以交流、感情得以沟通。"③

网络语言作为一种具体语言形态，自然离不开基本的交际功能。当下最流行的微信朋友圈功能就是一个很好的例证。越来越多的人爱给亲朋好友点赞，既表明态度，又拉近关系。2013 年的腾讯统计报告显示，中国人最爱用

---

① ［苏联］列宁：《论民族自决权》，外国文书籍出版局 1950 年版，第 7 页。

② 刘心镛、张先模、李宇明等：《理论语言学基础》，华中师范大学出版社 1988 年版，第 15 页。

③ 王焕玲、张娜：《语言学概论》，吉林大学出版社 2014 年版，第 23 页。

的三个 QQ 表情依次是龇牙、偷笑和发呆。发个龇牙笑表示友好，发个偷笑暗示心照不宣，发呆表情说明不知道该说什么，从而将话头抛给对方。无论哪种形式都起到了很好的促进人际互动的作用。2020—2021 年，微信还专门对表情包系统进行了更新、调整，旨在满足用户对表情符号的强烈需求，推动开发公司优化设计，使表情符号的使用更符合当下的情感表达。点赞、表情符号是在互联网传播中，尤其是社会化媒体兴起后最具有代表性的网络语言之一。正是这种有效和具有鲜明特征的交际功能，使其迅速流传开来，并产生了广泛的影响力。

一、网络语言的社交属性

网络语言是新生事物，具有不同于传统语言的鲜明的独特性，其交际功能不仅局限于人际沟通中的信息和情感交流。2012 年出版的《网络语言传播导论》一书中指出，"网络上的'圈'或'群'把网民划分为一个个自由的社交组合群体，在这样的群体中，网络语言呈现'多''杂''散''匿'的特征"①。网络语言更多是被各种群体使用，因此，我们更愿意使用"社交"而不是"交际"一词来表述网络语言的基本功能。社交不仅具有交际的一切特性，而且强调交际在群体中产生的影响。语言的交际功能更多的是从人际传播的角度出发，考察说话人和接收者直接的意义交流；而网络语言和群体传播紧密相连，使得语言的社交属性更加突出。

网络语言在交际过程中会不断演化，形式和意义不断叠加和演绎，产生无穷尽的效果和影响。根据智谷趋势的研究，北京、上海、广州这三个城市原本在大众媒体上一直被称作"京沪穗"，但在微博上"北上广"的说法受到更多用户的欢迎。②据不完全统计，2014 年年初到 12 月，"北上广"一词在新浪微博上出现了 249 万余次，而"京沪穗"一词只出现了不到 2.8 万次，前者出现的次数是后者的 89 倍。③悄然间，"北上广"在传统媒体上取代了

---

① 曹进：《网络语言传播导论》，清华大学出版社 2012 年版，第 228 页。
② 中投网：《"北上广"何时代替了"京沪穗"？》，2014 年 12 月 15 日，http://www.ocn.com. cn/chanye/201412/beishangguang151641.shtml。
③ 此处为本书作者当时所做的统计。

"京沪穗"，让本来在小圈子里使用的词语，经过微博的放大和发酵，替代了媒体的原用语。网络语言不仅用来清晰、明确地达意，而且会通过交往互动改变原有的语言表达方式。在这里，网络语言的社交功能体现在网民参与后对意义的改造方面。

此外，网络还为语言提供了更为丰富和细腻的语境，放大了符号的联想功能。比如，"你懂的"就是社会化程度极高的网络语言，要想理解"你懂的"，就要看具体的语境。"你懂的"的大规模流行超越了最初的语境，建构起网络空间中新的约定俗成，成为具有普遍意义的网络隐语乃至网络舆论。在"不能说太细"后面跟一句"你懂的"；在马航失联数日，疑点重生之际，只能感叹"也许只有（马航）'你懂的'"。这个网络热词成为诸多问题的答案，引发无尽联想，在不同语境中表达出无奈、嘲讽，抑或是诘问。这个被用在多个语境下，既有联系又各不相同的同一个网络用语，正是其特殊的社交属性带来了这种多变性。由此可见，群体传播是网络语言的助力器，同时也赋予其社交属性。

网络语言的社交功能处于不停的演化过程中，既保留最初的意义起源，同时又受具体的语言环境的影响，不断发生变化，需要使用者结合语境和对语言产生认知。因此，社交功能是网络语言的基本属性，是在群体的推动下，通过不断的演变来进行意义的交流和传递。因此，网络语言的社交属性既包含语言的交际功能，同时又有独特的网络邀约对话和参与的功能。

二、网络语言的三种形态

随着中国互联网的发展，网络语言也随之不断变化。从最初用来专指描述计算机网络的技术语言，到后来大规模的网民参与的一种景观现象，语言在不断地动态发展着。梳理学者对网络语言的归纳和概括，大体可以看出至今为止已经衍生出网络语言的三种主要形态。

第一种形态是以改变符号的能指方式而形成的网络语言，如缩略语、数字或表情符号、拟声词等，主要通过打破传统稳固的能指和所指的约定性，以标新立异的方式受人青睐。第二种形态突出了网络语言的使用环境，是在群体传播中通过网民的共同参与而形成的独特文化圈，如淘宝体、甄嬛体、辞职体等的出现。第三种形态通常由特定的社会事件触发，唤起广大网民的心理共鸣，从而产生强大的传播效果，如"我爸是李刚""APEC 蓝"等。这种形态在新生代网络语言中尤为突出，"都不是从字面上直接衍生出来的，大多来源于影响较大的公共事件和社会事件……与当代中国社会转型期的政治、经济、文化、环境及人们心理活动等因素密不可分"①。当然，这三种形态的界限并非泾渭分明，也不是逐级替代，而是处于共生的状态，或者说新一阶段的语言发展包括之前的基本特征，并且添加了新的功能和意义。

第一种形态的网络语言是用视觉化的方式来进行听觉化的语言表达，使语言表现出很多口语化、图形化和拟声化的特征。学者更多的是从语言学的角度观察这个"变异"②或者新生的语言现象，从而也对维护语言的纯正性提出了很多的要求。早期的网络语言大多呈现出这种特色，它们来自对普通语言的词型改造，尚处在即时传播和为了好玩而标新立异的浅薄层次。③武汉大学的郑远汉教授归纳出了网络词汇的七种生成方式：符号图形、数字会意、谐音替代、缩略简称、转义易品、双语混杂、重字赘语。④如"斑竹""走召弓虽""小盆友""酱紫""白富美""幸福 ing"等，此类语言层出不穷，彰显出这类形态语言的强大生命力和网民丰富的创造力。这个层次重在改变语言的能指形式，用违背常规、传统的表达方式来彰显网络的独特性。此类网络语言更多体现出语言的基本交际功能，增加了符号使用者之间的情感交流。

第二种形态的网络语言被网民用来区分其他语言使用群体，是标榜自身身份的工具，出现很多带有强烈网络环境特征的语言，如早期由 BBS 带来的一系列网络词汇——"楼上""沙发""灌水""顶""拍砖"等，这些是经常出现在论坛上的网民才熟知的符号，与当时大量的不上网的人拉开了"身份"距离。社会化媒体中的跟帖文化、评论功能也是网络语言的一个重要阵

---

① 黄碧云：《新生代网络流行语的符号学解析》，《新闻与传播研究》2011 年第 2 期，第 108 页。

② 宋培杰：《网络语言中的词汇变异现象探析》，《河南师范大学学报（哲学社会科学版）》2012 年第 4 期，第 187—190 页。

③ 李铁锤：《网络热词传播现象研究》，华中科技大学博士学位论文，2012 年。

④ 郑远汉：《关于"网络语言"》，《华中科技大学学报（人文社会科学版）》2002 年第 3 期，第 102—106 页。

地。随着网络购物和电子商务的崛起，淘宝体迅速流行起来，2011年，有高校用淘宝体向学生发送录取短信，外交部甚至用淘宝体在微博上发布招聘信息。此后，相继出现了甄嬛体、凡客体、咆哮体、辞职体等。这类网民构建的独特的网络语言形式，表达了特定的情感逻辑。杨国斌认为，在木子美博客、一个馒头引发的血案、芙蓉姐姐、凤姐等网络文化事件中，人们关注的焦点在于道德争论和文化表达，其情感模式常常是戏谑的。[①]其用戏谑、调侃、幽默的语言来达成使用者彼此心照不宣的内心认同。非洲裔美国诗人布鲁克斯等说："必须考虑的不仅是经验的复杂性，而且还有语言之难以控制，它必须永远依靠言外之意和旁敲侧击。"[②]网络语言中的文化情感就是通过符号的含蓄意指来构建群体归属感和认同感，从而增加网络语言的社交功能。

第三种形态是由社会热点事件触发而产生的语言词汇，更多地与新闻媒体以及信息的广泛传播联系起来。例如，"我爸是李刚"等社会事件带来大量的网络语言，因此其中的社会、文化特征更多地受到学者的关注。这种形态的网络语言成为与传统话语博弈的新兴"草根"话语权力的表达。概括地说，就是规避和反讽网络管理，是"草根"话语同传统话语的一种博弈。当然，这种博弈有时很隐晦，采取了一种回避敏感字眼的策略。敏感字眼虽然消隐，但这只是能指形式上的消隐，其所指的意义始终"在场"，呈现出所谓的"缺场化在场"（absent presence）的社会互动意义。在这里，网络语言尤其是网络流行语充当了"草根"舆论场中新的"弱者的武器"。与传统社会中"弱者的武器"不同，在新媒体技术的帮助下，网络语言在力度、效度、速度、广度等方面都发生了质的飞跃，"形成了从底层向中层乃至上层发生直接作用的纵向认同权力，处于社会上层的各种掌权者，也不得不对这些在传统社会可以忽略不计的社会权力刮目相待"[③]。合理化联想的一个表现是在个体与群体、部分与整体之间寻找共同点、建立相似性，进而营造一种身处集体的参与感和充实感。

① 杨国斌：《悲情与戏谑：网络事件中的情感动员》，《传播与社会学刊》2009年第9期，第39—66页。
② Wimsatt W K, Brooks C, *Literary Criticism: A Short History*, New York: Knopf, 1957, p.50, 674.
③ 刘少杰：《网络化时代的社会结构变迁》，《学术月刊》2012年第10期，第23页。

人民网舆情监测室于 2015 年 1 月公布的调查报告显示,中国的网络流行语多基于网络热点事件,呈现出爆炸式传播的特征,同时也受制于热点事件的传播周期。[①]一个热点事件爆发,往往会生产出一个相应的网络符号,而事件的降温和其他事件的层出不穷,又使这一网络语言迅速淡出。这说明网络语言的内容总是以事件为中心。换言之,即事件性的符号结构是社会结构在网络世界的一种投射,它们的所指意义是对社会现实的一种言说和再生产。事件性符号导致公共话题的讨论难以深入,也难以保持理性,都是为一个事件所激动、所悲愤,但又很快被新的事件取代,所以当前的网络语言往往是情感的宣泄压倒了理性的讨论。随着我们的社会越发地被这种符号化的情感表达所包裹[②],网络语言也催生出两种基本的情感逻辑——悲情与戏谑。悲情与戏谑经过仪式化的狂欢,突出了网络的社交功能,是在群体传播环境下放大的特征。这个阶段的网络语言与群体的社交和互动更为紧密,是在大量的信息流动(传播)中产生的语言特性。目前的网络语言糅杂了三种形态的特征,成为一个混合的高级变异体。无论哪种形态,社交功能都是网络语言的基本特征,在不断的应用实践中赋予了网络语言顽强的生命力。

三、社交功能在群体传播中的独特性

在群体传播环境中,社交功能常常还伴随着仪式感。史蒂文·卢克斯认为,仪式是"受规则支配的象征性活动,它使参加者注意他们认为有特殊意义的思想和感情对象"[③]。见面打招呼是生活中最典型的一种礼仪,无论是欧洲人亲吻脸颊或手背的传统,还是古代中国人作揖抱拳,都是象征性的活动,具有高度仪式化的意义。网络传播少了见面的寒暄,但并不缺少人类群体活动的仪式感,反而使其更加突出。例如,在群体传播特征鲜明的网络论坛和微博上,专门设立的签到帖、早安帖、晚安帖等就是一种仪式。

---

① 人民网:《人民网舆情监测室发布〈2014 中国网络语象报告〉》,2015 年 1 月 20 日,http://yuqing.people.com.cn/n/2015/0120/c364391-26415858.html。

② [美]乔治·瑞泽尔:《后现代社会理论》,谢立中译,社会科学文献出版社 2003 年版,第 128 页。

③ Lukes S, "Political ritual and social integration", *Sociology*, Vol. 9, 1975, pp.289-308.

　　对于许多网民而言，每天到关注的帖子和微博下面签个到、互道晚安、点赞微信步数等，都是一种仪式化的例行公事，在集合作用下最终聚沙成塔，搭建起网络语言的回帖"高楼"，成为一道独特的网络景观。微信等社交媒体使人处于时刻保持在线的状态，这也是一种仪式，朋友圈晒的不是内容，而是仪式，是一种互联网文化中必须参与的仪式，否则就是落伍，会被排斥。跟帖回复时有一种方式叫作"保持队形"，就是跟前面的回复保持完全一样的内容和格式，这种网络语言强化的就是参与者的仪式感。正如美国媒介批评家莱茵戈德所说，仪式化的社群行为能够增加认同，是网民参与社群的重要因素之一。①所有这些网络景观让"现实被片面地理解，并在新的一般性中展现为一个隔离的虚假世界、一个纯粹景观的对象"②，构成了"以形象为中介的人之间的一种社会关系"③。如此，网络社交的仪式感也具有了迪尔凯姆主义者所强调的仪式的再造时空功能。

　　社交功能还带给使用网络语言参与者一种"想象的共同体"认知。本尼迪克特·安德森在《想象的共同体：民族主义的起源与散布》一书中提出了关于"想象的共同体"的著名理论。④这一理论涉及的是现代民族国家和民族主义如何起源和发展等大问题。在"想象共同体"下构建的网民身份，不仅包括对共性的想象，还包括对异域和他者的想象，从与他者的差异中界定网民的"文化身份"。⑤帖子的内容本身相当简短，但帖子设立的签到和问候的话题使个体聚集在一起，参与回复的直观体验帮助个体认同自己是集体中的一员，从而建构起一种形式上的"想象的共同体"。网民通过仪式进入虚拟网络中一种人为设定的具体的时空领域，在这里，人的情感和意义得以再造

---

　　① Rheingold H, *The Virtual Community: Homesteading on the Electronic Frontier* (2nd Revised edition), Cambridge: MIT Press, 2000.

　　② [法]雅克·拉康、[法]让·鲍德里亚：《视觉文化的奇观——视觉文化总论》，吴琼编，中国人民大学出版社 2005 年版，第 59 页。

　　③ [法]雅克·拉康、[法]让·鲍德里亚：《视觉文化的奇观——视觉文化总论》，吴琼编，中国人民大学出版社 2005 年版，第 59 页。

　　④ [美]本尼迪克特·安德森：《想象的共同体：民族主义的起源与散布》，吴叡人译，上海人民出版社 2011 年版。

　　⑤ 蔡勇庆：《生态神学视野下的福克纳研究》，中国社会科学出版社 2012 年版，第 81 页。

和表达，并借此形成集体行动和集体情感。仪式不仅使仪式的对象变为神话，其本身也自我神圣化，成为一个神话乃至强符号的"超神话"。"想象的共同体"包括两方面的认知：一是所属群体的认知；二是与他者群体的分割。

　　网络语言还提供了"超链接"和"联想场"的社交功能。网络语言是一个链条，不是落到纸面上单一稳定的符号。比如，2020年网络热词"打工人"在不同语境下有不同的链接和联想，有时指乐观、坚韧的工作态度；有时指打工者的身份认同，以及抱团取暖；有时却带有心酸、疲劳；有时还会与另一个颇具争议的热词"996"一同出现，带有讽刺意味。类似的符号一次次证明了联想的非理性（甚至是联想的有意和故意），每个时代都有具有代表性的强符号，这些符号与特定的时代精神紧密相连，它们的能指也彼此相连，指涉着同一个社会文化历史的系统。同一个系统的联想具有相似性，形成了一个同类符号相互共融的"联想场"①。网络的出现恰恰给这个联想场提供了一个更广阔的平台，从而生产出比过去任何时代都要丰富的网络语言的强符号。换言之，符号的联想是开启符号化生产的钥匙。通过符号的联想，隐喻和自然化机制启动，两个符号之间建立起相似性，有了社会文化意义的关联，并被网络语言的传播特征进一步放大——看到"宝马车"联想到"富人"。同时，通过符号的联想，换喻和普遍化机制启动，一个符号不再是个案，而是具有了普遍的代表性——看到一个人的公务员身份，就联想到既得利益集团，看到一次"有钱、任性"的行为，就将其泛化为日常性的奢侈和荒诞的做事风格，又或者看到弱势群体，就自然形成"鸡蛋主义"的念头（在石头和鸡蛋之间，无条件地站在鸡蛋一边）。因此，这些网络语言的符号联想有其现实合理性的一面，也有非理性、极端化的一面，隐藏着偷换概念的风险。通过疏导非理性的网络联想场，可以避免陷入芜杂的具体语言事件而应接不暇的困境，从而使舆论引导达到事半功倍的效果。

　　网络语言的社交功能在于，在群体传播的环境中，以"想象的共同体"身份参与"仪式化"的行为模式，在不断的"联想"和"超链接"的作用下，使网络语言发生动态变化和衍义，从而构成网络语言运行的根本逻辑。

---

　　① 隋岩：《符号中国》，中国人民大学出版社2014年版，第23页。

四、社交功能是网络语言传播的前提

学者对网络语言的社会属性概括，多集中在"去中心化""娱乐化""解构权威"[①]等后现代主义视域下的特征。面对这些复杂、矛盾的多重属性，我们认为在传播学层面，网络语言的社交属性是其他属性和传播效果存在的前提和基础。网络语言要实现大范围传播，要发展为网络流行语甚至是线下的网络事件，靠的是语言的模仿、海量的传播和情感的传染。网络社群内外的交流和交际，即社交属性，是促使网民开展模仿、传播的推动力。反过来说，没有社交，不通过其他人的转发和评论，也不通过网络平台的推送和盘点，根本无从得知热点议题和语言表达。有的人习惯每天去微博或论坛晃悠一圈，再刷刷微信和客户端，感受一下世界在变、中国在变、朋友在旁。有的人发帖、发微博、发朋友圈，只是为了得到关注。有的人刷抖音、上 B 站、玩"王者荣耀"，关注年轻人的喜好，再追个时髦。概言之，社交属性是语言传播的前提，更是网络语言传播的前提、手段甚至是目的。一切网络语言的传播首先离不开社交属性，只有通过网民的不断参与，才能使网络语言持续充满活力和强大的影响力。网络语言不仅通过语言本身表达的符号意义进行信息沟通和传递，海量的网民参与使网络语言形成了独有特征。任何网络语言的流行都是依靠庞大数量的网民参与而形成的，它不是经过传统媒体把关生成的正式印刷体，不是人际互动交往中小范围内的信息流动，而是以一种景观的形式在群体中形成波浪式的滚动，以滚雪球的方式不断提升网络语言的传播力和影响力。

社交功能使得网络语言迅速流行和推广开来，同时也会致使其快速消亡。一旦失去大规模的交际使用，网络语言很快就会过时，被网民抛弃。最早一代出现的网络隐语如"青蛙""恐龙"等早被淹没在后来的网络语言洪流中。曾经风靡 ICQ、MSN、BBS 等早期网络社交场所的数字符号、英语缩略词也随着这些应用软件的退市而销声匿迹。随着社会热点事件引发的网络热词，如"元芳你怎么看""江南 style""丹丹体""非诚勿扰体"等也随着相关

---

① 周卫红：《论网络语言的后现代文化内涵》，《晋阳学刊》2006 年第 5 期，第 76—79 页。

事件的降温而备受冷落。当有新事件出现时，先前的流行语就容易被替代。前一刻还在感叹"我也是醉了"，后一刻可能就被"凡尔赛文学"刷了屏。由于交际的需要，大量新的网络语言不断出现，也是由于交际的需要，大量的网络语言被抛弃。因此，网络语言只有靠强大的社交功能才能维持强符号功能。相较于电视等传统媒体语言，网络语言所体现出的大众能动性更丰富，也更强烈。以网络流行语为代表的新兴强符号极大地激发了大众的能动性，使大众层面上的草根强符号在与艺术追求等文化诉求的博弈中占尽先机。正因为网络的社交功能，网民对网络语言的关注和停留时间是短暂的，以交际和参与为本质核心的交流模式，最终带来"不耐烦"和"喜新厌旧"的情绪特征。就此而言，转瞬即逝的网络语言佐证了卡斯特所断言的"现代性就是过渡、短暂、偶然"①，它就是"过渡、短暂、偶然"的现代社会的一部分。进一步说，现代社会还是社会学家所谓的液态社会，变动不居，充满不确定性，自始至终都处在流动中。网络社会概莫能外。流动性是网络群体传播的基本特征，也必然是网络语言的基本特征。网络语言的快速更迭正是网民参与其中的社交属性导致的。正因为网络语言的社交属性，其具备了快速传播的条件，同时也导致了被网民抛弃的危机。

第二节　群体心理推动网络语言传播扩散

对网络语言的研究大多从语言学视角切入，尤其是词汇学、语义学等领域对网络语言的研究最多，但实际上语言是人们的一种社会行为表现，语言形式上的变化与它的使用环境发生变化有很大关系。互联网的诞生，使语言的生产和传播方式都跟过去截然不同，跟人类早期口口相传的人际传播时代不同，也跟工业社会依赖广播、电视、报纸的大众传播时代不同，互联网把每个人作为节点联系起来，一起进行互动和生产。互联网传播将人际传播、

---

① 转引自：[法]夏尔·波德莱尔：《1846 年的沙龙——波德莱尔美学论文选》，郭宏安译，广西师范大学出版社 2002 年版，第 424 页。

群体传播、组织传播和大众传播等多种传播形态糅杂在一起，但其中最本质的特征是群体传播。在互联网中，人际传播往往发生在群体内成员之间的互动中，而当群体传播的影响力达到一定规模时，便会引发大众传播。群体传播是互联网上最明显、最有影响、最不可控的一种传播形态。在群体传播中，无组织、自发形成的结构看似松散和毫无约束力，但事实上任何参与群体行为的个体都会受到群体心理的影响，信息在群体中的传播过程直接影响着传播效果。网络语言是互联网传播兴起之后最典型的群体行为特征之一，独树一帜的网络语言特色与使用者的群体心理动机密切相关。仔细分析网络语言后可以看出，诸多群体心理因素暗自发挥着强大的作用。目前，对于网络语言形成的社会原因和动机的研究严重不足，从社会心理角度进行的研究更是寥寥无几。因此，我们试图从心理尤其是群体心理角度对网络语言的流行进行研究，旨在观察群体心理对网络语言传播产生的极大影响。

一、群体模仿和从众心理导致网络语言的普遍流行

模仿的概念最初来源于班杜拉的社会学习理论（social learning theory）。根据该观点，"人类的大多数行为是通过榜样作用而习得的，个体通过观察他人行为形成怎样从事某些新行为的观念，并在以后用这种编码信息指导行动"[1]。人们的社会行为通过模仿获得，尤其是在新的集体、环境、文化中，后来者往往通过模仿群体中他人的行为迅速确立自己的地位并得到认可。这一点在互联网传播中表现得尤为明显。在某些论坛、社交圈流行的网络语言瞬间就能在社会上普及开来，传统的报纸、电视在借用网络语言，国家编纂的权威字典、词典收录了网络语言，从父母到儿童身边的每个人似乎都离不开网络语言，用"给力""点赞""萌萌哒"来表达自己属于互联网潮流中的一分子。很多网络语言的流行更离不开群体模仿的推动。比如，2010 年度的网络流行语"蒜你狠"的出现，是以幽默的方式讽刺大蒜价格持续上涨的社会现象，同时表达了消费者的郁闷与无奈。"蒜你狠"很快流行起来，人们通过模仿"蒜你狠"的构词方式，又迅速生产出一批类似结构的网络语言，如"豆你玩""姜你军""油你涨""苹什么"等，用来宣泄对物价持续上

---

① 范逢春：《管理心理学》，中国人民大学出版社 2013 年版，第 180—181 页。

涨的不满情绪。以"蒜你狠"为首的这一系列流行语的诞生，正是通过群体内的模仿心理不断推波助澜，不断增强传播的持续性，最终产生了较为广泛的影响力。法国社会学家塔尔德把模仿看作社会发展和社会存在的基础原则，认为由于模仿而产生了团体和规范与价值。当模仿的规模扩大，并成为多数人的共同行为时，就发展成流行。塔尔德认为，流行是建立在个人间相互模仿基础上的社会现象。[①]在我国国民的消费观念中，可以观察到一种模仿型排浪式消费，就是消费缺乏或者没有创新，热点比较集中，一段时间内以一种消费为主导。中华人民共和国成立以来，大体经历了以下几个排浪阶段："老三大件"（手表、自行车、缝纫机）时期，社会购买力比较集中地冲击这几件商品；"新三大件"（彩电、冰箱、洗衣机）时期，又构成了国民生活新的常规需求；后来，汽车爆发式消费和家电下乡如火如荼地出现；再往后，信息消费领域如手机、计算机等都带有一种浪潮式的消费特征。[②]"模仿的趋势从诞生之日就获得了自由，以几何级数增长，越来越清楚而圆满地表达出来……模仿就会像声波一样，在一个完美的弹性介质里刹那间传播开来。"[③]

　　网络语言往往通过模仿产生，网民的大量使用更多是基于从众心理。一部分网络语言通过模仿在不断地演变和发展，延长了网络语言相对短暂的生命周期。一部分网络语言通过网民大量的追捧变得非常流行，甚至成为日常交流中的稳定词汇。从众心理会导致网络语言更加流行和普及，比如，从"随手拍解救被拐儿童"到"随手拍解救大龄青年"，这种变形虽然消解了其原意，但新奇、有趣又符合社会现实，使"随手拍"的符号热潮得到了延续。另外，还有指捶地大笑的"233"这个网络符号，在传播实践中常常变形为"233333"，后面跟着的"3"越多，表明笑的剧烈程度越高。其简单又意蕴丰富的表现形式在弹幕网站的文字滚动中不仅不会造成信息的损耗，而且鲜明、突出。通过一句简单的"23333"，网民还能体验到弹幕上的情感交流和

---

① 转引自：张慧芳：《位置消费论纲》，西安交通大学出版社 2011 年版，第 61 页。
② 肖擎：《准确把握消费的阶段性特征》，《湖北日报》2014 年 12 月 15 日。
③ [法]加布里埃尔·塔尔德、[美]特里·N. 克拉克：《传播与社会影响》，何道宽译，中国人民大学出版社 2005 年版，第 150—151 页。

人际互动，让每一个孤独面对小屏幕的人都能体会到群体传播的感染力，最终令"233"在频繁更迭的网络语言风潮中流行至今。与之类似，2014 年的流行语"萌萌哒"是 2009 年网络流行语"萌"的加强版和升级版。从"萌"到"萌萌哒"，中国网络语言几年间穿插着"口耐"（可爱）、"MM"（美眉）、"神马"（什么）等流行变体，在网民的集中潮涌般的使用中把网络语言推向高潮。网络语言在群体传播的环境中经过模仿式的创造和从众式的助推迅速形成特征鲜明的一道网络风景，并且不断影响着我们的日常生活。

二、群体归属和认同心理促成网络语言的持续升温

网络语言内在的群体动力一方面是向内聚合的，它吸引和凝聚了网络社群，并在群内的互动中得到进一步强化和创新，最终被固定为一套群体传播的模式；另一方面也是向外扩散的，因其独特性和高辨识度容易得到"病毒式"、爆炸式传播，在这一过程中，网络语言积累了符号的资本和强符号的力量，从而也扩大了圈子的辐射面和影响力。

比如，当前比较热门的几个网络社群中，豆瓣主打文艺青年风，果壳以知识传播为荣，知乎以分享趣味观点为乐。如果看到这样的问答——"问：大家怎么看待相亲？答：相亲这种事唯一的价值就在于，当你见到相亲对象的那一刻，你就知道你自己在介绍人眼中是个什么货色了"，熟悉的网友很可能凭借这种段子化的、抖机灵的语言风格，迅速判断出这个问答出自知乎。如今，人们已经在跨平台的无垠世界里来去自如。但无论是在多平台上扮演多角色，还是以一种特定身份"走江湖"，人们在不同的社群平台仍然遵循着特定的语言风格。部分是由于如果不做变换，很可能就得不到响应，也就实现不了在这个群体中的信息传播和情感交流。一句以 "谢邀，人在国外，刚下飞机"开头的留言，被网友笑称为知乎体；一首歌留言下面众多的煽情故事，体现了在网易云音乐听歌的青年容易产生"网抑云"式的共情；一条在豆瓣上获得无数点赞的感言，也许在果壳和知乎上被批评无数，这就是向内聚合的第一个方面的体现，即网络语言与网络社群之间的强关系形成了对网络符号独特性的规约。

就此而言，网络语言的个性不是孤立的完全自由的个性，而是一种群体

性的模式化的个性；网络语言的个性并不是通常意义上的个性，而是一种群体性的、大众化的个性。它体现出网络的群体传播特征，通过这一标示，聚拢了偏好相似、兴趣相似、关注点相似也就是个性相似的人，组成同质化的圈子，共同营造出只属于本群体的圈子氛围，从而实现了自我身份的建构。群体归属在所有人类社会中都是一种普遍存在的需求。无论是根据出生日期还是依照宗教信仰划分，群体归属都会让我们产生一种团体意识、一种历史责任感、一段相同的记忆、一种共同的渴望[①]，所有这些"共同点"都会增强我们对群体文化的认同感。很多网络事件的发生就在不断塑造并强化这样的群体身份认同和归属感。比如，前面提到的"233"，只要一提"233"，往往会让猫扑网和弹幕网站上的网友莞尔一笑、心照不宣，但普通网民未必知道这个三个数字背后的深意，"233"因此成为弹幕社群心领神会的语言标示。

网络社会事件中最具冲突性、最吸引眼球的元素得到强调和放大，同时，一些不够冲突、不够"典型"的细节则被省略或者改造，从而生产出非真实的、却比真实更"真实"的符号。之所以说比真实更"真实"，是因为它的细节虽然不真实，但它意指的整个弱势群体的相对剥夺感和社会心态、社会情感都是真实的。也就是说，它是由网民在真实事件的基础上创造出的一种符号化的超真实。比如，网络上的两种语言句式——"今天，我们都是某某人"和"关注某某事件！今天你不转发，明天你就是他"，表达的就是超真实的群体情感。这种网络语言体现出的极端情感充分展现了群体归属和认同的力量，语言就是要捕获并牢牢抓住人们的这种心理，从而才能产生更强的传播效果。群体归属和认同心理与前面所述的群体模仿和从众有一定的关联，通过模仿和从众的行为增强群体的归属和认同感，对群体的依赖性越强，越懂得遵守并加强群体的一致行为。

三、群体发泄和围观心理造成网络语言的景观现象

从部分网络语言的走红来看，它是群体发泄情绪、释放欲望的产物。有

---

① [英]布鲁斯·米特福德、[英]威尔金森：《符号与象征》，周继岚译，上海三联书店2012年版，第258页。

学者曾提出一个概念，叫"社会泄愤"，指的是一种无组织动员、无利益诉求、无权威信息、无规则底线的群体突发事件。这些事件发生得非常突然，持续时间也非常短，但破坏力极强。虽然这些事件是偶发事件，但随着中国改革进入攻坚期和深水区，一些深层次的矛盾和问题凸显出来，背后的社会群体心理也体现出这一特点，都具有普遍性和日常性。中国青年报社会调查中心于 2014 年 3 月进行的一项调查显示，84 740 名受访者中有 93.4%的受访者感觉如今的人很"情绪化"，85.7%的受访者认为冷静平和的心态是当前社会的稀缺品质。①网络舆论符号的本质不是"真实"而是"要求"，不是反映真实而是表达诉求、发泄情绪。正如在社会事件中的"闹大"现象，"通过戏剧化的抗争剧目，闹大引发民意的爆炸性释放，并以此吸引外界的关注、帮助和支持"②。正如舍勒所说，怨恨是社会转型期必然会出现的一种情绪体验，在中国社会事件的网络表达中，怨恨常常以悲情的面目出现，并与悲情互为因果。越是道德震撼的，越能打动情感，也就越有可能使事件符号化。中国社会的心理需求无疑与转型期的社会结构息息相关，呈现出纷繁复杂的表征。社会学界一种整体性的认识是：当前负面社会心态危机蔓延。尤其是进入 21 世纪以来，浮躁、喧嚣、忽悠、炒作、炫富、装穷、暴力、冷漠等负面心理在整个社会中都有所表现。③其中，焦虑是包括前文提及的悲情与戏谑在内的绝大部分负面心理的"情感基调"④。这种群体上的焦虑情绪在网络事件和符号中得到了充分的展示，比如，2019 年热词"我太难了"，2020 年热词"内卷"。

　　网民通过网络语言来表达情绪，并且聚拢起大量的注意力形成网络围观的景象。在互联网上，焦虑感已经催生出大量不同寻常的网络围观事件，比

　　① 倘凌越、向楠：《93.4%受访者感觉如今的人很"情绪化"》，《中国青年报》2014年 3 月 27 日。

　　② 韩志明：《利益表达、资源动员与议程设置：对于"闹大"现象的描述性分析》，《公共管理学报》2012 年第 2 期，第 55 页。

　　③ 周晓虹：《中国社会心态危机蔓延》，《人民论坛》2014 年第 25 期，第 21—23 页。

　　④ 孙静：《群体性事件的情感社会学分析——以什邡钼铜项目事件为例》，华东理工大学博士学位论文，2013 年。

如，农民工为讨薪戏仿《新闻联播》等。这些网络事件构成了社会表意系统中一种交糅的符号，言说着某种社会复杂心态和诉求。有心理学研究发现，当前网络语言以负面情绪词为主，焦虑情绪词使用得越多，网民的情绪也越负性，并且随着负面情绪词的启动，现实事件的严重性被放大，还会进一步影响其他网民的社会归因判断，造成负面情绪和负面归因的共振。[①]比较突出的像网络仇富和网络炫富这两种情绪，虽然其外在的表现截然相反，但其内在的情感基调是相同的，都出自同一种焦虑，即人们在身份社会中对他人如何看待自己感受到痛苦的焦虑。正如列维-斯特劳斯指出的，病人痛苦是因为处在一种无以名状的痛苦的包围中，自己无法抵制和把握这种痛苦，而巫师给病人带来了一套理论解释，即赋予了痛苦原因和意义，病人得到了心理上的安慰，从而象征性地缓解了痛苦。时至今日，电视健康节目的风行，以及保健品、化妆品的热卖，靠的正是这样的符号解释和象征性治疗。腾讯发布的《2014年中国网民表情报告》显示，8亿QQ用户在2014年全年共发送"发怒"表情超过8亿次，在单个表情发送量排名中跃居第二，几乎人均"发怒"一次，而且越年轻火气越重，发送愤怒、抓狂等表情的次数越多。[②]对此，有学者又提出了"社会狠化"的新概念，认为这种愤怒不限于某个阶层，而是超越群体的特殊性。在这一背景下，相比愤怒，段子里的戏谑是一种对话而不是对抗，起到的是减压阀而不是变压器的作用。一个显而易见的原因是，戏谑少了些炭气，多了点笑声，隐含着群众对这个国家的关切和热忱。因此，网络语言是中国从传统社会向现代社会转型、从传统的计划经济体制向成熟的市场经济体制的历史转变中的一盏探照灯。

四、群体审丑和排斥心理捧红网络语言的极端符号

网络上还有一批以违背大众心理走红的符号，如"芙蓉姐姐""凤姐""犀利哥""洗吹剪组合"等。其不是亚文化的小圈子，而是以跟社会流行极

---

① 黄慧玲：《网络情绪词的心理功能研究》，华中师范大学硕士学位论文，2014年。
② 林广：《表情报告：网民一年"龇牙"十亿次》，2015年4月28日，http://paper.chinaso.com/detail/20150428/1000200032732561430186450367446266_1.html。

端相左的形象出现，形成了所谓的"审丑"文化。这些符号的出现，并没有改变人们对大众审美的追求，并不是社会风潮的转变，恰恰从反面突出了当代社会对美的极致追求。它们的出现，增强了人们内心深处的强烈厌恶感和排斥感，以此来创造注意力经济。现实生活中，偏离美的面孔虽然大量存在，却不会引起人们的围观，更不会造成轰动效应。这类面孔在外貌至上的社会环境中始终处在边缘化的位置。但在互联网上，一些批评性的留言，以及网民对其他审丑符号一而再再而三的围观，也都证明了审美体验的不平衡确实刺激出了某种能动性。人们通过批评反过来再次确立和维护了集体的审美标准。从更宽泛的消费社会的角度来看，批评和赞美都意味着被关注、被消费，审丑符号甚至因此具有了价值和市场，用一个热词来形容这一流量经济的怪现象，叫"黑红"。同时，社会泄愤的心理作用也使个人自我审美的焦虑感得到了宣泄。自"芙蓉姐姐"之后，对审丑符号的戏谑已经成为人们发泄情绪、释放生活和工作压力的一种途径。它如同戏剧中的小丑，在被人嘲弄中获得意义。

在以群体传播为主的网络语境中，由当代青年创造和生产的网络语言也必然呈现出这种多元并存的情况。有的体现了当今社会的传统价值观，如"最美教师""最美交警"等最美系列符号；有的网络符号反映出纷繁复杂的社会思潮和集体情绪，如"小苹果""老男孩"等的走红契合了集体怀旧的心理诉求，"被""也是醉了""也是蛮拼的"等流行语表达了人们在生活中的被动。也有一部分具有强符号性的网络语言虽然时代感极强、使用广泛，却无法积极、正面地传播价值观，甚至不良地意指着自我矮化、谩骂、人身攻击以及标签化等负面观念，需要警惕。"芙蓉姐姐""凤姐""犀利哥""洗吹剪组合"的成名源于人们对审丑符号的消费。力挺的网民反抗和消解了传统的审美观，事实上体现了更包容、更多样化、更广泛意义上的审美观，有积极意义，彰显的是一种个性；而批评的网民在一片戏谑和狂欢中表达对传统审美的坚持，因此也彰显了个性。在群体传播中，网民通过网络语言符号化的表达方式来抒发和宣泄情绪，甚至不惜用极端的形式来达到吸引注意力的效果。群体审丑和排斥心理捧红了互联网中的这些极端符号，同时透过网络语言也能观察群体的心理特征和变化。

第三节　网络符号的认知模式和传播途径

2016 年春节前后，一则"上海女逃离江西农村年夜饭"的帖文引发网络热议。在广为流传的版本中描述了一位上海姑娘跟江西男友回农村过年，见到非常寒酸的年夜饭后，提出了分手。该事件在网络持续发酵半个多月，众多媒体、公知、网民参与讨论，作家陈岚发表的《上海姑娘，不是逃饭，是逃命》以及新媒体女性发布的《老天爷欠江西农村一个好儿媳？你家媳妇 20 年前就埋土里了》两篇文章，更把网络舆论推向激烈的争执之中。后经查证，大量细节与真实情况脱节甚至是虚构的，发帖者并不是上海人；回帖中的江西男友只为蹭流量而编造诸多细节，实际上与发帖者素不相识；甚至不少人质疑这是一起网络营销事件。这里暂不讨论事情的真相，其社会影响足以引发我们深思其背后的传播思维和逻辑。

"上海女"和"农村男"是这场舆情爆发的关键信息要素，其背后是人们固有的城乡二元对立思维以及对不同地域贫富差异的刻板印象。二元对立指由两个成对的概念建立起来的一个概念共同体，两个对立项互相作用，比如，好与坏、生与死、白与黑、男人与女人等，前后两项呈鲜明的对立关系。[①]二元对立认知模式在人类思维中普遍存在，常常以不自觉的方式发挥作用。上海一直以来的经济"领头羊"地位，天然地在人们头脑中植入了发达、富裕、时尚的形象认知，与经济落差较大的江西省走出的"凤凰男"相比，这一称谓与之构成了鲜明反差和对立。此外，还有男人和女人的两性差异也隐含在这两个称谓中。在产生矛盾和冲突之时，这种对立关系的张力便充分显现并发挥作用。卷入这场舆论之争的多数网民并非真正关心事件的真相，而是站在不同立场声援同类，反对异己。人们不断添加新的二元对立关系，包括城乡差别、地域差异、贫富差距、性别平权、婆媳矛盾等。多重冲突叠加，不同的对立面混合在一起，各种立场的人都可以在其中找到共鸣或引发感慨，可以置身于其中一种或几种的对立

---

① 孙万军：《美国文化的反思者——托马斯·品钦》，知识产权出版社 2011 年版，第 140 页。

关系中，因此不断引发关注，产生强大的传播影响力，从而迅速成为网络
热点事件。

　　法国人类学家列维-斯特劳斯认为，从语言、神话到一切人类文化的符号，
最基本、最普遍的结构就是二元对立的结构。之所以普遍，是因为人脑的神
经元就是通过"开—闭"的二元对立方式来传输信息的。作为人脑的延伸，
计算机网络也是通过"1-0"二元路径的重复实现了复杂而精密的通信过程。
这样的观点可以在很多领域得到认同。亚里士多德曾经从修辞学的角度肯定
了对立的作用："对立式的（antithetical）……这种风格讨人喜欢，因为对立
的意思是最容易懂的，特别是在并列的时候。"[①]钱钟书也指出："世间事理，
每具双边二柄，正反仇合；倘求义赅词达，对仗攸宜。"[②]从修辞学回到符号
学看，巴赫金也强调了符号结构中的二元对立："实际上，我们任何时候都
不是在说话和听话，而是在听真实或虚假，善良或丑恶，重要或不重要，接
受或不接受等等。"[③]因此，我们理解事物的方式离不开二元对立的思维，很
多网络符号和网络语言的走红也离不开二元对立的符号结构。2015 年，一陕
西女孩被美国 6 所名校录取，这一事件最受人们关注的地方是她给出的成功
秘籍——"人丑就要多读书"。这个看似荒诞的"理由"深刻地揭示出人类
追求漂亮容貌的社会价值观，其背后就是一种美/丑的二元对立关系在发生作
用。"美"能够轻易地满足人们渴望的诸多社会需求，比如，金钱、地位、
名誉、爱情、婚姻等，而"丑"始终是社会资源争夺中的不利因素，是通往
成功的"拦路虎"，往往需要在其他方面付出更多的代价。这种扬美抑丑的
二元对立思维在各种网络流行语中随处可寻，如"外貌协会""颜值""小
鲜肉""高富帅""白富美""看脸的世界"等。即便是在"芙蓉姐姐""凤
姐""犀利哥"走红的背后，也是进一步深化了社会中美/丑的二元对立关系，
夸张地突出其中的任何一方，都能激发人们内在对美和丑的对比，从而才能
使事件本身受到更多的关注和产生更大的影响力。因此，二元对立思维是根

---

①［古希腊］亚里斯多德：《修辞学》，罗念生译，生活·读书·新知三联书店 1991 年
版，第 173 页。

②钱钟书：《管锥编（四）》，生活·读书·新知三联书店 2001 年版，第 437—444 页。

③巴赫金：《巴赫金全集·第二卷·周边集》》，李辉凡等译，河北教育出版社 1998
年版，第 416 页。

植于人类思想深处的一种普遍的认知方式，很多网络事件和语言的走红就是靠捕捉到人们内心深处的二元对立认同感实现的。

一、二元对立思维对人们的强大影响

"二元对立"最早由瑞士语言学家索绪尔提出，是区分语言系统中各成分之间关系的基本原则。后来，结构主义学者认为，二元对立不仅是符号系统的固有属性，更是人类思维产生意义的基本逻辑。[①]乔纳森·卡勒在《结构主义诗学》中系统地阐释了二元对立的概念，他指出"结构主义分析中最重要的关系又极其简单：二项对立。语言学的模式也许还有其他的作用，然而有一点却是确凿无疑的，那就是鼓励结构主义者采取二项式的思维，在所研究的各种素材中寻求功能性的对立形式"[②]。我们对社会的理解正是通过对彼此的异同对比完成的，二元对立关系能帮助我们理解生活在同一社会里的人与人、人与物质环境之间的关系和构成这些关系的原则。越是有强大社会影响力的符号，其内在的矛盾和冲突就越明显，由于意义的单一和极端化的倾向，呈现出二元对立的叙事结构。在今天的语境下，站在大众和社会价值对立面的典型符号就是"我爸是李刚""药家鑫""郭美美""表哥""房叔"等。在"清廉/腐败""美德/犯罪""公正/徇私"等二元对立冲突的关系中，这些符号都经历了网络舆论的审判，而且这些审判的仪式感几乎不加掩饰，呈现出一种狂欢的姿态。事实上，当一些符号自己不能化解矛盾甚至反过来会激化矛盾时，受众会自发地行动起来，组织一场化解焦虑的"仪式"，直至焦虑得到缓解。归根结底，二元对立思维对人们的社会认识和行为产生了很大的影响。

（一）二元对立思维虽常在却不显见

一些符号哪怕看似平淡，但其实也暗含深层结构的二元对立、分化乃至冲突。这里看一个简单的网络语言案例——"吃货"。吃货看似温和，但其

---

① 朱立元：《美学大辞典》，上海辞书出版社 2010 年版，第 475 页。

② 转引自：孙万军：《美国文化的反思者——托马斯·品钦》，知识产权出版社 2011 年版，第 142 页。

实隐含着二元对立的深层结构。根据《人类简史》的记载，人类之所以有暴饮暴食的原动力，是因为在漫长的进化过程中，人类大多数时候都吃不饱。为了生存，甚至进化出能够让热量快速转化为脂肪的基因，并保留至今。但从社会角度看，"吃"显然远非一种本能，而是与经济、文化、历史、地域等因素紧密相连。就最基本的经济因素来说，在物质匮乏的时代，"吃货"专指吃得多还吃得挑的人，是一种经济上的浪费行为，因此，"吃货"在过去是一个贬义词，意指好吃懒做。在物质丰盈的今天，吃的本能得到了极大满足，吃的冲动甚至一度演变成吃的狂欢，"吃货"也摇身变为一种戏谑的、自嘲的网络语言。"吃货"的能指形式与过去产生了巨大差异，不仅要爱吃，还要会吃，吃得惯大江南北，吃得了高中低档，别人吃不到的你吃到了，别人吃过的你早吃过，吃完了还要放到微博和朋友圈晒一晒，这就是互联网时代"吃货"的新形象。同时，它的所指意义也发生了改变，变成一种幽默的自嘲，或者说是一种娇嗔，带有明显的自我满足和炫耀式消费的意味。从这个意义上来说，"吃货"的内在结构是对物质匮乏的反讽，与历史上的饥饿记忆、当今社会中还未吃饱和未吃好的庞大群体形成了对立。这是一种隐性的对立，常常被娱乐化的修辞所遮蔽。

（二）二元中的一方常常隐身

值得注意的是，二元对立的两方未必都来自符号内部，也未必都同时在场。网络语言中的"草根"话语在与官方话语博弈时，常常采取一种回避策略。这种策略回避了直接的能指，但其所指的意义却始终在传播，即"缺场化的在场"，成为互联网时代"弱者的武器"的新变体。面对数量众多、抱团取暖的网民群体，有时一些官方机构反而成为网络上"相对弱势的一方"。每当网民将具体议题上升到官方层面，那些在网络上"相对弱势"的沉默的或者反应不及时的官方机构就会出现"缺场化的在场"，被动地与网络"草根"话语形成了结构上的二元对立乃至冲突。但结构中的"赋权"也可能带来负面的问题。比如，在网络热词"APEC 蓝"红极一时之际，网民在表达对雾霾天的抱怨和对蓝天的渴望时，也出现了过于强调个人的利益和便利的意见，而否认治霾也需要"从我做起、人人有责"，将责任一股脑地推给政府，让政府和执法机构买单，或者一味埋怨，显然意指了另一种负面意义。

（三）二元中的两方价值并不均等

法国哲学家德里达认为，二元对立是传统哲学把握世界的一种最基本的模式，两个对立项并不是平等的，而是有一种鲜明的等级关系，其中一项在逻辑和价值等方面都高高在上地统治着另一项并发号施令，比如，在真理—谬误、男人—女人、本质—现象、理性—感性等结构中，前者总是占据优势地位，是结构的主要方面，是压迫者，后者正好相反。[①]

近些年，不少网络流行语都聚焦于富有/贫穷、有钱人/普通民众这样的二元对立关系。"高富帅""白富美"传递出人们对高收入阶层的追求和艳羡，而"魔都名媛群""凡尔赛文学""摔倒式炫富"则反映了人们夸张地展示自身财富的虚荣心态。上海一名网红博主掏会费加入了一个名媛群后发现，这些整天在社交媒体展示自己高端生活的"名媛们"居然是通过拼单的方式营造"白富美"形象。她们在高级酒店分批进行拍照，包包、跑车、豪华餐厅都是团购出来的，纸醉金迷的"名媛生活"只存在于朋友圈的摆拍中。人们对"名媛群"的批评余音未了，"凡尔赛文学"又粉墨登场。这次的炫富手段显得低调了许多，网民常通过先抑后扬的方式在不经意间透露"贵族般"的生活。例如，"老公给我买了一个香奈儿包包，真的很丑，我很生气"，貌似叙述者的重心在于表达心情，实则是在炫耀奢侈、高级的包包。"摔倒式炫富"同样也以"不经意"摔倒后散落的随身财物来显示奢侈消费，这种"不经意"是刻意展现出的豪车、名表、昂贵饰物等财富象征物品。

尽管这些网络语言以嘲讽的口吻批判一些人对财富的盲目崇尚，但类似的词汇和事件却层出不穷。人们一边不停地嘲笑那些虚荣的假象，一边不停地打造用财富堆砌的人设及形象。这也反映出在富有/贫穷的二元对立关系中，前者占据优势和主导地位，其获得的社会价值和认可度普遍存在。在消费主义思潮的席卷下，拜金现象隐喻着人们的经济和阶层差异，以及人们对上层地位的羡慕和力争。这套特定的符号隐喻隐藏在日常话语中，在不知不觉中形塑了我们的思维方式。网络语言用戏谑、夸张和娱乐的效果刻画出这

---

① 孙万军：《美国文化的反思者——托马斯·品钦》，知识产权出版社 2011 年版，第 142 页。

组对立关系的冲突和张力，在不断传播过程中，进一步强化了对立双方的不同社会价值。

二、从符号结构观察这种二元对立关系

结构主义者把这种二元划分看作"深层"或者隐藏着的人类创造的结构的一部分，由此强调它们是人类思维的根本性质。[①]很多网络符号的流行正是根植于人类思维的这一根本属性。2014 年的流行语"APEC 蓝"很好地印证了这一点。简单的一个中英文混搭词汇，看似表达了人们的幽默、讽刺和期盼之情，实则构成了一个完整时序的二元结构。2014 年，APEC 会议在北京召开，由于政府重拳出击，采取强有力的行政手段治霾，让会议期间北京湛蓝的天空与会议前夕连续的雾霾天形成巨大反差，于是造就了"APEC 蓝"这个词语的出炉。在这个符号结构中，表达出雾霾与蓝天、短期与长期等具体议题的二元对立。紧接着，由这个词引发的网络热议中，具体议题的对立开始泛化。人们在合理化的联想下，迅速关联到备受质疑的关于污染源的"汽车尾气说""厨房油烟说"等官方解释。至此，最初具象的二元对立关系被引向治霾过程中的个人自由与集体利益、个人义务与国家责任等抽象领域的对立。当然也包括经济产业结构改革等中观层面的二元框架，如高能耗与低排放、经济发展与环境保护、国家利益与企业利益、进步与停滞等。由此可见，二元对立并不仅仅以孤对的形式单独存在，相反，它们与其他的二元项联合起来，或者排列起来，同时创造出横向关系和纵向关系。[②]由"APEC 蓝"一词引发的二元对立关系在不断的动态过程中得到逐步升级和深化，总的模式化过程如图 2-1 所示。

如图 2-1 所示，上述符号结构可以粗略地分成三组。第一组是微观层面的个体价值观，是"APEC 蓝"作为一个事件性符号的具体要素。第二组是中观层面的两个舆论场和产业结构转型，这一层的能指形式来源于第一层，

---

①［美］安·达勒瓦：《艺术史方法与理论》，李震译，江苏美术出版社 2009 年版，第 167 页。

②［美］安·达勒瓦：《艺术史方法与理论》，李震译，江苏美术出版社 2009 年版，第 167 页。

对比表达		
蓝天	雾霾	
健康	污染	
短期	长期	具体
（雾霾来源）信息公开	（雾霾来源）信息闭塞	
个人牺牲	个人便利	
集体利益	个人自由	
公共	个人	
国家责任	个人义务	
政府监管	民间自主	
官方话语	网络"草根"话语	
官方舆论场	民间舆论场	
高能耗	低排放	
企业责任	企业利益	
国家利益	企业利益	
官方	民间	
经济发展	环境保护	
进步	停滞	
安全	危险	抽
具体	混沌	象
（社会）文化	自然	

图 2-1　"APEC 蓝"的符号结构

却超越了第一层的所指意义，在合理化联想的作用下，雾霾不再是一个具体
的环境问题，而是官方监管不力、执法不严、信息公开程度不够的结果。同
时，这也体现出官民两个舆论场对政治经济产业结构深化改革的共同渴望与
现实困境。通过符号联想的确立，实现了神话意义的言说，将人们的关注点从
雾霾表象引向深层原因。第三组则相对宏观，代表了一种普遍的社会价值。在
这里，前面人为的联想被当成了自然的事实，污染的后果理应由官方买单而不

是个人负责。作为个体的人既要求享受经济发展带来的便利和好处，同时也主张享受美好蓝天的基本权利。但现实中，这些"理所应当"的要求却只在 APEC 会议期间短暂实现，与大部分时候的雾霾常态形成了结构性的冲突，最终造就了"APEC 蓝"的内在张力，从而促成了这个网络符号的形成。

　　同时，图 2-1 中的箭头方向揭示出符号的结构存在双向联系。向下的箭头指涉了符号的实际生产顺序，即具体的蓝天在自然化和普遍化的双重作用下对抽象价值观念的言说。三个向上的箭头则是逆向的联系。复杂抽象的环保概念、群体诉求、集体利益以及政治经济社会文化的整体概念通过具体个案的叙事变得"真实"而不容置疑，也即被自然化了。用约翰·费斯克的话来说，就是"它们使抽象落实在具象里，使属于文化的成为属于自然的"①。借助具体的符号，网络"草根"话语的抽象诉求得到了表达和更广泛的传播。就此而言，研究符号神话的结构既在于揭示符号的生产过程，更在于解构符号的意义何以被当作简单的真实而得到言说和传播。结构主义符号学的研究"注重二元对立，比如个人与群体的对立，男性与女性的对立，自然与文化的对立，或者精神与物质的对立。这个系统中的每一个元素，都是从与这些对立范畴的关系中获得意义的"②。

三、二元对立产生了强大的传播效果

　　无论在符号的内部还是多个符号之间，其对立的冲突性越强，带给人的焦虑感就越强，也就越能引发人们的关注，从而增强符号的传播效果。像"APEC 蓝"就是一次触发事件，激发出了关于雾霾治理的结构性冲突。以大众媒体生产的符号为例，它不是现实，而是对现实的拟态和再加工。因此，它的深层结构与现实的社会结构之间必然存在错位。尤其是真人秀节目所生产的流行符号，一方面，利用能指与所指的相似性将娱乐内容包装成一种"看的真实"；另一方面，用这种"看的真实"来填补人们在现实生活中的失落

---

① ［美］约翰·费斯克：《传播符号学理论》，张锦华等译，远流出版事业股份有限公司 1995 年版，第 168 页。
② ［美］罗伯特·艾伦：《重组话语频道：电视与当代批评理论》，牟岭译，北京大学出版社 2007 年版，第 45 页。

感。也就是说，现实中越是缺失的，越是人们潜意识里渴望的，大众媒介就越有可能生产相应的符号来满足这种渴望。观众的积极响应，让符号拥有了言说的力量，成为言说特定时代需求的流行符号。

利用这种结构上的二元对立关系可以取得很好的传播效果。键盘时代，全民汉字手写能力明显退化，此时推出的《汉字听写大赛》《成语英雄》等节目能让人们获得对传统汉字文化和书写的满足感。再如，《非诚勿扰》里女嘉宾积极主动的求偶方式，与现实中大量"剩女"的被动抱怨形成了鲜明的对比；《爸爸去哪儿》里明星父子的亲密互动，明显地与中国式教育中父亲角色的缺失形象对立；《舌尖上的中国》中诱人且天然环保的美食，与现实中出现的三聚氰胺、地沟油等食品安全问题形成了截然相反的对照。这些节目不约而同地选择了社会结构中缺失的部分，试图实现某种精神补偿。真人秀节目敏锐地探知到具体某个结构性失衡，激起了人们在焦虑下的关注，然后利用深层结构中的二元对立来舒缓焦虑，从而获得言说的力量，也就是能动性，充分制造话题，继而满足新媒体时代的"草根"自下而上的即时关注需求，最终生产出符合特定时代需求的流行符号。

这些符号一方面反映了现实的社会问题，另一方面又因为制造出比真实更美好、更具真实感的"超真实"，从而在文本层面填补了与现实之间的沟壑。从这个意义上来说，大众媒介的流行符号既是减压阀，也是麻醉剂。在罗兰·巴特看来，符号就是通过构建隐喻的方式传递神话概念。虽然他的观点看似有别于传统神话故事，但实则有相通之处。列维-斯特劳斯指出，"梦是由个人的焦虑和未治愈的创伤，被压抑到潜意识而引起；迷思（即神话，引者注）则是由被压抑的焦虑和未解决的冲突，隐藏在种族潜意识或文化潜意识里而产生"[①]。所以，神话的表现哪怕天马行空、互不相干，都必然出自同一种二元对立的深层结构。列维-斯特劳斯进一步认为，"最有力也最重要的迷思（神话）是能够减轻二元对立结构内在冲突所造成的焦虑的"[②]。像

---

① [美]约翰·费斯克：《传播符号学理论》，张锦华等译，远流出版事业股份有限公司 1995 年版，第 163 页。
② 转引自：[美]约翰·费斯克：《传播研究导论：过程与符号（第二版）》，许静译，北京大学出版社 2008 年版，第 103—108 页。

"APEC 蓝"虽然短暂，但实实在在地缓解了人们对雾霾的焦虑。在情感上，戏谑的能指形式或多或少地缓解了治霾过程给个人、企业、国家带来的阵痛感。因此，我们说"APEC 蓝"具有强烈的神话力量，它的神话意义是人民对与雾霾对立面的蓝天、健康、集体利益乃至进步的呼声。可以说网络流行符号的传播方式正是通过神话的结构方式内化了这种二元冲突。

因此，网络语言的流行正是通过反映深层社会结构和契合二元对立思维的方式进行传播。网络语言揭示出的社会矛盾引发大量社会共鸣，从而产生短时间迅速传播的效果。网络语言既是这种冲突和对立的体现，也是矛盾的缓解，通过大量语言的消费，抒发和发泄对社会矛盾的不满。互联网的大众传播模式不仅仅是传统上的靠渠道建设，更重要的是靠关注，是人们的注意力消费。冲突和矛盾的构建是吸引注意力的有效手段。网络语言的丰富展现了现代网民在信息传播中极大的能动性，但在丰富性的表象中更应注意到内含的深层结构矛盾和冲突，如何消解这种冲突才是解决问题的根本。纯粹的语言发泄变成一种哗众取宠的消费，消费这种社会不公，瓦解了网络语言对社会现实的批判功能。

第 三 章

网络语言与话语权的社会表达

第一节 网络语言与准社会交往

在互联网群体传播时代，社交媒体上年轻一代的偶像明星拥有强大的话题号召力。每个在社交媒体上拥有众多粉丝的明星就是一个拥有众多黏性用户的个人"场域"，基于准社会交往心理而诞生、发展和壮大，一旦让"场域"的磁场吸引用户聚集，并与用户展开便捷、多元的互动，这个"场域"就会释放出巨大的能量，取得强大的传播效果和产生强大的社会影响力。

互联网群体传播的功能和特性更好地满足了用户之间的交流体验和个体的兴趣偏好，改变了用户的被动接受状态。以微博为例，大多数用户使用这一社交平台是为了传递情感和情绪，展现自我观点，满足自我情感表达的心理需求。互联网用户对个人（名人、明星）及其个人机构（如"××全球后援会"等）的关注，是为了表达对偶像的喜好或支持，展示自身的偏好和品位，建立和维护个人身份。同时，也可以通过与偶像在感情上达成共识来建立虚拟空间的人际交往和社会交往，通过关注、互粉建立粉丝与名人以及粉丝与粉丝的连接，即一种互联网群体传播时代的准社会交往。微博中的"转发"功能带来了一种裂变式的信息传播新形态，其"传播速度之迅捷、传播密度之深密、传播方式之便利"，以显著优势战胜了传统媒介的线性传播和网状传播，引发了人际传播方式的爆炸效应。①

　　进入 21 世纪，基于互联网技术、空间和用户三者之间的发展和互动，准社会交往成为研究互联网文化现象的一个重要领域，成为互联网群体传播时代"90 后""00 后"的社会交往和人际交往的常态，也成为互联网文化心理的重要表现形式。互联网可以聚集异地而又不相识的一批人，只因共同的喜好和话题结成一个群落，并在群落内部讨论感兴趣的话题。基于同好聚集的交流碰撞会引燃创建自身文化的内生动力，通过群体聚合和群体传播会引燃集体智慧和生产动力，而不断变化、更新的网络语言则是互联网社群文化的代表性产物。

一、准社会交往是群体传播时代的交往模式

（一）准社会交往

　　准社会交往（para-social interaction）是媒介化社会的产物，从印刷媒体到电子媒体，再到时下以微博、Facebook 为代表的社交媒体，媒介技术的演变一次次改写了人类关于符号环境、感知环境和社会环境的认知。"媒介环境"成为指涉清晰的生存景观，甚至是比现实生活更加逼真、更具吸引力的拟态交往语境，人们对现实世界的理解越来越倾向虚拟世界的经验与感受。媒介化社会的出现，以一种匿名、复式的方式重建了人们的认知与经验，甚至直接构成了人们的日常生活和社会交往。

　　在媒介化社会中，随着移动互联网的高速发展和社交媒介的兴盛，从公众的信息交流到社会组织的文化沟通，都高度依赖于大众媒介，加之传媒和互联网日益融合，其作用逐渐渗透到日常社会生活中。媒介介入传统社交语境中，加剧了个人对媒介的依赖，以弥补心理缺失和获得情感补偿，人与人、人与社会之间的交往形成了一种基于媒介发展和变革的社会交往模式，即准社会交往。准社会交往是媒介化社会的产物，这种交往模式最初是指受众与媒介人物的关系，即受众对媒介人物（如偶像明星、影视角色等）产生的情

----

① 蔡骐：《微博时代的粉丝传播》，《东南传播》2010 年第 8 期，第 2 页。

感依恋，并由此发展出的一种基于"想象"的人际关系。[①]一般来说，社会交往的对象是真实人物，而准社会交往的对象则是拟态环境中的媒介人物或是媒介人物的现实扮演者，这样的交往突破了空间上的接近性和交往对象的熟知性。在传统媒体环境下，受众在准社会交往中只是单纯地接收信息，反馈环节在交往过程中不存在，双方几乎没有互动，以受众的单方面交往为主。互联网群体传播时代的准社会交往突破了信息流动和交往过程的单向性。互联网群体传播的迅捷性、交互性、自由性、开放性、平等性和主体多元性使社交场景出现了新的特征，作用于社会行为的通用规则，因此准社会交往被赋予了新的内涵。例如，以微博为代表的虚拟社交平台成为受众与媒介人物进行准社会交往的新途径，受众通过关注该媒介人物或其工作室官方微博，不仅可以了解其最新动态，还可以"互粉"或发私信，甚至还可以得到回复。媒介人物的信息经过转发、评论形成了"一对多"的交往情境，而受众在此过程中享受到了双向互动式的准社会交往体验。

（二）准社会交往的内涵和类型

"准社会交往"的概念由美国心理学家霍顿和沃尔于 1956 年在《精神病学》杂志发表的论文《大众传播和准社会交往：远距离亲密行为的考察》中提出，"用来描述媒介使用者与媒介人物的关系，即某些受众特别是电视观众往往会对其喜爱的电视人物或角色（包括播音员、名人、虚构人物等）产生某种依恋，并发展出一种想象的人际交往关系，由于其与真实社会交往有一定的相似性，所以霍顿和沃尔将其命名为'准社会交往'"[②]。这种行为源于人类依恋他人的本能，与距离远近无关。传统的准社会交往一直被认为是为了满足受众某种人际交往的需求。直到 20 世纪 70 年代，"使用与满足"理论被提出后，才有学者开始从传播学的角度去研究准社会交往与大众传媒的关系。准社会交往被定义为一种依托于电子媒介（如广播、电视和互联网）

---

① 马燕：《"准社会交往"视阈下虚拟社交的传播效果分析——基于微博用户的调查》，《东南传播》2014 年第 11 期，第 18—19 页。

② 章洁：《准社会交往中青少年明星崇拜的研究》，《当代传播》2009 年第 1 期，第 27 页。

产生的新型社交模式，改变了传统的社会交往和人际交往的特质，使得媒介人物成了一种现实的交往对象。随着媒介的发展，人们进行准社会交往的方式和范围也处于一种动态的变化之中。

互联网群体传播时代，人与人之间的心理距离大大缩短，普通网络用户与明星用户之间的互动和交流日益频繁和便捷，这为准社会交往的快速发展提供了物理空间和便利条件，使其成为网络用户（特别是青少年）的一种常见的社会交往行为。2014 年，新浪微博推出"微博粉丝群"的私信群聊功能，能促进博主和粉丝的互动。博主可以自建粉丝群，将核心粉丝聚集起来，保持与粉丝的活跃互动。粉丝也可以给喜欢的博主创建粉丝群，识得知己，交友聊天，与领域达人探讨观点，更有机会体验明星"空降"带来的惊喜。数以万计的粉丝群成为"90 后""00 后"网民聚集和交流的场所。粉丝用户在虚拟空间能迅速找到有共鸣感的个体或群体，通过准社会交往建立真实的人际交往和社会交往，甚至可以将准社会交往"移植"到现实生活中，催生了粉丝经济，增加准社会交往的商业价值，获得诸多关注，成为互联网群体传播时代重要的社会交往模式。

根据准社会交往对象的差别，可以将准社会交往分为三类。

第一类是真实的人物，如偶像明星、名人大腕等。这些现实生活中的偶像名人拥有千万粉丝，随便在微博上发一句感想，就会引起粉丝的疯狂刷屏，每一条微博的转发量和评论量都以万计算。

第二类是真人扮演的影视人物。火遍亚洲的韩剧《来自星星的你》在爱奇艺网站创下 20 亿点播量，掀起了微信朋友圈和微博刷屏疯潮，相关话题在当时的微博热门话题榜居前列，阅读量破亿，甚至影响了其现实生活，全民男神"都教授"成为准社会交往的最佳代表人物。在此类型的准社会交往中，受众常常会在影视人物和真实演员之间产生移情心理，即准社会交往的对象由真人扮演的人物向真实人物转换。

第三类是虚拟人物，如动画、游戏中的人气角色。动漫迷们会聚集在动漫社区和动漫贴吧，表达自己对作品人物的喜好。与虚拟动漫游戏人物的准社会交往，折射出青春特质与互联网的虚拟属性相交融的景观。网络虚拟世界是动漫游戏作品对现实世界的曲折呈现，它用拟人化、少女化、萌化的手段，使现实世界冷冰冰的运行法则随之软化，代入游戏感并呈现集体化的青春乌托邦，让受众在幻想中得到心理上的满足。

　　此外，传统的准社会交往大都基于对真实人物或虚拟人物的喜爱，而随着多元文化的发展，衍生出一种准社会交往的变体，即基于对某一人物的厌恶而聚集进行准社会交往，这些群体被称为"anti fans"。其起源于韩国，指专门为反对某个艺人而建立的社群或组织，对所厌恶的人物做出恐吓、伤害之事，或在网络上散布谣言对其进行中伤。

　　总之，准社会交往的三种基本类型折射出了生长在虚拟技术环境中的青少年一代的心理状态、生存境遇和交往方式。互联网群体传播环境中的准社会交往是媒介化社会人际互动的新模式，是基于技术进步而构建群体的新方式。人与人之间超越传统的种种限制，基于共同的喜好、兴趣和经历，灵活、高效地采用多种社会化媒介工具联结起来，一起分享、合作乃至集体行动，构建的是一种充满人情、重视具体、回到现象、关注情感的关系。

　　西方传播学者对"准社会交往"的内涵和功能的理解一直存在分歧。一方认为，受众进行准社会交往是为弥补现实人际交往的缺失，将其作为一种替代性的情感来源；另一方认为，准社会交往是一种更为普遍的社会需求，特别是随着大众媒介的普及和发展，准社会交往日趋常态化。不同的理解产生了两种不同的理论范式，即"通用范式"和"缺陷范式"。"通用范式"认为，准社会交往与自身的现实人际交往满意度无关，是现实人际交往关系的延伸，是个体参与度更高的体验和情感连接过程。"缺陷范式"认为，因心理、环境制约而缺少面对面的人际交往的个体更需要准社会交往，不善于现实社会交往的个体才会更频繁地进行准社会交往，以补偿现实的人际交往的缺失。此后，学者展开的大量的验证性实验几乎都支持"通用范式"理论。

　　然而，准社会交往的两种理论范式在互联网群体传播媒介环境中却出现了交织和结合的趋势。当下，参与网络准社会交往的主力军大都是"90后""00后"的网络用户，他们能通过互联网在不受传统价值观的影响下得到资讯和知识，形成特立独行的青年文化，"宅文化"就是典型代表。"宅"从一种流行的动漫术语逐渐演变成一种生存现象，甚至发展成一种意识形态。"宅"成为一种被青少年认同、接受和践行的实际生活方式，即回避现实生活，淡化现实人际交往，将个体进行社会交往的需求释放在网络虚拟空间中。准社会交往不仅为其提供了幻想型的人际交往对象，也提供了志趣相投的群体聚合的场所，成为对现实社会交往缺失的最佳补偿渠道，而网络空间的匿名性、开放性、自由性也让"宅男宅女"更乐于诉诸网络来减少自身的孤独感。从网络准社会交往的主体特征来看，这符合"缺陷范式"理论的核心观点。

随着互联网群体传播特性对传统准社会交往特质的改变，基于"粉丝文化"的准社会交往也从边缘走向主流，成为一种普遍的社会交往需求和模式。越来越多的人主动或被动地参与到网络准社会交往之中，越来越多的虚拟粉丝群崛起和壮大，粉丝用户拥有很高的参与度和活跃度，围绕"偶像"的话题攻占各大新媒体的热搜榜，话题阅读量高达上千万。进行网络准社会交往的大多数粉丝用户视之为一种普遍流行的社交体验，与现实人际交往的状态和满意程度并没有直接的关系。即使人际交往淡化的"90 后""00 后"，其目的也不是寻求现实中社会交往的补偿，而是纯粹自愿基于对媒介人物的"爱"而相互吸引、群聚和交流，其核心情感诉求点并不是与陌生人建立联系，而是表达对于准社会交往对象的喜爱和支持。因此，从网络准社会交往的情感诉求来看，其符合"通用范式"理论的观点。

（三）准社会交往中的受众移情心理

准社会交往的核心内涵和根本动力是"爱"，这份"爱"折射到现实的社会交往中就表现为受众因对某个真实人物、媒介人物、虚拟人物的崇拜、喜爱而聚集在一起，这种自愿的"爱"随着准社会交往逐渐发展为"移情""象征性的代替"等受众心理。

互联网群体传播时代，技术的进步和社交化媒介的普及搭建了虚拟世界和真实世界之间的桥梁，各个领域的明星偶像频繁地出现在社交媒体上，用一条条微博打破了明星和粉丝之间的壁垒，使"点对点"的人际传播互动具有了可能性，也让受众的移情心理在虚拟空间得到了极大的扩展和延伸。互联网群体传播显示了人们社会化的、充满移情能力的关系，以及与交易和花费无关的深层动机，将喜爱与崇拜变成可更新、可增值的建筑材料。受众移情心理的第一个层面是将准社会交往的对象从真人扮演的角色扩展到扮演者。

准社会交往中受众移情心理的第二个层面是在移情心理的作用下提升明星偶像的商业价值，并借助其人气效应影响现实中受众的消费行为，对广告代言人市场产生了重要影响。伴随着互联网成长的一代拥有更为丰富的物质条件，互联网的基因已经融入其思维和行动中，在准社会交往中体现出鲜明的移情心理，成为各大商家进行品牌营销的突破口。随着"90后""00后"成为消费生力军，越来越多的品牌在产品和营销上做出改变以迎合其需求和喜好，产生了很多成功的典型案例。2014年，腾讯QQ浏览器选择拥有庞大粉丝群的某明星担任品牌代言人，由于对目标群体的关注和偶像力量的重视，充分体现出准社会交往的受众移情对象已经成为一种消费资本，其背后蕴藏的巨大商业价值也成为众多品牌商家眼中最值得开发的新领域。

（四）准社会交往是一种黏性的社会关系

准社会交往是一种后现代的组织方式，人与人之间凭借魅力，基于情感、兴趣和缘分，相互吸引和交往，聚集成一个个社群，并非通过正式的制度和硬性的规定来实现聚合。互联网群体传播时代的准社会交往超越了传统的种种限制，人们可以通过便捷的社交化媒体来发布、分享喜好的文字、图片和视频，这种基于共享而缔结的社会关系和形成的社区，更具有人情味，不同于工业化时代那种"干巴巴"的社会关系，是一种黏性的社会关系。

这种黏性首先表现为一种社会可见度。互联网群体传播时代，人与人戏剧性地联系在一起，它提供了工具和平台让用户来介绍自我，并帮助用户决定在什么时候与什么人建立联系。用户借由社交化媒体分享的个人信息，极大地提高了个人的社会可见度，更容易找到志同道合者。社交化媒体对用户发布的内容如图片、文字、视频等进行分类，贴上标签后以此为索引进行个性化推送，而用户通过选择自己喜好的标签或者自定义标签，向其他用户展示自身的社会可见度。这类标签实质上更多的是一种审美偏好，如"复古""二次元""日系""韩流""电影""美剧""美食"等。网络上流行的轻博客的内容多以与主题相关的图片分享为主，用户通常基于兴趣对图片进行点赞或评论，用户之间不做更为深入的交流，其准社会交往的程度较低，属于"轻兴趣+轻社交"的网络应用。随着互联网群体传播的兴盛，准社会交往也更加深入和专一，出现了"重兴趣+重社交"的应用，即围绕某一关键兴趣词，为特定用户构建基于兴趣的黏度较高的社交平台。针对目标用户，熟悉其需求和偏好，在内容推送和内部氛围打造上做到对味儿。用户的自动筛选，为产出高质量的内容和高黏合度的用户群提供了一定的保证。用户在进行平台标签勾选时，就清晰地展示了自己的社会可见度，并完成了精准的内容推送选择，保证了用户的忠诚度和黏度。

另外，这种黏性还体现为基于对偶像的爱而展开的分享、合作和集体行动。交易成本的降低和交往途径的增多使得人们更容易走到一起，从而建立社群和组织。互联网群体传播时代有了更适合群体活动和成员交流的传播工具和平台，并且发展出应用这些工具和平台的社会模式，社会化媒体的兴起改善和突破了人际传播、群体传播、大众传播、网络传播等多种传播形态，使跨时空的社会交往成为可能。

分享是创造新群体的起点，而分享是基于"喜爱"和"兴趣"进行的，即分享的是一种情感上的态度和信息。许多分享平台，如新浪微博的用户大都基于兴趣进行传播，从而提高个体的参与度，激发个体在传播中的最大潜力。用户既可以选择与公众分享作为默认设置，也可以选择只显示在好友圈，甚至可以选择限制观看等的程度，在可控的传播范围内与他人分享。

分享之上是合作，合作比单纯的分享要难，因为分享是纯粹的个人行为，他人的后续反应不在对分享行为的度量范围内，而合作则牵涉改变个人行为与他人同步，他人亦改变自身行为与之同步。分享产生群体的聚合，而合作则创造群体的身份，伴随着交流和对话，识别有着相同准社会交往对象的社群成员，而交谈是社群构建的基础。

集体行动是最难的一种群体行为，它要求群体成员共同致力于一件能够激发成员共同意愿的特定的事，群体的凝聚力对于集体行动的成功至关重要。由于《来自星星的你》在中国的热播，男主角"都教授"的扮演者金秀贤在中国获得了千万粉丝的喜爱。其生日前夕恰逢情人节，粉丝众筹在《新京报》上刊登整版彩页广告，在其生日当天，该广告也出现在广州和上海的报纸上，足见网络粉丝群的力量之强大。互联网显示了社会化、充满移情能力和情感黏度的关系，以及变革性的与成本和花费无关的动机，而基于互联网技术不断涌现的社会化工具和平台正在把人类的"爱"变成可构建、可延伸和可更新的材料，这就是互联网群体传播时代的准社会交往被关注的原因。

二、互联网群体传播时代的网络准社会交往

（一）网络空间是准社会交往的聚合场所

准社会交往关系中最核心的是"粉丝"，"粉丝"是"fans"的音译，粉丝群体和粉丝文化的兴起是准社会交往的一个显著特征，而粉丝经济和粉丝营销也成为互联网群体传播时代的一种商业模式。2005 年的《超级女声》在中国掀起"选秀"浪潮的同时，也让"粉丝"成为一种身份标识、社会文化的表征和新的社会关系，而不再只是一个群体的代称。伴随着互联网的强势崛起，网络对于粉丝队伍的壮大以及粉丝文化、粉丝经济的影响深刻，成为粉丝进行准社会交往的聚合空间，这个空间突破了时空的界限，弥补了传统社会线性交往的种种不足，演化出一种更加自信、有效、强有力的交往形式。互联网群体传播时代中的准社会交往通过虚拟空间和现实空间的相互渗透，如微博上刷话题，演唱会、庆生会现场的应援等，成为一种极具影响力的媒介景观和社会现象。

随着网络使用者的壮大，网络开始拥有真正的社会密度，正是由数以万计的网络用户聚集起来的社会密度使得网络具备了成为群体聚合空间的资格。在大多数人都在线的社会群体中，就可以使用网络来协调此群体的社会生活和群体成员的人际交往。网民以匿名的形式自由进入网络空间，获得一种"虚拟的身份认同"，这种虚拟身份的建构可以展露或满足被某些社会规范、理性压抑的一面，因此在网络空间里粉丝有了更强烈的表达和大胆的行为，他们积极参与和偶像相关的所有互动，为喜爱的偶像摇旗呐喊。由分散的粉丝个体到粉丝群，再到粉丝文化，粉丝的准社会交往越来越离不开网络。网络空间是信息化的虚拟空间，可以被视为社会空间的一种新形式，是基于共识形成的想象的交往处所，粉丝间的共识基于共同的准社会交往对象。网络的双向互动性强化了粉丝之间的互动交流和信息反馈。网络的去中心化使得个人使用媒介的能力大大增强。"费斯克曾指出，粉丝是一批流行文化资本积极的生产者和使用者。"[①]粉丝在网络空间能够便捷而快速地聚合，在贴吧、微博、论坛上 24 小时发布、分享各种 "偶像文本"，日益丰富的"偶

---

① 蔡骐：《网络与粉丝文化的发展》，《国际新闻界》2009 年第 7 期，第 86—90 页。

像文本"继而成为粉丝进行准社会交往的文化资本。

（二）虚拟粉丝社群：生存体验的狂欢

互联网群体传播时代，准社会交往的黏性得到了前所未有的加强，尤其体现在一个个虚拟粉丝社群的建立。伴随着这种新型的群体性聚合，产生了一种基于共同话语情感、自发临时、自由流动且没有管理成本的人类社群组织方式。在虚拟粉丝群里，在没有正式管理的情况下，个人会更自觉、容易、冲动地与群体中的成员进行沟通和互动，参与群体行动并为其做出贡献，可以说虚拟粉丝群是粉丝之间联络和交流的较好渠道。

粉丝社群的形成首先由具有权威性和丰富偶像资源的铁杆粉丝主导，他们往往是社群的意见领袖，通过这些核心粉丝对偶像信息的解释、分析和引导，形成具有说服力和态度判断的偶像指南，在整个粉丝社群里形成一种基本的规范和氛围。例如，新浪微博里每一个微博话题都有一个"主持人"，认证用户及拥有微博达人勋章的用户可以申请。话题主持人通常是所谓的铁杆粉丝，他们的"领袖"地位得到了机构平台和网络用户的双重肯定，并通过发起和主持热门话题得到体现和加固。

传统的社会学认为，共同的地域范围、紧密的社会关系、共同利益和兴趣、相近的价值观是人们聚集起来构成社群的界定条件。虚拟社群的出现，将这些界定条件的外延大大拓展，虚拟粉丝社群作为虚拟社群中的一个重要类型，是具有共同准社会交往对象的网络用户利用互联网技术的传播特性构建的相对稳定的虚拟网络交互空间。虚拟社群的互动基础是为了满足人类的四大需求，分别为兴趣、人际关系、幻想和交易，这也是诱发人们参与虚拟社群的潜在因素。从某种意义上而言，虚拟粉丝社群可以被看作幻想型和兴趣型虚拟社群的"混搭"社群，准社会交往中的对象是粉丝共同幻想和喜爱的对象，满足其双重需求。在这两种需求都得到满足的基础上，才有了成员间的人际交往乃至线下的交易行为，即"粉丝经济"，基于四种需求的可循环的链式互动模式，最大限度地契合了"90后""00后"一代粉丝的心理，使得虚拟粉丝社群具备了强有力的黏性和凝聚力，在互联网群体传播时代层出不穷，成为一种社会新势力。虚拟粉丝社群的繁荣和发展，也验证了互联网群体传播时代的准社会交往的影响力。

　　进入互联网群体传播时代，伴随着网络准社会交往的盛行，在线交往成为生存体验的狂欢，其中最主要的途径和渠道来自虚拟社群（百度贴吧、新浪微博）的壮大。这两大平台都具有良好的链接互动、用户追踪、社会化传播和注意力聚合的能力，同时还有一套合理的粉丝游戏规则。新浪微博偏重媒体、弱化社交的特性使之成为粉丝首选的信息发布平台和分享平台，社交网络式的跟随和分享功能使其具备了较强的引爆能力，开放式的信息架构能扩大信息的传播范围，吸引新的粉丝成员。话题、活动、投票、点赞、私信等功能使得基于新浪微博可以开展丰富的网络准社会交往，从而维持粉丝的活跃程度。粉丝基于"爱"进行合作和集体行动，通过互联网群体传播提高偶像的名声。"微博热门"也经常出现类似"×××向×××道歉""求放过×××"等强大的粉丝力量，有时也会演变为"网络暴力"。

　　百度贴吧是结合搜索引擎建立的一个在线交流平台，是基于兴趣关键词的主题中文社群，任何人有兴趣都可加入贴吧或创建贴吧，然后围绕帖子进行交流，认识同好。不同于新浪微博，网络用户进入贴吧是基于对媒介人物和偶像的兴趣和喜爱，契合了网络去中心化和亚文化的趋势，具有较高的忠诚度和活跃度。百度贴吧基于搜索引擎，便于对偶像文本的发现、查阅和搜集，降低了粉丝的获取成本，成立十数年来积累了大量的优质粉丝，成为准社会交往中虚拟粉丝社群的中坚力量。作为最活跃的粉丝社群，百度贴吧具有快捷聚集同好、精准聚合信息、能创造开放和互动的舆论环境等优势，加之不断孕育的粉丝文化和推奇出新的弹幕式评论、直播页面、线上送礼等在线支援偶像方式，粉丝的追星模式不断翻新，更便捷、更贴心，反馈也更快。

　　百度贴吧、新浪微博的互动参与者人数众多，是一种基于网络空间的"狂欢"，呈现出非理性的群体极化现象，伴随着情绪化的集体行动和极端情绪的宣泄。在互联网群体传播环境下，理智的网络准社会交往需要良性的引导，以防止出现失范和失控的集体行为，如何让网络空间中的"狂欢"在和谐有序的氛围中进行，是亟须思考和解决的问题。

（三）粉丝经济

　　当准社会交往借助互联网群体传播使个人的情感集合为群体的消费行动时，"粉丝"这个词在全球娱乐产业链里所扮演的角色就变得更加强大，因为粉丝可以转化为粉丝消费群体，而娱乐产业所制造的商业价值必须通过大规模的粉丝消费群体才能得到最终的实现。何种特质的准社会交往对象可以将粉丝内心的情绪资本①转化为现实的消费行为，是利用粉丝营销、开展粉丝经济的关键。

"偶像"是实现这一转化的重点所在，只有成为偶像的明星才能让粉丝为其付费，带动粉丝经济。成为偶像要有两个核心的要素：第一，在某一年龄层具有较高的知名度；第二，拥有数量众多并能将情绪资本转化为消费力的粉丝人群。前者与传播力有关，而后者需要有组织体系和信仰基础。一个优质偶像，其周边的商业产品和商业行为都会产生巨大的利润，其歌曲有人消费，电影有票房保证，代言的产品成为流行时尚。但从本质上说，偶像是由粉丝选择出来的，当然偶像的制造也有一个严格控制的产品生产流程。在欧美、日本和韩国等较为成熟的娱乐体系中，经纪公司在推出偶像或偶像团体时，从前期的目标人群设定、定位和风格特征，到后期的宣传、作品制作、形象包装等，都有精细而严格的要求和规定。但是将偶像投放市场后，能否成功吸引粉丝，能否为投资人及其自身带来满意的投资回报，则完全由市场和粉丝决定。粉丝会根据自己的价值体系和审美需求来选择适合的偶像，偶像在娱乐产业链的顶端，粉丝成为娱乐产业链的最终消费者，同时也是偶像制作和流行制造的直接参与者和最终决定者。艺人成为偶像就意味着成为消费符号，围绕偶像的一系列粉丝消费行为则可以称为"符号性消费"。媒介对于消费文化的一大贡献在于，对商品符号价值进行极度张扬，并创造出具有后工业化社会特征的"符号性消费"观念，在媒介化社会，符号价值已经成为商品的重要组成部分。

偶像时代，粉丝代表的是参与化、情感化、圈子化的消费者集群。粉丝用符号性消费来实现自我身份的构建和自我情感的满足，粉丝更关注商品代表的象征性身份和品牌文化等符号价值，而非其实际使用价值。粉丝经济以情绪资本为核心，以消费者为主角，从消费者的情感出发，达到使品牌和偶像的情绪资本增值的目的。一些品牌敏锐察觉到了这种消费逻辑的转向，采

---

① "情绪资本"的概念由英国营销专家凯文·汤姆森在其 1998 年出版的《情绪资本》（*Emotional Capital*）一书中提出，他认为"情绪资本"由外在和内在情绪资本两大核心组成。

取新的营销策略来迎合消费者，激发其购买欲望。粉丝经济时代，女性市场是业务指向和市场主流，组合代言采用社会化营销方式，包括多人格、多标签、多话题，"90后""00后"是粉丝团的主力。美丽说 App 成功签约在青少年群体中拥有超强人气的韩国偶像团体 EXO-M 作为其品牌代言人，利用 EXO-M 积极、阳光的形象和丰厚的粉丝情绪资本，把品牌战略定位与粉丝的情感诉求自然、巧妙地结合起来，成为互联网群体传播时代利用粉丝资本进行粉丝营销的经典案例。其品牌营销通过偶像代言人吸引粉丝找到其独立电商的第一批忠实用户；通过系列的市场运作，强化美丽说对 16—25 岁目标用户的品牌忠诚度。

在移动互联时代的消费社会中，基于准社会交往的粉丝经济日益成为一种生活方式的消费，它不以经济和社会地位为限制，完全取决于个体的喜好。"媒体文化所鼓吹的'生活方式的消费'，并不是指在一定的经济和社会地位中逐渐养成的消费习惯和态度，而是指消费个体认同某种社会时尚，并在消费过程中获得新的社会身份和某种形象"[1]，通过某一聚合消费场所建立的一种社会交往，而粉丝经济就是新的媒介文化开辟的生活风尚和消费领域。

三、网络语言是网络准社会交往的符号系统

（一）网络语言是网络准社会交往中的信息载体

正如语言的产生成为人类在进化中区别于其他动物的独特性之一，网络语言对于网络用户具有同样重要的意义。网民之间的信息观点交流和传播都离不开网络语言，它是在汉字、英文、数字、标点等符号的基础上，通过谐音、联想、挪用、赋予新含义等手段，创造、使用、推广并使之固定下来的特殊符号表意系统和语言表达风格。网络语言成了网民表达意见、交流思想和沟通情感的重要工具。

语言是对符号的复杂排列，它建立在符号的基础之上。符号的具体意义

---

① 李刚：《现代消费视阈中道德危机的理性思考》，《南京政治学院学报》2006 年第 1 期，第 36 页。

由使用者决定。符号所传递的信息具有开放性和创造性，当语言符号遇到具有开放性、交互性、自由性和平等性的互联网时，两者就产生了强烈且不可控的"化学反应"，网络语言作为虚拟世界里的信息符号在网络中获得了充足的发展空间，呈现出一种极为迅猛的发展态势。

符号的上述特征让人类能够围绕已经形成的语言系统发展出相应的文化，因而围绕网络语言就产生了相应的网络文化，网络语言既是传播网络文化的信息载体，也是构成网络文化的重要组成部分。在网络准社会交往中，成员之间交流使用的网络语言发挥了信息载体的作用，不同的虚拟粉丝社群拥有专属于自身群体的网络语言。当专属于某一虚拟社群的成员之间频繁使用能充分体现其"共同体"文化特性的网络语言，并逐渐突破自身的圈层边界，使之应用到更广阔的网络空间并成为被大多数网络用户知晓和认同的信息载体时，就可以成为一种新的网络语言系统。

基于准社会交往心理的"二次元"弹幕语体就是当前最具影响力和传播力的网络语言系统。"弹幕"一词原指对某一军事区域进行密集的火力攻击，日本 Niconico 网站首次于 2006 年在视频画面上实时显示用户评论，由于屏幕上迅速飘过的评论神似飞行的子弹，"弹幕"一词应运而生。弹幕语体基于以"90后""00后"为代表的"二次元"审美之上，"二次元"原指二维、平面，后专指动画、漫画、游戏等文化形态所构筑的虚拟世界。"'二次元'审美的核心是互联网虚拟属性与青春特质共谋的一种世界观。"[①]以 B 站（Bilibili）和 A 站（AcFun）为代表的弹幕视频网站成为"二次元"文化的传播和扩散基地，"二次元"弹幕语体和弹幕词霸占网络，形成了一套代表网络流行文化的新语言系统。如今的"二次元"语言已深入人心，"宅魂""腐女""修罗场""打脸""颜艺""中二病""吃货""呆毛""无铁炮"等无不昭示着"二次元"文化对其所在群体的深刻影响。

活跃在互联网的萌化、无厘头、吐槽式的网络语言大多能在"二次元"弹幕语体中找到起源。弹幕语体遵从的原则是"评论才是本体，吐槽才是特色"。"它用萌化、少女化、拟人化的手段，软化了现实世界冰冷坚硬的运

---

① 葛颖：《面对审美的冲突和隔阂——对"二次元审美"现象的思考》，《文汇报》2014年11月11日。

行法则，带有强烈的游戏感和青春乌托邦色彩。"①弹幕语体作为一种新的网络语言系统，在发展过程中呈现出两大趋势：首先，弹幕语言的使用范围逐渐从虚拟的网络空间走进现实的社会生活，在真实情景的人际交往中成为日常的口语用语和流行用语。如今，这些脱胎于"二次元"文化的网络语词已远远超出其本身的内涵和意义。其次，弹幕语言开始成为一种能带来经济利益的商品，具备了使用价值和价值。在各大动漫展上，出现了将"傲娇""腹黑""女王"等弹幕词语印在动漫衍生品上进行售卖的商品，网络流行语成为一种具有文化内涵的消费品，孕育和诞生了互联网空间新的审美诉求和消费需求，网络文化产业正在迅猛发展。

（二）网络语言是准社会交往群体聚合的表征符号

活跃在虚拟社群里的"韩饭"（韩国粉丝）十分熟悉"欧巴"（哥哥）、"忙内"（老小）、"亲故"（朋友）、"大发"（厉害）、"PC"（泡菜）、"PD"（制作人）、"CF"（广告）、"OST"（电视剧主题曲）、"生放送"（电视台）、"面包车"（韩国 MBC 电视台）等网络语言，这是"韩饭"之间识别身份的符号标志，也是"韩饭"之间传播偶像文本、交流情感的信息载体，同时也是"韩饭"形成一种亚文化圈和韩流形成一种文化品牌的重要表现。"韩饭"共同形成了一种"语言的记忆性"，成员通过共同创作和使用的语言来反映和彰显其心理需求、文化属性、审美品位、价值判断和生活态度。一个群体只有在共享文化的基础上才能得以聚合、存在和发展，网络语言是界定网络准社会交往的群体成员身份的重要标志，作为社群认同区分圈内、圈外的标签，巩固着粉丝对于社群的认同。

表征是指将意义、语言同文化相联系，语言可以被用来建构意义、表征事物，甚至可以代表文化品位和价值取向。语言可以单纯地反映已经存在的人、物、事，即现实；也可以表达个人意向的意义，即心理。语言、心理、现实这三个概念依次具有逻辑上的依存性：心理以现实为基础，语言表征又以心理表征为前提。从现实、心理到语言，人的文化属性得到更多的体现，

---

① 葛颖：《面对审美的冲突和隔阂——对"二次元审美"现象的思考》，《文汇报》2014年 11 月 11 日。

而客观性的成分则呈递减趋势，而这一转化就是情绪资本增值的过程，若情绪资本急剧膨胀导致客观性成分消失，就会出现网络语言暴力。作为网络文化的一部分，网络流行语通过片段组合式结构，以戏谑、调侃的姿态去颠覆传统，突破原有的社会定位。流行语被网民使用并使之具有网络文化的后现代性，"网络语言作为一种虚拟性社群语言，它不仅是一个交际工具或符号体系，而且是这一社群中的成员认识、阐释世界的一个意义体系和价值体系"①。因此，它是一种进行准社会交往的虚拟社群群体聚合的表征符号。

（三）网络语言是准社会交往偶像文本再编码的符号

2015 年，一个《新华字典》里并不存在的新词"Duang"迅速在国内网络走红，成为热门词汇。同样，2016 年里约奥运会上傅园慧一句"我已经用了洪荒之力了"使"洪荒之力"这个词火遍朋友圈，这个词在社交媒介上迅速成为网络热词之首。

事实上，将某些知名偶像说过的话通过重新剪辑生成完全不同的意义解读，在网络空间并不少见，这些带有恶搞色彩的行为可以被理解为对偶像文本的再编码。"Duang"和"洪荒之力"既是这一成功的文本再编码的最终产品，也是文本再编码的标志性符号。

今日，活跃于互联网空间的虚拟粉丝群"热衷于生产与传播类型化与风格化的再生性文本，并将这个蕴含着特殊审美规则与阐释路径的表意系统与个体的资本、才能、品位、身份等关联，从而成为展演自我与心灵的重要方式"②。纵观充斥于互联网空间的偶像再编码文本，"在媒介表现形式上，从传统的文字文本，到多媒体形式的衍生文本，从单一的衍生创作，到综合性的文本形式——再生性文本的表现形式呈现出多媒体、融合化的趋势……大众流行文化中最具代表性的内容与样式都被囊括其间，再生性文本紧跟其'母

---

① 肖伟胜、王书林：《论网络语言的青年亚文化特性》，《青年研究》2008 年第 6 期，第 22 页。

② 陈彧：《从"看"到"炫"——粉丝再生性文本中的自我展演与认同建构》，《现代传播》2013 年第 11 期，第 155 页。

体'的步伐，在题材与内容上呈现出广泛性、杂糅性的特征"①。粉丝的再编码不是颠覆和否定原来的文本，而是在其基础上进行改编和创作，视频剪辑、自制 MV、手绘漫画等成为活跃在网络上的偶像再编码文本。身处互联网群体传播时代，粉丝不仅是文化娱乐产业中文本的被动接受者，也是文本的再生产和再编码的创作者，他们对偶像文本狂热、积极、主动参与，结合自己的智慧对其进行解读和重构、挖掘和创作。这些被再编码的偶像文本成为虚拟粉丝社群内部成员沟通和交流的热门话题，也成为粉丝文化的核心元素。偶像文本大多来自大众传媒流行文化，且再编码行为又以开放、自由、交互的网络社交平台为据点，偶像文本再编码的创作和传播呈现出多元化的审美和文化气息，因核心人物的知名度和话题性产生了强大的传播力和影响力，因此而创造的网络语言也具有了强大的生命力。

第二节　网络语言建构社会共同体

随着互联网以令人惊叹的速度扩张，"互联网改变世界"从一句断言成了普遍共识。移动互联、大数据、粉丝经济、云时代等不断更新的词汇已经远远无法概述我们今天生活的这个时代。麦克卢汉关于未来世界的大胆构想，正一步步成为人类生活的现实。互联网成为人类生存方式的一次里程碑式的变革，并重新定义了人类的生活。人类通过互联网在现实与虚拟的融合中构建了一个新型的社会共同体，打破了传统社会共同体中"身份"和"契约"这两个概念的界限。生存在互联网空间，普通人可以不再普通，不普通的人却可以变得很普通；社会的人更个体，个体的人更社会；契约的缔结更加随意和偶然，契约的维系越来越少诉诸层级结构。互联网构建新型社会共同体的逻辑非常清晰，身处在互联网群体传播时代，大众要尽快在互联网世界中找到归属的共同体，最终在现实与虚拟的融合中实现"我"和"我们"的平衡。

---

① 陈彧：《从"看"到"炫"——粉丝再生性文本中的自我展演与认同建构》，《现代传播》2013 年第 11 期，第 155—156 页。

一、网络共同体：群体传播时代的新型社会共同体

（一）社会共同体的界定和结成模式的演变

德国社会学家滕尼斯在 1887 年出版的《共同体与社会》一书中用"共同体""来表示建立在自然情感一致基础上、紧密联系、排他的社会联系或共同生活方式，这种社会联系或共同生活方式产生关系亲密、守望相助、富有人情味的生活共同体"①。滕尼斯认为，除了血缘共同体，共同体也可能是历史地域的联合体（村庄、社群）以及思想的结合体（友谊、师徒）。他认为，共同体是建立在本能、习惯制约地适应或者与思想有关的共同记忆之上的。"血缘共同体、地缘共同体和宗教共同体等作为共同体的基本形式，它们不仅仅是各个组成部分的总和，而是有机地浑然生长在一起的整体。"②

随着全球化的扩展和通信的日益便利，特别是互联网群体传播时代的到来，人类社会中联系和交往的纽带不再受到传统的血缘和地域的限制。共同体的概念从"原始"到"当代"再到网络时代的"后现代"的突破，在这一过程中社会共同体的缔结模式也经历了从单一走向多元，缔结状态从紧密走向松散的演变。

人类进入现代社会之后，血缘纽带和地缘纽带变得荏弱，人类以货币、公民身份、契约、法律和情感实现融合。特别是进入后工业化的互联网时代，群体传播环境中的虚拟社群成为新的社会共同体——网络共同体。网络共同体以强烈的情感和意识、共同的利益和需求为基础，互联网的开放性和全球性从根本上动摇了血缘和地缘曾在社会共同体中的重要影响，网络共同体是一个精神共同体的存在，其构建的方式区别于传统面对面的互动，如俱乐部和兴趣社团等，而是利用工具进行匿名的非面对面的跨地域、远距离的互动和交往，这是对社会共同体缔结方式的重大颠覆。网络共同体的后现代性体现在个人在互联网空间里变成了一个完整的社会缩影，被赋予了更多的权利

---

① 赵健：《学习共同体——关于学习的社会文化分析》，华东师范大学博士学位论文，2005 年，第 13 页。

② 张志旻、赵世奎、任之光等：《共同体的界定、内涵及其生成——共同体研究综述》，《科学学与科学技术管理》2010 年第 10 期，第 15 页。

和义务。同时，网络交往的虚拟性、弱联系性、匿名性使网络共同体在一定意义上丧失了某些约束和强制性因素，成员之间的交往关系是一种松散而随意的弱纽带联系。

　　传统共同体如家庭、民族、国家等的建构需要一个实在的物理空间。在这个实在的物理空间中，信息传播的方式、速度和效果受时间和空间的限制，而网络构建的新型"物理空间"提供了信息高效聚集和交流的平台，成本低廉且无处不在，在网络环境中群体可以摆脱诸多传统传播过程中的限制因素，实现随时随地聚合，可以基于自由选择加入组织，聚合更多受到个人兴趣和自愿意图的影响。从理论上说，每一个网络用户都可以在微博上寻找和发布最新、感兴趣的话题和消息，并通过@和转发传播给所属群体中的其他成员，通过评论留言来确认同一性和表明差异性，以此来表达个体对于所属群体的归属感和满足感。网络用户也可以在各大论坛贴吧进行内容生产和文本生产，展示自己独特的见解，建构在群体中的身份。这已经成为大部分网络用户的生活常态，他们在网络这个新型的"物理空间"，以前所未有的热情、速度和效率缔结着非传统意义上的社会共同体。网络用户甚至可以通过互联网便捷地加入多个群体，满足并体验多种身份认同和角色。依托于互联网技术的社交媒体在发展过程中成为建构网络共同体的重要平台，为用户提供便捷的共享空间，使用户可以自主地创建群组、圈子和社区来分享信息和沟通交流，建立关系和寻求认同感、归属感。

（二）社会共同体组成的基本要素

　　随着人类社会的不断发展，当代和后现代共同体的建构不再局限于血缘或地域纽带，而是主要基于共同体目标、身份认同和归属感这三个基本要素。

1. 共同体目标：社会共同体产生的前提

　　人类历史上的共同体都是在追求共同目标的生产协作之中产生的。因此，共同体的共同目标必须"满足成员的利益需求"。滕尼斯用共同体来表示由"本质的意志"所主导建立的一种共同的生活方式。但是在人类社会迈向工业化、城市化的进程中，特别是18世纪进入工业文明时代后，在自由市场机制的引导下，"本质的意志"逐步被"选择的意志"所取代，这种联系形态建立在一致的利益基础之上，基于"契约（自愿的、可废止的利益交换）"而不是"身份"（非自愿的、不可废止的、天生的属性）。网络让人类的精神需求大大扩展，身处后工业时代的现代人对于共同目标的理解，不再仅仅是对于金钱和物质等利益的追求。互联网为精神关系和利益关系的缔结提供了新的载体，不同于传统的信息联结方式和信息交流方式，人们在建构网络共同体时越来越多地将个体成员之间共同的兴趣、爱好和信仰视为其目标。

2. 身份认同：社会共同体产生的基础

"我"是何人？"我们"是谁？界定"他们"的基础是什么？每个人都有多重身份，身份认同是对"我是谁""我归属于哪个共同体""我和谁是同一个共同体里的成员"这些问题的回答，"同时也表征了身份认同结构的三个方面：认知、相伴随的情感和相应的行为表现"[①]。

社会学认为，对于人的身份认同，可以从自我认同和社会认同两个层面理解。自我认同是一种内在性认同，是个人依据经历形成的对自我独特性的理解和反思。社会认同则是指"个体认识到自己所在群体的成员所具备的资格，以及这种资格在价值和情感上的重要性"[②]。自我认同与社会认同的关系类似于米德的"主我与客我"理论。米德认为"主我"是个人的主体意识，是个人对事物的认知、行为和反应；"客我"是他人对自己的社会评价。"主我"和"客我"在不断互动之中形成自我。"客我"促使"主我"发生新的变化，"主我"反过来改变"客我"，自我认同和社会认同也在这样的互动过程中塑造了人类的身份认同。可见，身份认同是社会互动的产物，一个人自我身份认同的意义和社会身份认同的建构、完善都是在社会交往中实现的，其中伴随着信息交换和人际交流，并通过媒介来完成。媒介技术的发展使得信息传播和人际交流的方式发生改变，从而推动了人类身份认同和社会共同体建构模式的变革。随着媒介技术的发展，社交媒体已经渗透到生活的方方面面，更加依赖媒介的人们开始在网络社群中寻求自我认同和社会认同，甚

---

① 张淑华、李海莹、刘芳：《身份认同研究综述》，《心理研究》2012年第1期，第22页。
② 张淑华、李海莹、刘芳：《身份认同研究综述》，《心理研究》2012年第1期，第22页。

至出现了以"御宅族"为代表的群体，将个人的身份认同完全建构在虚拟空间和数字化产物的基础之上，产生了身份认同危机甚至是现实身份的消解。在互联网群体传播时代，媒介大大增强了身份认同的作用，但同时也带来了不容忽视的变异。

3. 归属感：社会共同体维系的纽带

"身份认同是一个复杂的心理结构，在表层上是人们显而易见的行为模式，在中层上是个体对与同类群体的共同性的认知和对自我身份的觉察，在深层上是有关身份所带来的情感体验。"[①]除了情感体验，归属感也是人类建立共同体的心理诉求，是共同体的核心凝聚力和竞争力所在，是维系共同体的纽带。

在对归属感的本质这一问题的认识上，还存在着与之相关的社区认同边界问题。塔吉尔·谢里夫将归属感定义为"个体认识到他属于特定的群体，同时也感受到作为群体成员带给他的情感和价值意义"[②]。个体可以通过积极维持社会认同提高自我认同，并产生了内群体偏好和外群体偏见。因此，社会认同的过程伴随着群体成员对有相同背景的"我们"的"圈内"认同，以及对"他们"的"圈外"排除。归属感的产生和延续过程"交织着差异性的比较和同一性的确认，认同的边界强化了共同体成员的共同心理，修正、完善了用户对'我们'和'他们'的定义"[③]。设置语言障碍将圈外人排除在外，通过语言提高同一个圈子里成员之间的交往黏度，以及增强成员之间形成的对共同体高度的认同，是产生归属感的有效途径。

（三）网络共同体：一种"小世界网络"的社会共同体

互联网作为媒介社会电子空间具有高度的开放性，为网络用户广泛而深入地参与交往和互动提供了条件。依托于这个技术平台和共享空间，从论坛

---

① 张淑华、李海莹、刘芳：《身份认同研究综述》，《心理研究》2012 年第 1 期，第 22 页。

② 转引自：赵璐：《"我"与"我们"：网络交往中的身份认同建构——以豆瓣网为案例的研究》，《东南传播》2014 年第 2 期，第 1—4 页。

③ 周俊、毛湛文：《网络社区中用户的身份认同建构——以豆瓣网为例》，《当代传播》2012 年第 1 期，第 74—76 页。

贴吧到 App，从聊天室到社区 SNS，从兴趣小组到维基百科，从 UGC（用户生产内容，user generated content）到 CGM（消费者产生的媒体，consumer generated media），诞生于网络空间的社交媒体成为建构网络共同体的重要平台。社交媒体提供了工具让个体来介绍和展示自我，并让个体自主决定在何时、何地与何人建立联系。通过社交媒体，网络用户不仅仅是简单、随机地建立关系，而是旨在增加与同一类人频繁互动的机会，当群体成员之间的互动交流成为一种常态时，网络共同体就产生了。

网络共同体是社交媒体创造的一种"小世界网络"的后现代社会共同体，其决定性因素并非媒介技术，而是网络用户成员之间建构在"同类相喜"基础上的精神交往，精神交往的节点是基于共同兴趣和爱好形成的具有黏性的凝聚力。群体因共同的兴趣而自发形成，成员之间通过围绕核心话题或核心人物展开讨论和交流，在相互了解的过程中，成员可以单独建立联系，开展进一步的人际交往。以相同的兴趣为中介，将松散的网络用户逐步凝聚成有边界的圈子，而这些大大小小的圈子构成了网络共同体的"小世界网络"。"小世界网络"拥有稠密的圈内关系和"大 V"效应的特征，与传统的社会共同体相区别。

1. 群体圈子内的稠密联系

在网络共同体中，无论是 QQ 群、微博好友圈、微信朋友圈还是豆瓣小组，每个人都可以与群体中的任何人建立直接联系，并展开进一步的人际交流。若有成员暂时或永久性地脱离群体，并不会破坏其他成员之间的联系。群体中的核心成员和意见领袖，如吧主、楼主、管理员等，可以建立群体、生产内容、表达观点、引导舆论等，却无法影响群体传播以及群体成员关系的走向，因为网络赋予了用户充分的自主权和选择权，同时消解了传统社会关系网络中的权威性。计算机是第二个"自我"，线上传播将身份认同放置于全新的认知层面。自主选择是网络社交的独特之处，每个用户都可以自由地自我呈现和选择，出售各种自产物，同时也可以自由地选择符合自己兴趣的交流内容和交往对象。

2. 群体圈子内的"大 V"效应

在任何一个群体之中，都存在核心。百度贴吧有等级排名和活跃指数，根据签到数、发帖数、回复量来衡量网络用户在群体中的地位。拥有最高级别地位的成员自然就成了群体内的"大V",拥有多于一般成员几十倍甚至几千倍的关注量和粉丝数,承担着不合比例的总体联结数量,对于维系整个群体圈子极其重要。尤其是当群体的社会网络扩大时,正是有了少数高度联结的个人用户,才使联结性和有效性得以平衡。普通群体成员在围绕"大V"生产的文本和发表的观点进行讨论和交流时,彼此之间建立起一对一的联系,这是群体中较好的沟通模式,也是增强群体黏性和忠诚度的有效途径,可见"大V"成为黏合群体关系的一个重要"引爆点"。

此外,"小世界网络"还可以对信息起到增强和过滤的作用,网络用户通过社交媒体用户所获得的信息是由自主关注的社交账号传递的,大多数都是自己感兴趣的信息。特别是进入大数据时代,网络系统会自动分析用户日常的阅读习惯和兴趣点,以此数据为基础不断增加某类信息在个体网络用户消费中的比例,同时无形之中也将其他信息过滤掉。

二、虚拟社群:群体传播时代的网络共同体

传统社会中的共同体一般是基于血缘、地缘或者业缘关系而建构起来的,社会交往和人际交往的过程中深深地打上了社会地位、社会身份和社会角色的烙印。因此,传统社会中的社交活动一般局限在权力、财富、地位、文化程度、利益相近的社会阶层之内;而在虚拟空间内缔结的网络共同体,其交往范围被大大扩展,交往互动不仅发生在朋友和熟人之间,而且可以和大量陌生人建立联系。网络中的社会交往和人际交往并不看重交往对象的种族、民族、地位、阶层和身份等传统制约因素,而是强调交往的普遍性和无限性。Facebook、MSN、Twitter、微博等社交媒体的出现,把分布在全球各个角落的网络用户汇聚起来,共同组成一个个频繁互动、共享信息的虚拟社群。

(一)虚拟社群体现新媒介环境中的"有机团结"

恩格斯在《家庭、私有制和国家的起源》一书中提出人类经历了三次社会化大分工,包括畜牧业从农业中分离、手工业和农业分离、商人阶层产生。互联网的出现使得人类进入信息时代,迎来了第四次人类大分工,这次社会分工是以互联网和信息革命为主导的。伴随着大量新技术和新观念的普及和

应用，信息革命使人类社会逐步走向电子化、数字化、信息化和网络化。与前三次社会化大分工相比，这一次更全面、深远和彻底，影响到了每个人、企业、行业、部门、家庭、国家和政府，以及社会经济生活的各个方面。

涂尔干在《社会分工论》中提出的有机团结理论是伴随着社会分工而产生和发展的。涂尔干认为，具有较高劳动分化程度的社会是由"有机团结"的个人结合在一起的，人们在一个复杂的经济市场相互交换服务，人们所经历的生活环境各不相同，彼此之间的共同点也大大减少。迪尔凯姆认为，"由于社会分工的出现和发展，导致个人之间的差异性不断扩大，同时也使社会成员之间的相互依赖性越来越强"[1]。每个人的行动越是专业化，其个性也就越鲜明。在网络空间，网络用户渴望借助各种手段来展现自我的个性和差异性，百度贴吧中的核心粉丝热衷于将"纷繁复杂的偶像文本资源进行加工处理，进行信息与观点的再生产与重新发布，引领粉丝社群的潮流"[2]，从而炫示自己的"资深"粉丝身份，彰显在社群中的意见领袖地位。所谓"资深"就成为"我"与"他人"最大的差异。

另外，涂尔干也指出复杂的劳动虽然创造出了个体主义，以追求各自独特的生活方式，但这并不意味着个人之间不再具有任何社会联系。社会分工越细，个体的个性越鲜明，每个人对社会和其他人的依赖性就越强。人与人相互间的依赖性之所以能发展成为一个个社群和共同体，是基于涂尔干称之为"基本的团结"的因素。"基本的团结"不是一种理智上的一致，而是某种共享的情感。基于一种同属于某一共同体的感觉，个体成员会觉得有义务和热情去按照共同体的要求行事，以提升所属共同体的社会影响力和社会地位，而社群的归属感和自豪感也被逐步积累。虚拟社群是根据人们的共同兴趣或需求建构起来的，这些共享的情感创造出了"基本的团结"。各大百度贴吧首页的"'吐血推荐''超萌''萌翻''亮瞎眼''最in''逆天''秒杀''神级''劲爆''TOP'等带有最高级意味的溢美之词，都是粉丝

① 转引自：王浩斌：《中国社会结构现代化的基本问题及其表现样态》，《安徽电气工程职业技术学院学报》2010年第4期，第18页。
② 陈彧：《从"看"到"炫"——粉丝再生性文本中的自我展演与认同建构》，《现代传播》2013年第11期，第155页。

在发表个人化的喜好宣言，以及对自身文化品位鉴赏力的一种有意识呈现"①。因此，虚拟社群是对新社会分工中的"有机团结"在某种程度上的一种映射，即一种个性化的、自由的、强流动性、跨越时空限制和身体"缺场"的"有机团结"在新媒介环境中的表现，个体的差异性和群体中的"基本团结"都在虚拟社群中得到了不同于传统社会的全新展现。

（二）虚拟社群是网络共同体的基本形式

特定的物理空间，紧密的社会关系和互动，以及共同的利益、兴趣、价值观和归属感，是构成共同体的基本要素，也是构成社群的基本要素，而社群是共同体的最基本形式。虚拟社群与现实社群相类似，也包含了大体圈定的区域范围，如相对稳定而适量的人群以及群体成员共同认可的利益和兴趣，共同使用的与其他群体或者整个社会相区别的符号体系。虚拟社群是诞生在网络空间的社交聚合体，其本质是网络空间的人际关系。虚拟社群里"人与人之间的交往不再是呈线性延伸状，而是呈网络扩散状，每一主体都与他人进行直接交流，减少了中间环节，拉近了心理距离"②。虚拟社群的运行规则之一就是"把个人网聚成圈子"。这一切都源于依托互联网技术兴起的虚拟社群本身所具有的虚拟性、流动性和情感性。

1. 虚拟性

虚拟性是互联网最主要的特征，是虚拟社群这一概念的实质性所指。与虚拟性紧密相连的是匿名性、身体缺场、符号化交流，互动双方不是传统的面对面参与沟通，而是通过计算机、平板电脑、智能手机等媒介进行交流，通过文字、图像、视频、语音等多媒体符号文本进行互动。虚拟性还带来了社会互动中的去中心化和反等级，引入了新的社会身份，动摇了现实社会中的等级关系。一种全新的虚拟性的社会互动和人际交往模式将人类社会带入了一个新时代。

---

① 陈彧：《从"看"到"炫"——粉丝再生性文本中的自我展演与认同建构》，《现代传播》2013 年第 11 期，第 155—156 页。

② 皮海兵、肖昕：《试论网络文化主体间性的生成》，《大家》2011 年第 6 期，第 94 页。

2. 流动性

与现实社群不同，虚拟社群的成员拥有极高的自由度，不受职业、身份、性别、国籍等因素的限制和束缚，虚拟社群的优势在于自由和开放，同时内部也有成员共同认可并遵守的基本规则和规范。在虚拟社群里，个体的加入或离开都是完全按个人意志进行自由选择，因此群体成员流动频繁，成员之间的关系相对松散。网络用户可以任意加入一个或多个虚拟社群，享受多重身份认同。流动性使网络空间内所形成的关系具有弱联结性和不稳定性，网络用户的人际交往带有幻想成分，常常表现为速度快、频次高，但持续时间短，陌生人之间依靠共享情感而建立的关系，因成本低也可能会很快中止或淡化。

3. 情感性

人们归属于一个社群最主要的动力来源于参与社交活动以获得情感性的力量，它可以促使人们做原先个体不会做的事情，这种情感性经历所带来的回报是"社群"持续存在的原因。网络空间里的虚拟社群是一种典型的人缘关系体，正如弗洛伊德所说，社会聚合的不是利益的群体，而是关于认同的动态精神机制，分散的个体可以通过共同的事物结合在一起，从而使自我需求得到满足。互联网对"90后""00后"年轻一代如何看待社群概念具有深远的影响，网络拓宽了其视野，使其认知到自身是社群的一部分。互联网群体传播时代，建立一个新社群很容易，发现一个以特殊爱好、嗜好或信仰为中心而组建的社群也是一件轻而易举的事，年轻一代正是伴随社交媒体使用的共同经验而成长起来的。

（三）虚拟社群是网络语言的诞生地

随着互联网群体传播的兴起和发展，网络流行语已成为重要的社会现象，是舆情呈现和语言变异的重要指标。每年媒体新鲜出炉的网络流行语榜单使网络语言从网络空间走向生活日常，频频出现在各大电视台、贴吧、论坛、弹幕、短视频平台，甚至是党报的新闻标题里，人们特别是"网络原住民"一代充分享受着使用网络语言的乐趣。一个个网络流行语的背后恰是语言和社会结构的共变，折射出中国社会语境的变革，展示着大众文化的狂欢以及亚文化的发展和对主流文化的消解。

纵观众多网络流行语的走红过程，我们不难发现网络流行语大多产生于网友交流互动频繁的各大虚拟社群中。

首先，虚拟社群是网络空间中较为稳定和忠诚的共同体，成员之间的交流互动程度较高，而网络流行语往往在网络用户围绕核心人物和热点事件的交流对话之中产生。例如，"也是醉了"源于一款网游玩家在游戏空间里对成员游戏竞技技术的吐槽交流，后来这一诞生于虚拟游戏社群中的用语迅速发展为网络流行语。

其次，聚合于虚拟社群中的网络用户具有很强的符号生产力和文本生产力。符号生产力实质是从文化商品特有的符号资源中创造出大众所认同的共通意义，并被粉丝所消费。社交媒介给网络用户提供了创造"符号资源"的空间，同时在符号生产中为其提供社会体验并构建其社会认同。如"中二""腹黑""萝莉"等网络词语是动漫粉丝的符号；"爱豆""应援""仙后"等网络流行语是"韩饭迷"的符号。费斯克提出了对原始文本进行积极重构，以构筑意义与愉悦的"文本生产力"理论，"文本生产力不仅表现在新创造出的文本上，也表现在粉丝对原始文本的积极重构上"[①]。粉丝通过调动和组织情感投入对文本意义进行再生产，从而建构出个人身份和权利感。互联网群体传播时代，新的媒介技术催生了用户生产内容（UGC），这使得虚拟社群中的文本生产演变成一种参与文化，粉丝成为这场创作浪潮中的主力军，文本内容也从传统的文字扩展到包括文字、图片、视频在内的多媒体。"挖掘机技术哪家强？"本是山东蓝翔技校的招生广告语，最先在网易跟帖区和百度贴吧里出现，之后借助网民强大的文本再生产能力和网络群体传播力，演变出古文体、学术体等多种体裁，成为红极一时的网络流行语。由此可见，当诞生在网络虚拟社群中的流行语引起广泛关注和被使用时，其恶搞性和亚文化性的一面逐渐被削弱，开始被主流文化挪用，并在商品化的过程中被重新定义。

---

① 鲍震培：《媒介粉丝文化与女性主义》，《南开学报（哲学社会科学版）》2013 年第 6 期，第 127 页。

三、网络语言对网络共同体的建构

语言是人们彼此交流时最重要的工具，同时也是思想的载体、身份的象征、认同的工具乃至联结社会群体的纽带，更是文化变迁的指示器。语言是结成共同体的黏合剂，语言与社会共同体之间有着极为紧密的关系，甚至某个共同体使用的语言越是独特，它的凝聚力就越强，反之亦然。在地区、教派、职业、性别乃至民族等形形色色的共同体中，语言不仅是区分"他者"的工具，也是确认"自我"身份的途径。虽然共同体一词似乎意味着内部和外部之间会有一个明显的分界，但实际上语言的使用边界往往是模糊的。此外，不同的共同体语言间的竞争同样引人注目，语言间的互动常常隐藏着冲突，隐含着一个群体对其他群体的挑战甚至是征服，这一点在网络空间表现得尤为明显。互联网群体传播时代正在经历一场"语言技术化"运动，各种网络语言被具有强大创造力和创作热情的网络用户生产出来，并在网络空间中进行系统的设计、生产和传播，网络语言的商业化和技术化趋势得到加强。网络语言在网络共同体中的大范围传播和使用，增强了共同体成员之间的认同感和成员对于群体的归属感。

（一）网络语言是网络共同体交往语境的构建符号

李普曼认为，现代社会重写了现实和符号的关系，能指和所指全然倒转，造成符号与现实的颠倒，是现实模仿符号，而非相反。在互联网所建构的虚拟世界里，符号环境急剧膨胀，能指与所指的关系被斩断，"所指仅仅是无休止的指意（signification）过程中的一个瞬间，在这个过程中，意义并不是在主客体间的稳定的指涉关系中生成的，而仅仅是在所指的无限的、模棱两可的游戏中生成的"[①]。在虚拟世界里，符号特别是语言符号拥有了旺盛的生命力，符号元素被肆意地组合、拼贴和同构，各种文本和再生产文本被自由、开放、平等、无限地阅读和传播，这使得互联网空间里的权力在某种意义上成为语言和文本的传播阅读实践，这种实践常常以一种符号游戏的形式出现。

[①] 转引自：［美］斯蒂文・内斯特、［美］道格拉斯・凯尔纳：《后现代理论：批判性的质疑》，张志斌译，中央编译出版社 2001 年版，第 27 页。

在社会关系里，语言作为人员、信息和观念的传输渠道，使语境和兴趣、文化彼此相连。网络语言铸就了情感的同盟，增强了网络共同体结构中的黏性。网络语言将那些分散在共同体和虚拟社群中的个体成员联结起来，他们既非地理学上独特的实体，也不依赖于面对面的接触和交流。在信息技术和电子媒介飞速发展的当下，象征互动的网络语言既是物质的，又是文化的，是一种能动的符号。在网络语言建构的网络共同体交往语境中，成员个体对专属于所在社群的网络语言的使用和传播能产生一种"情感共同体"，情感的巨大力量能增强亲密感和群体归属感，将地方性转化成展示文化身份的基础，而文化是网络共同体得以发展和壮大的核心动力。

互联网群体传播时代，人们通过高度发达的媒介力量而彼此靠近和依赖时，共享性的情感就能跨越时间和空间，实体化为语言表达，并进行广泛的传播和对话。互联网的社群化聚合黏聚的是一个生活圈子、一种生存方式、一种共同的兴趣爱好、一些共同的主张和观念。这种圈子文化以合乎成员思维和情感的形式出现，通过分享共同的身份，最终从里到外形成对受众的合围。本尼迪克特·安德森所提出的那个"想象的共同体"似乎在虚拟空间中寻找到了较佳的生存土壤。

（二）网络语言是网络共同体中青年亚文化的表征形式

网络流行语是在网络上出现并迅速发展起来的文化现象。随着技术的快速发展，以"90后"和"00后"为代表的网络"原住民"一代在网络中的主体地位越来越明显。在互联网群体传播时代，他们可以不受传统价值观的影响而咨询和获取知识，并形成独特的价值观和审美观，甚至对传统话语权和价值观形成解构和冲击。互联网使得亚文化与青年群体的联系更加紧密，互联网中的青年文化形成了互联网亚文化。青年一代常常把基于互联网平台，以共享情感和共同兴趣为连接点的虚拟社群作为创造和传播自身文化的空间。在这个共同空间，遇到同类人进行群体行动，组成一个共同体，铸就相互依赖的共同纽带。虚拟社群中诞生的不同于传统的社群文化，有意或无意地冲撞着传统文化中的价值、观念和结构，表达着青年一代突破传统、渴望创新生活方式的态度和决心。

人们一般通过报纸、广播、电视等大众媒介来了解和理解这些主流文化之外的网络亚文化，得到的认识大都是二手的，而网络语言作为网络亚文化的直接表征形式，对人们认知和构想网络亚文化起着至关重要的作用。互联网群体传播时代的网络语言，特别是网络流行语在实际使用过程中也起到了一种区隔的作用。这使网络语言在某种意义上成为一种亚文化资本。在当今的社会条件下，它所区隔的不再是布迪厄观点中的"贵族式"文化等级和社会等级，而是区隔圈内和圈外、群体内和群体外。例如，在二次元动漫圈中，通用着自成一体的语言符号系统。如果"圈外人"无法识别"残念"（无语）、"BGM"（背景音乐）、"OP"（片头曲）、"王道"（权威、真理）、"废材"（没用的人）等这些圈内话，便无法与群内成员顺畅地沟通和互动，长期的"潜水"和沉默最后导致的后果就是被移出社群。"特定群体"网络流行语的盛行，显示出社会群体分化越发明显。例如，2014 年的 33 个网络流行语中，描述个体特质或者群体特质的网络流行语就有 8 个，占到近 1/4。"女汉子""小鲜肉""暖男""国民岳父""直男癌""萌萌哒""中二患者"等网络流行语在一定程度上体现出了青年网民群体对自身的定义和自嘲，以及网民对小群体身份塑造的期望。"互联网真正释放的是那些不遗余力创造和展现个人趣味的人。"[①]新媒体势必会给予青年网民更多的自由空间，让其通过互联网提供的另类、符号化、个性化的文化形式，来体验和实践自我定位和自我建构。

（三）网络语言体现了网络共同体的权力诉求

由于话语具有现实的力量，话语权的控制和争夺的激烈程度与话语在社会变化中日益突出的地位是高度一致的。网络技术为人们构筑起一个众声喧哗的虚拟空间，兴趣爱好、利益诉求相同的人可以通过互联网随时随地低成本地在虚拟社群里聚合，发起和组织活动，同时拥有了对公共事务进行交流的话语权。

社会是被表征和构建的，而语言就是其最重要的表征形式和构建符号。布迪厄认为，社会文化可以区分为不同的场域，"场域"这一概念可以用来

---

① 佚名：《发现小众：e 时代的市场观》，《新周刊》2007 年 5 月 1 日。

阐释和说明话语权的争夺状况①，而每一个场域都是权力争夺的场所，传播场域也不例外。

　　进入互联网群体传播时代，当互联网、大数据、社交网络、个人终端成为这个时代话语语境中的核心概念时，社会变革越来越成为一场虚拟世界的革命。大众传播媒介创造了一个陌生人的世界，任何一个由普通网络用户组成的网络共同体都可以通过网络平台来组织更加快速的行动，为自身的权利而发声，并参与到社会变革中来。互联网创造的是一个全新的信息传播生态系统，各种正式的组织、非正式的集体和众多的个体都存在于这个生态系统中。从网络流行语的生成源头看，社会热点事件型（"什么仇什么怨""有钱，任性""且行且珍惜"）、网络热点事件型（"国民岳父""买买买""挖掘机技术哪家强"）是网络流行语中最具社会影响力的内容，其中呈现的"恶搞—时政—个体"的嬗变，也印证了从语言到话语的"草根"式权利诉求的渴望与成果。同时，网络流行语在网络共同体中生成之后被媒体和大众接受的时间大大缩短，如"小鲜肉""暖男"等网络流行语等已经成为日常生活中的频繁用语。"约吗"一词出现短短 4 个月，相关网页就达到 4400 万个，"也是醉了"的网页数与网上新闻篇数的比例为 10∶1，"有钱，任性"的这一比例达到了 2∶1，而"萌萌哒"的这一比例甚至达到了 1∶1，这充分说明网络流行语的网民传播和媒体传播开始同频共振，网络流行语开始进入大众传播时代。

　　互联网群体传播时代，信息技术越来越多地介入社会情境，改变了社会关系和社会行为，社会秩序越来越成为一种经过电子传播中介的秩序，对社会生活尤其是自由和正义产生了巨大影响。②伴随互联网成长起来的青年一代正是在这样的新媒介范式中利用网络来寻求更多话语表达空间和社会权利。

---

　　① 胡春阳：《后现代传播状况的几个核心问题》，《新闻与传播研究》2011 年第 5 期，第 17—23 页。

　　② 胡春阳：《后现代传播状况的几个核心问题》，《新闻与传播研究》2011 年第 5 期，第 17—23 页。

第三节　网络语言对话语权的影响

一、作为话语权力的网络语言

（一）网络语言从网络象征系统进入社会象征系统

社会现实既是充斥着各种权力冲突和斗争的场域，又是一个意义整体，必然存在着一个象征维度。[①]正如文化哲学的创始人卡西尔所说，人类文化的意义世界是由表征符号建立起来的。语言、艺术、宗教等象征符号编织起来的文化系统作为象征维度参与到社会现实的生产与再生产中。[②]

网络语言的存在标志着互联网虚拟社会和网络化生存的成形，是网络空间中表达观念的符号象征系统。值得注意的是，网络语言虽然发端于网络虚拟社群，但并不局限于此。一方面，网络空间中形成的虚拟社会远比传统的社区社会的概念更复杂。网络语言的使用是现实的人用实在的符号表达实际的意义，在本质上仍然是人类社会象征系统的一部分。另一方面，尽管有的网络语言生于网络、止于网络，只在网络虚拟交往中出现，但也有很多不仅在网络空间中流行，还通过大众传播进入主流话语和日常交流。这一转移既构成了网络象征符号对传统的社会象征系统的冲击，也成了推动社会象征系统更新的变革性力量。[③]

（二）网络语言的权力特性

在探讨网络语言的权力特性之前，首先需要对语言、话语等相关概念，以及其与权力的关系有一个相对清晰的了解。

---

① 陈宇航：《同谋还是反抗？——〈文化与符号权力〉简评》，《国外理论动态》2006年第8期，第60—62页。

② 转引自：赵立坤：《符号文化中的历史——卡西尔的史学观》，《史学理论研究》2000年第2期，第73—83页。

③ 邹军：《从网络象征符到社会象征系统——解析网络语言的社会影响》，《现代传播》2013年第9期，第63—65页。

结构主义语言学家索绪尔认为，语言是表达观念的符号系统。[①]相较于言语（parole）——个人领域的实际语言表现，语言应当被视为具有社会性的表述系统，既是"言语机能的社会产物，又是社会集团为了使个人有可能行使该机能而采用的一整套必不可少的规约"[②]。尽管索绪尔的语言/言语二分理论肯定语言是社会的产物，但该理论侧重于抽象、静止的语言形态，而非语言中所包含的社会内容、社会意义的形成过程。在索绪尔看来，语言的力量存在于字里行间，因为语言符号本身不具有确定或具体的意义，意义产生的基础在于符号的任意性差异。语言学家米埃尔·本维尼斯特率先突破了索绪尔对语言实际使用和言说主体的忽视，指出人们"在句子层面离开索绪尔的语言系统，进入话语世界"[③]。

20 世纪 60 年代以后，后结构主义语言哲学在西方兴起，文学理论、历史学、社会学等多个学科都开始出现"话语转向"。90 年代后，"话语"一词传入中国学界，表现出强大的组构活性，不论在其前面加方位名词、时间名词、概念性名词，还是加专名、共名，都可以组构成"某某话语"[④]，从而在人文社会科学的学术语境中频繁出场。然而，多种异质的理论阐述和学科立场导致话语这一术语的含义不断增殖和膨胀，其概念也变得更加难以厘清。因此，很多人不得不回归福柯的话语理论。

福柯对话语概念进行了三个层面的扩展，指出话语"时而是所有陈述的整体范围，时而是可个体化的陈述群，时而又是阐述一些陈述的被调节的实践"[⑤]。在其关于话语的概念中，"陈述"（statement）是一个关键术语。他认为，陈述是构成话语的原子，它不是一种结构而是"一种隶属于符号的功

---

① De Saussure F, *Course in General Linguistics*, New York: Fontana /Collins, 1959.

② ［瑞］费尔迪南·德·索绪尔：《普通语言学教程》，高名凯译，商务印书馆 1980 年版，第 30 页。

③ 转引自：袁英：《话语理论的知识谱系及其在中国的流变与重构》，华中师范大学出版社 2013 年版，第 28 页。

④ 文贵良：《何谓话语？》，《文艺理论研究》2008 年第 1 期，第 51—58 页。

⑤ ［法］米歇尔·福柯：《知识考古学》，谢强、马月译，生活·读书·新知三联书店 2003 年版，第 85 页。

能"①，能够在暗中组合成知识和真理，并赋予自身一种话语权力。因此，可以这样理解福柯对话语概念的表述：话语的第一层含义相对宽泛，涵盖一切产生意义的言语和语篇；话语的第二层含义是指言语的某一群体特征，具有某种程度上的规律性、连贯性和力量；话语的第三层含义则指向言语和语篇等具体实践背后制约性的规则和结构。②由此看来，无论是对网络语言文本的研究，还是对网络语言实践及其背后深层制约因素的挖掘，都难以脱离话语的框架。

福柯的话语理论与其对权力的理解密切相关。他认为，权力并非局限于国家范畴的"一种奴役的方式"或"一套普遍的控制系统"，而是渗透在社会生活各个场所的"多种多样的力量关系"③。在福柯的笔下，权力产生于话语的建构及真理化之中，而话语又充当工具为权力所用，话语言说的实质就是权力的运用。④因此，理性化的话语实践和语言符号系统正是既定社会秩序的产物和表现。真理体制和"由某种话语实践按其规则构成的"知识作为权力资源而存在，客观上成为一种用来维护自身所在利益集团和控制对立利益集团的权力工具。

布迪厄则通过揭示权力赖以合法实施的内在结构，进一步指出了话语权力在社会系统中的象征功能。他认为，当"权力或者资本具有了符号性，并施加一种特殊的统治效果的时候"⑤，就形成了象征权力（symbolic power）⑥。象征权力是一种通过言说塑造既定事实的权力，一种使人承认并相信的权力，一种强化或改变社会认同的权力。换而言之，这是一种观念的权力。它被当前社会的真理机制、理性化语言符号系统所认同，在周而复始的日常生活中

---

①　［法］米歇尔·福柯：《知识考古学》，谢强、马月译，生活·读书·新知三联书店 2003 年版，第 85 页。

②　刘立华：《传播学研究的话语分析视野》，《国际新闻界》2011 年第 2 期，第 31—32 页。

③　［法］米歇尔·福柯：《权力的眼睛——福柯访谈录》，严锋译，上海人民出版社 1997 年版，第 46 页。

④　邵培仁、范红霞：《传播民主真的能够实现吗？——媒介象征性权力的转移与话语民主的幻象》，《现代传播》2011 年第 3 期，第 18—22 页。

⑤　朱国华：《权力的文化逻辑》，上海三联书店 2004 年版，第 5—6 页。

⑥　Bourdieu P, *Language and Symbolic Power*, Cambridge: Harvard University Press, 1991.

以隐性的方式施加影响。作为人类符号象征体系的一部分，网络语言也具有权力特性，其生产和使用能够反映出当前社会权力关系的变动。

（三）话语权力在网络语言中的生产和传递

话语生产所受到的外部控制有三种，分别为话语禁忌、理性话语对疯癫话语的排斥、真理对谬误的排斥，体现了权力对话语的否定和压制。在这个视角下，话语是作为必须被控制的力量而存在的。网络语言在向社会象征系统扩散的过程中遭遇了大量反对，例如，有人批评其破坏了"汉语的纯洁性"，或是将其与"低俗"相提并论。这些反对声正是当前理性话语体系遭到网络语言"入侵"后做出的应激反应，体现出现有社会意识和权力结构的排斥。

权力对于话语并不只是起到否定性、压制性的作用。在布迪厄看来，话语权力并非内生于语言符号象征系统之中，而是来自人们置身其中的权力场，以及他们在场中占据的机构位置。根据索绪尔的符号学理论，符号本质上是任意的，其传播功能的发挥有赖于人们对符号与特定意义之间的联系达成普遍共识。布迪厄则指出，人们对这种联系的普遍共识，其实是一种"误识"（misrecognize）。正是通过被支配者在误识基础上的参与和共谋，象征权力才能够发挥复制社会系统、重建等级、维持社会运转的作用，让社会统治依赖象征权力的变形和修饰而得以延续。

符号资本是误识产生的客观现实基础。只有当人们确信言说者本人及其话语的合法性时，话语权力才得以发挥，而取得这种信任的前提就是符号资本。言说者的符号资本是一种信誉，能帮助他们立于一个不断强化认同感的位置上。[①]

惯习则是误识形成的主观心理基础。惯习通过文化培养和熏陶，使人们信奉既定的社会秩序和生活规则，形成对社会生活的信念、经验。人们的语言习惯、个人习性、阶层意识等惯习系统又将自身与其他人相区隔，成为其所处阶层和地位的标志。这类似于福柯视域下话语与权力相互交织所带来的双重服从。具体言之，话语规则或教条一方面尽量使个体囿于某一类型的表

---

① Bourdieu P, *In Other Words:Essays Towards a Reflexive Sociology*, San Francisco: Stanford University Press, 1990.

达，从而进行话语的垄断；另一方面，它又反过来用一定类型的表达将个体连接起来，并借此将他们同其他人区隔开来。①从这个角度来看，网络语言的流行是信息技术发展、时代变革的结果，内含对原有社会秩序和价值认同的叛逆，也改变着网民群体对自我所在阶层、地位的判断和认识。

象征权力对既定社会秩序和权力结构起双重作用。在日常生活空间中，话语权力能够通过象征形式的生产和传播，强化主流意识形态及社会价值认同。反之，话语权力也可能被用于意识形态或文化层面的抵抗，以挑战强势群体对社会意识的主导。②正如福柯所指出的，哪里有权力，哪里就有抵抗，抵抗内生于权力概念之中，是权力关系不可消除的对立面。③因此，网络语言在对传统的社会象征体系产生冲击的同时，也成为潜在的争夺话语权力的工具。

二、网络语言体现话语权力博弈

（一）中国社会话语权力格局

话语权的重新分配、不同舆论场的涌现及割裂是当前中国社会必须面对的重大变革。话语权是指为了表达思想、进行言语交际而拥有说话机会的权利。④从个人的角度来看，它属于表达权的一部分；从群体的角度来看，它是一个社会团体确立社会地位，并为其他团体所认识的必需。舆论场则为社会成员形成共同意见提供了话语环境。

关于当今中国社会存在几个舆论场，各家说法不一，既有政府、媒体、民众舆论场之分，也有政府、传统媒体、网络舆论场之分。政府往往通过官方媒体引导舆论，因此中国社会的舆论场在本质上可以分为两个：一个是基于党报、国家电视台、国家通讯社等的"主流媒体舆论场"；另一个是依托

---

① 转引自：许宝强、袁伟：《语言与翻译的政治》，中央编译出版社 2001 年版。

② 邵培仁、范红霞：《传播民主真的能够实现吗？——媒介象征性权力的转移与话语民主的幻象》，《现代传播》2011 年第 3 期，第 18—22 页。

③ ［法］米歇尔·福柯：《性经验史》，佘碧平译，上海人民出版社 2005 年版，第 62—63 页。

④ 郭继文：《从话语权视角谈和谐世界》，《前沿》2009 年第 10 期，第 30—32 页。

于人际传播和群体传播，特别是互联网群体传播的"民间舆论场"。

随着社会大众对政治事务、社会公共事务以及与公众切身利益直接相关事务的积极关注和参与，在公共领域内自由、公开地进行意见表达、对话、争取话语权的诉求显著增加。有关公共议题的讨论日益增加，乃至对传统话语的权威提出了挑战。

公共议题在转换为话语的时候，有两种方向性选择：公共话语或个人话语。公共话语是与公共领域相对应的概念。根据哈贝马斯的公共领域理论，"公共话语就是公众在公共领域里就公共事务自由公开的对话、讨论或意见表达"[①]。正如许纪霖对"公共知识分子"概念的界定，我们可以从三个方面对公共话语进行理解：面向（to）公众、为了（for）公众利益、涉及（about）公共事务。信息技术和社交媒体的发展使公共领域延展到网络空间，改变了公共话语的话语形态和影响效果。

然而，公共话语的公共性也可能会对言说造成压力。相对于公共话语，在社会语境下，个人依据一定的话语规则进行的话语实践则被称为个人话语。个人话语包括话语主体的陈述以及话语实践本身，受到社会规范、权力结构的控制，并通过一定的媒介进行传播及再分配。个人话语解放了被公共话语所压抑的主体性意识[②]，通过个人化的表达方式，充分调动个人在话语言说和接受这一过程中的主动性。

公共话语和个人话语并不是相互排斥的。个人话语并非去公共化，如何将非个人话语资源组织进个人话语结构中，同时避免公共话语的压力，是表达者的个人智慧。在公共话语的生产过程中，借助个人话语的介入形式，是话语主体在思想空间和认知向度上的修辞化突围，也有助于达到公共议题建构、话语劝服与认同构造的目的。[③]

---

① 转引自：汝绪华：《试论当代中国社会的公共话语》，《行政论坛》2010年第6期，第12页。
② 谭学纯：《话题转换为个人话语：修辞化及其限度》，《福建师范大学学报（哲学社会科学版）》2012年第2期，第73—81页。
③ 刘涛：《环境传播：话语、修辞与政治》，北京大学出版社2011年版，第258—259页。

（二）传播的民众化转向推动话语权力争夺

后殖民主义思想家斯皮瓦克在《弱势者有话语权吗？》一文中指出，任何社会都只有一种实现权力的有效表达形式，即主流话语形式。因此，被强势群体排斥在外的弱势群体根本难以拥有充分的话语权。在后殖民主义理论的语境下，长期以来把持文化资本的西方知识分子表面上为非西方主义说话，实际上却是西方中心主义的共谋者，剥夺了非西方的话语权，令他们沉默。同样，在制度化力量的作用下，媒介组织作为象征符号的生产者，实际上服务于政治、经济精英的利益。[①]主流话语长期占据优势地位，反映了现有权力结构和优势群体的意识形态[②]，而"草根"民众的声音和话语权则在其中被消解。

随着互联网技术的发展和普及，网络空间的信息传播跨越虚拟空间，延伸至日常生活之中。与此同时，互联网带来了传统媒体的变革和新媒体的崛起，降低了传播的门槛，促使越来越多的普通人参与到媒介的生产过程中。当新闻不再只由正式的新闻机构提供，当普通民众开始自发地进行新闻生产时，传播形态由自上而下的阶层体系向自下而上的民众化转向推进。

传播的民众化转向表现在：①传统媒体的绝对话语权威开始受到动摇，完全依赖传统媒体的信息接收格局也被打破；②随着传媒市场化进程的加快，传统媒体不得不迎合受众需求以扩大话语影响力；③公众借助自媒体平台和渠道自我赋权，能够通过自身的努力争取少量或部分话语权份额。[③]

这一转向在某种层面上打破了传统媒介生态中的话语垄断态势和结构性失衡，为公众提供了更大的话语空间，让他们获得更多形式上的言论赋权。因而，民众得以为公共讨论设置议程，介入到重大事件的传播过程中，进而影响公共议题的走势和公共决策。[④]

---

① 邵培仁、范红霞：《传播民主真的能够实现吗？——媒介象征性权力的转移与话语民主的幻象》，《现代传播》2011年第3期，第18—22页。

② 王冰雪：《调侃·狂欢·抵抗——网络空间中民众化转向的另类表达与实践》，《新闻大学》2014年第5期，第138—142页。

③ 陈伟球：《新媒体时代话语权社会分配的调整》，《国际新闻界》2014年第5期，第79—91页。

④ 蒋建国：《新媒体事件：话语权重构与公共治理的转型》，《国际新闻界》2009年第2期，第91—94页。

（三）网络语言作为话语权力博弈的策略

在当前的中国社会，互联网成为民众进行意见表达的主要渠道。作为特定时空内的民间意识形态持有者，民众借助网络语言进行话语权力的博弈。

网络语言具有显著的迂回性和遮蔽性特点。网络语言正如詹姆斯·斯科特在研究农民抵抗运动后所提出的"隐藏的文本"[①]。他认为，就一场力量对比悬殊的对抗而言，当支配者在场时，从属者的话语会从公开的文本转变为隐藏的文本。隐藏的文本是一种力求避免掌权者直接监视的后台话语，是由后台的言说、姿态和实践所构成的，根据不同的受众群体和不同程度的权力限制而生产。迂回、隐蔽的网络语言为言说者争取了更大的话语空间和更多的表达机会，是民众实现自身话语目的的必要策略选择。

在信息泛滥的时代，话语权力的大小与吸引民众注意力的能力成正比，网络语言也因此表现出吸引眼球的特点。反讽、戏谑、拼贴、转喻等修辞手法使网络语言鲜活有趣、耐人寻味，具备了吸引网络围观的先天优势。同时，这些修辞让网络语言凭借简洁的符号象征形式，发挥巨大的信息储存能力，与互联网碎片化传播的特征相契合。作为"草根"民众对抗权力结构、商业精英和知识精英的重要话语博弈方式，碎片化的、流动化的即兴表达而非体系严密的宏大叙事更能反映民众的生存状态和生活态度。[②]

网络语言还具有强大的衍生性和传染性，迎合民众主体性的释放和狂欢化的表达需求，表现出强大的传播能力和社会动员力。借助网络语言进行的狂欢化话语表达，让民众的思维方式和价值观念从主流话语的把控中疏离出来，"使人们能够洞悉按寻常角度看不到的深层的潜文本"[③]。借助后现代主义的狂欢精神，网络语言巧妙地进入公共话语空间，突破了刻板、僵化和静止的教条和等级，成为公众进行话语博弈的武器。[④]

---

① Scott J C, "Domination and the arts of resistance: Hidden transcripts", Yale University, 1990, p.14.

② 邹军：《从网络象征符到社会象征系统——解析网络语言的社会影响》，《现代传播》2013 年第 9 期，第 63—65 页。

③ 夏忠宪：《巴赫金狂欢化诗学理论》，《北京师范大学学报（社会科学版）》1994 年第 5 期，第 81 页。

④ 漆祥毅：《网络语言：公共话语实践与话语博弈》，广西大学硕士学位论文，2013 年。

三、反思网络语言的话语权力

（一）网络语言作为一种公民参与形式

公民参与是源自共同体生活，强调现代社会中的公民性。公民性首先要求公民之间具有平等的权利和责任，彼此之间有互惠合作的水平关系，而非权威与服从者之间的垂直关系①；其次，要求公民关心并投入有关共同体命运的公共事务。公民参与的概念往往与社会参与混用，但实际上前者应该包含社会参与、政治参与等多种形式。

互联网的普及拓宽了公共领域和社会交往的活动空间，也改变了群体形成及沟通的形式。共同的兴趣或对同一事件的关注催生出新的互联网群体。群体传播的弱关系取代了传统社群成员之间的强关系。勒庞在《乌合之众：大众心理研究》一书中写道："我们就要进入的时代，千真万确将是一个群体的时代。"②借助网络语言的特性和话语策略，对公共事务进行意见表达并推动相关议程设置，是公民参与的表现形式之一，能够对社会舆论产生重要影响。即使是所谓的网络围观，这种集体性窥视所形成的网络压力实质上也是社会舆论。

（二）民众的狂欢式参与

网络语言的流行，话语狂欢现象层出不穷，将巴赫金的狂欢理论引入话语研究。巴赫金创造性地借用了欧洲民间文化中常见的"狂欢节"概念，提出"第一世界"与"第二世界"的划分。第一世界是日常生活时空，平民大众被教会和君主所统治，严格遵守现实的等级秩序。第二世界则是狂欢节时空，等级秩序的限制被加冕、脱冕、戏拟、降格等手段打破，来自教会、君主统治的权威和限令被忽视、消解。相对于现实的日常生活时空，狂欢节时空是一个颠倒了的世界，将平民大众开拓性的、创造性的思维潜力从规则秩

---

① 王新松：《公民参与、政治参与及社会参与：概念辨析与理论解读》，《浙江学刊》2015 年第 1 期，第 204—209 页。

② ［法］古斯塔夫·勒庞：《乌合之众：大众心理研究》，冯克利译，中央编译出版社 2011年版，第 2 页。

序的压抑中解放出来。在当前社会，网络空间就相当于巴赫金口中的狂欢节时空。由于日常生活的"第一世界"中具有众多限制，民众更加热衷于在"第二世界"的网络空间中进行个人化表达，采用网络语言对宏大叙事加以解构和颠覆。

（三）话语民主的虚妄

面对以数值优势呈现的互联网群体传播的力量，有学者对人类的智性和理性提出了疑问：一边倒的网络舆论是否存在统计学的谬误？呈现优势的网络舆论是否可以作为政治或社会理性的存在而受到尊重？[①]

大众所关注的社会性事件催生了新的网络流行语，进入其他语境下的公共讨论，乃至引发了群体性的围观和传播。面对狂欢化的网络语言对主流媒介话语产生的冲击，以及网络空间中充斥的非理性声音，如何正视网络语言的话语权力成为不能回避的问题。

尽管有许多公共事件都通过网络"一呼百应"的效果得到了政府的重视，但是我们可以肯定的是，这些事件不会是全部，甚至不是大部分。很多民意诉求被网络空间的信息过载所淹没，甚至被过度娱乐化、碎片化的网络语言所消解。那么，那些在网络上也被大量信息淹没的民意诉求就成了某种网络缺口。

网络语言在成为话语权力博弈策略的同时，也可能会沦为谋求特殊利益、进行社会投机的工具。对于一个社会而言，转型建立在解决各种矛盾和摩擦的基础之上，大量社会矛盾的解决和利益的再协调正是转型期的时代特征。网络空间进入和网络语言使用的低门槛性，极易成为个别利益受损方宣泄不满情绪的场所和手段，可能会造成网络言论的过激化和非理性情绪在网络空间的发散。

在话语权力的视角下，传播的民众化转向和话语权力的再分配在解构原有话语权力结构体系的同时，也在塑造新的话语等级和秩序。民众可能会借助网络语言的特性和互联网群体传播的力量争取到一定的话语权力，但也依然面临着诸如"草根"与精英之间的话语权差异、形式上的话语赋权与实质性权力等问题。

---

① 杜骏飞：《网络政治中的问题与主义——查德威克〈互联网政治学〉译序》，《当代传播》2010 年第 3 期，第 19—20 页。

第 四 章

网络语言与情绪的社会表达

第一节　突发社会情绪的主要成因

2016 年，在特朗普当选美国总统和英国脱欧的国际大背景下，"后真相"（post-truth）一词的全球使用率急遽上升，《牛津英语词典》将其评为"年度英文词汇"，并解释为"诉诸情感（emotion）及个人信念（personal belief），较陈述客观事实（objective facts）更能影响舆论的情况"①。同年，德国语言协会也将"后真相"（Postfaktisch）选为"2016 年德语年度词汇"。"后真相"不但概括出近年来国际政治的突出趋势，还映射出近年来传播行为、文化思潮、社会心理等多方面的时代症候。整体上看，"后真相"的核心特征在于"情绪与感觉远比事实与真实更重要，不是事实本身，而是情绪化和感觉化了的社会事实，甚至散布于网络世界的流言、谎话、绯闻，其意义都比真相重要"②。"后真相"状况同样是我国网络舆情、网络表达的重要表征。

"后真相"时代的到来与互联网引发的传播形态嬗变密不可分。如果说互

---

① "Circumstances in which objective facts are less influential in shaping public opinion than appeals to emotion and personal belief." "后真相"一词最早出现在美国《国家》杂志针对海湾战争的文章中，意指"情绪的影响力超过事实"。此后，"后真相"多见于政治学研究领域。
② 邹诗鹏：《后真相世界的民粹化现象及其治理》，《探索与争鸣》2017 年第 4 期，第 27 页。

联网是社会情绪传播的外在环境与技术媒介，那么群体传播就是社会情绪生成、蔓延、爆发、平息的结构性话语逻辑。[①]在泛互联网化的媒介语境中，以群体传播为主导的传播形态使个体的主体性得到凸显，也使个体主观的立场、认知与情绪获得了表达与宣泄的渠道。借助群体传播的路径，个体情绪可以迅速实现群体化、社会化，并有可能左右一个时期内的舆论风向和群体事件走向。比起强调客观、理性的事实信息，直接与人类情感连通的情绪信息天然地蕴含着巨大势能，更具爆发力、感染力与传播力。就近年来国内的舆论场观察，发端于新媒介的社会突发情绪此起彼伏，如"和颐酒店女生遇袭""罗尔事件""泸州中学生坠亡事件"等不一而足。随着源源不断的新闻和爆料，民众时而恐慌，时而义愤，时而心痛，时而狂欢，激烈的情绪无时无刻不贯穿在传播活动中。

宏观地看，一个突发社会情绪的巨浪很快就会被另一个情绪的巨浪所淹没、取代，人们在大众传媒时代最关注的事实和真相被后置，甚至被遗忘。在一个舆情"健忘"的互联网时代，网络舆情的流转速度非常迅速，一般性舆情的生命周期为3—5天，重大舆情的生命周期也常常不过10天。一个常见的规律是，在网络舆情生态中，新舆情事件会快速替代旧舆情事件，而且当新舆情事件被点燃后，无论是大众传媒、自媒体还是我们每个人的注意力资源，似乎都无暇顾及旧舆情事件的真相究竟是什么。可以说，从传播学、心理学层面而言，"后真相"时代是一个"情绪先行""情绪本位"的时代。

在现有的传播学研究中，学者习惯于将囊括了民众观点、意见、态度和情绪等诸多元素的"舆情"作为研究对象。如今，情绪在信息传播过程中的重要作用已得到凸显，情绪传播成为这个时代不可忽视的传播现象。很显然，传统的、宽泛的舆情研究已经无法精准地切中情绪传播的要害，我们有必要将"情绪"作为一种传播学的研究范畴独立出来。基于以上思考，本章将在群体传播的理论框架下，以突发社会情绪为研究对象，探析其基本特征与发生机制，并在此基础上提出针对危机性突发社会情绪的疏导策略。

---

① 有关"群体传播时代"的论述，详见隋岩、曹飞：《论群体传播时代的莅临》，《北京大学学报（哲学社会科学版）》2012年第5期，第139—147页。

一、对社会情绪的理解

近年来，顺应个体情绪社会化和社会情绪频繁爆发的趋势，已经有学者将"情绪传播"引入传播学研究。[①]但现有研究多以现象描述与个案研究为主，缺少建立"情绪传播"这一新范畴的必要学理阐释和系统论述，例如，情绪在传播学研究中的本体地位没有得到确认，情绪与信息的关系、情绪与事实的关系也亟待在学理上进行廓清。

"从结构主义符号学的观点来看，在人类的传播活动中，信息是一种由能指和所指联合构成的符号。能指是信息的外在样态和物质载体，而所指是信息背后约定俗成的概念或者被广泛认可的意义。"[②]"作为符号的信息是极其复杂的表意系统，系统背后的'所指布局'恰似一个多层次的'冰山结构'。"[③]信息所指包含着最表面、最直观的常识性和消息类的既成事实。"人们收听、收看新闻主要就是在这个层面上获取信息，从而达成对客观世界的认识和了解。""除去这些相对客观、理性的部分，信息所指还承载着个体认知、观念、态度、情绪等主观感受和体验，即信息的所指不仅包括共识性的制度规范，也包括个性化的精神内涵，它们在特定的历史文化结构中、在理性和智性的观念中——而不仅是在具体事实的层面上——被传播和接受。"[④]

信息所指的"冰山结构"提示我们，人类在认知客观世界过程中会产生情绪，并随着个体化信息的表达而表达。"相较于信息符号的事实内容和意义内涵，这些或显或隐的主观部分兼具理性和非理性的特征，且处在纷繁复杂、变幻莫测的状态中，虽然难以量化，却潜在地具有强大的感染力与传播力。"[⑤]

---

① 参见隋岩、李燕：《论群体传播时代个人情绪的社会化传播》，《现代传播》2012 年第 12 期，第 10—15 页。

② 隋岩：《群体传播时代：信息生产方式的变革与影响》，《中国社会科学》2018 年第 11 期，第 125 页。

③ 隋岩：《群体传播时代：信息生产方式的变革与影响》，《中国社会科学》2018 年第 11 期，第 125 页。

④ 隋岩：《群体传播时代：信息生产方式的变革与影响》，《中国社会科学》2018 年第 11 期，第 125 页。

⑤ 隋岩：《群体传播时代：信息生产方式的变革与影响》，《中国社会科学》2018 年第 11 期，第 126 页。

　　情绪在传播活动中可以细化为个体情绪、群体情绪和社会情绪。个体情绪与个体意识、个体思维相伴而生，是一种内化的情感体验与主观的身心状态，从属于自我对话、自我调节的人内传播场域。群体情绪或社会情绪并非个人情绪的机械叠加，而是多个主体的认知、情绪等心理因素经过互相碰撞、影响、交融后形成的综合性情绪反应。正如有学者指出的，社会情绪是"较为复杂而又相对稳定的态度体验，这种知觉和体验对个体或全体产生了指导性和动力性的影响"[①]。值得注意的是，在不同传播形态下，群体的聚合和组织方式不同，个体之间沟通的媒介和模式不同，导致了个体情绪实现群体化的具体过程及由此产生的社会情绪的特征也不尽相同。

　　在大众传播时代到来之前，人际传播、群体传播和组织传播是使某种情绪群体化、社会化的主要方式。囿于当时的传播技术水平，某种突发社会情绪的爆发需要长期的积累以及强烈的外因刺激。报纸、广播、电视等大众传播媒介出现后，大众传播在加速社会情绪的形成和发展方面起到了相当的助推作用。美国"黄色新闻大王"赫斯特成功利用报纸加速煽动战争情绪，促使了1898年美西战争的爆发；美国总统罗斯福利用广播发起"炉边谈话"，快速重塑大萧条时期的社会情绪，帮助美国渡过难关；"9·11"事件发生后，世界各国民众迅速对恐怖分子产生愤怒情绪，与电视转播现场的惨烈画面密不可分。大众传播虽加速了社会情绪的形成，但这种社会情绪必定会受到媒介"把关人"的控制和过滤，个体情绪很多时候难以瞬间大规模地形成群体化、社会化的突发情绪。现实中与民众生命安全和经济利益息息相关的突发事件及集群行为才是突发社会情绪的直接诱因。

　　在"人人都有麦克风、人人都是中转站"的互联网群体传播时代，崭新的传播形态和媒介技术极大地促进了个体情绪的社会化传播，也为信息的流动和群体的互动提供了一个成本低廉而又无处不在的新型空间。这意味着突发社会情绪不必然被线下事件触发，还可能由线上的言论、爆料发酵而成。事实上，群体性事件的主战场已经显著地由现实空间向网络场域转移。

　　传统的现实性群体事件与网络群体事件有着如下区别。

　　第一，从触发缘由来看，大部分群体事件在线上线下群体事件总数中所

---

① 沙莲香：《社会心理学》，中国人民大学出版社2006年版，第179页。

占比例均超过 30%，现实中群体事件"更多集中在劳资纠纷、拆迁赔偿等具体利益诉求，网络事件更多是道德因素、食品安全、重大事故等社会公共事件"①。同时，不可忽视的是，近年来，由自媒体言论所引发的突发社会情绪越来越常见。

第二，从参与成员及其相互关系来看，现实群体事件的参与者多是直接利益相关者，彼此之间是确有交集的初级群体或次级群体，共同为了一个具体、明确的目标发起抗争。网络群体事件的参与者大多与事件本身并无直接利害关系，互相之间也只是匿名的、偶然的、临时的同盟关系。当然，现实群体事件和网络群体事件也会有不少互相点燃、互相诱发的现象。

第三，从参与手段来看，现实群体事件的参与者必须诉诸静坐、集会、示威等具体时空内的集群行为，而网民只需随时随地在线上表达观点和情绪，就能够加入网络群体事件。

第四，从影响范围来看，若非涉及官民冲突和重大社会公共事件，现实群体事件的波及范围一般止于当地。网络中的突发情绪虽然最初都源自某个个体或小群体，却能够借助新媒介的力量在短时间内扩散至全国各地，形成强烈的社会情绪共振。

揆之上述，突发社会情绪是某种长期累积的社会情绪在外力诱导下的突然爆发。在互联网群体传播时代，突发社会情绪具有易引爆、影响强、蔓延迅速、波及范围广、持续时间短、发展变化快的特点。它难以被预测，也难以被掌控；它随事态发展而不断发酵，又以强烈的表现形式影响舆论和事态走向。因此，它隐藏的风险与隐患也更多。最终，突发社会情绪会随着事件的终结重新归为潜在的社会情绪，在相当程度上成为下一次事件爆发的动因或结果。

二、社会情绪在群体传播时代频发的原因

如果把社会情绪比喻成一座休眠火山，那么社会土壤与传播形态就是影响其喷发频率的地质条件，突发社会情绪就是其不定期喷发的表现形式。目

---

① 隋岩、苗伟山：《中国网络群体事件的主要特征和研究框架》，《现代传播》2014 年第 11 期，第 29 页。

前，我国正处于全面推进现代化建设的战略性历史阶段，一些社会矛盾不免凸显。与此同时，互联网技术的普及使个别事件、个体情绪"获得了传播的更多方式、渠道和可能，完全可能成为社会情绪的导火索"[①]。这些导火索沿着群体传播的路径迅速扩散，点燃处于休眠状态的情绪能量，会导致突发社会情绪频频"喷发"。

（一）互联网场域是突发社会情绪的积累场和宣泄场

1. 场域视角下的互联网生态

互联网并不仅是一个传递信息与情绪的渠道，更是凝聚着行为、资本、权力关系等诸多因素的结构性系统，即如前文所述的法国学者布迪厄所谓的"场域"。在他看来，"社会世界是由大量具有相对自主性的社会小世界构成的，这些社会小世界就是具有自身逻辑和必然性的客观关系的空间"，就是"在各种位置之间存在的客观关系的一个网络（network），或一个构型（configuration）"。[②]关系化、动态化的"场域"理论至少从宏观结构、微观个体与信息的情绪资本三个角度为我们理解互联网带来了启示。

第一，"场域"既具有自主性、自律性，也具有潜在的开放性，会受到外部社会场域的作用力的影响，亦会对外界产生影响。从宏观的角度着眼，互联网场域既不是脱离现实的虚拟社区，也不完全是现实社会的镜像反映，而是既与现实社会互动、互渗、互相影响，又有一套相对独立的组织、运行逻辑的新型空间。网络中，海量信息的数字化、多元化、去中心化传播从本质上拒斥任何形式的话语霸权，从而解构了传统媒体时代的中心话语模式，也颠覆了现实中的社会关系、阶层地位与权力结构。因此，有学者提出，传播的技术革命促使社会治理模式发生了根本性变革，我们如今真正面对的不再是福柯所描述的建立在信息垄断基础上的金字塔式"全景监狱"，而是信

---

① 隋岩、李燕：《论群体传播时代个人情绪的社会化传播》，《现代传播》2012 年第12 期，第10—15 页。

② ［法］皮埃尔·布迪厄、［美］华康德：《实践与反思——反思社会学导引》，李猛、李康译，中央编译出版社 2004 年版，第 133—134 页。

息分配对称、众人围观凝视的"共景监狱"。①传统社会结构中处于金字塔顶的"权""贵"反而在"共景监狱"中遭到最多的监控，其一举一动都暴露在公众的围观与凝视下。

第二，"场域"中的个体是具有能动性、创造性的"行动者"，"行动者"与"场域"互相影响、互相塑造。从微观的个体着眼，回溯大众传播时代，无论是在阿尔都塞的意识形态国家机器理论中，还是在斯图亚特·霍尔的"编码／解码"模式中，受众都处在单向度传播路径末端的"被询唤"或"解码"地位，主体性与能动性几乎都得不到体现。相比之下，在无限延展的、极具流动性的扁平式互联网构型中，每个个体都是传播网络中的重要节点，集信息的传者、受者、中转者三重身份于一体，集"编码"与"解码"行为于一身。这意味着以往"沉默的大多数"在群体传播时代获得了主体性的跃升，消极被动的旁观者变成了积极主动的生产者、传播者。在这种全民参与、全民互动的传播过程中，网民进行着"多对多"的交流，认知与情绪也同步进行着快速流变、动态裂变式的传播。

第三，"场域"也是一种"语言交换市场"（linguistic exchange market），其中时刻充斥着象征性的符号交换活动。在象征性交换中起着重要作用的是"资本"（capital）。②在产能过剩、信息海量的互联网场域中，传播主体已经不满足于将自己的信息符号传播出去，更时刻关心着传播出去的信息怎样才能不被淹没，怎样才能被节点上的一个个"中转站"所接受、认可、再传播。相关研究指出，"情绪有助于观点在社交媒体上的传播。充满情绪的微博能在更短的时间内被转发，且被转发次数也更大"③。可见，鲜明、强烈的情绪能够通过吸引用户注意力的方式提高信息的传播力和符号价值。情绪性信息已经成为社交网络中的王牌资本，谁占有这种资本，谁就占据了有利的竞争地位。因此，出于符号积累和资本博弈的需求，网络中的媒介机构和个体用户都倾向夸大信息中的情绪因素，甚至"语不惊人死不休"。这就在无

---

① 喻国明：《社会话语能量的释放需要"安全阀"——从"全景监狱"到"共景监狱"的社会场域转换说起》，《新闻与写作》2009 年第 9 期，第 56—57 页。

② 高宣扬：《布迪厄的社会理论》，同济大学出版社 2004 年版，第 166 页。

③ 桂勇、李秀玫、郑雯等：《网络极端情绪人群的类型及其政治与社会意涵——基于中国网络社会心态调查数据（2014）的实证研究》，《社会》2015 年第 5 期，第 83 页。

形中将社会累积的情绪由现实社会环境拓展到互联网场域。

2. 互联网场域承接了民众无处排遣的不满情绪

如果说在组织传播和大众传播的语境下，科层森严、由"传"到"受"的单向度传播路径使民众难以发声，那么在互联网群体传播时代，低门槛、高效率的新媒介在一定程度上实现了信息的平等化传播。大规模的网民群体在理论上都可以在互联网上自由表达利益诉求，长久以来被压抑的表达欲望得到空前释放。美国传播学者莱文森曾提出了"补偿性媒介"（remedial medium）这一概念，在他看来，"任何一种后继的媒介，都是一种补救措施，都是对过去的某一种媒介或某一种先天不足的功能的补救或补偿"①。在推动话语平权与社会公正的意义上，以互联网为代表的新媒介可以被看作报纸、广播、电视等传统媒体的"补偿性媒介"。新媒介补偿了传统媒体未能发挥好的舆论场功能，也打破了现实社会的话语屏障和权力格局。换言之，在技术赋权和社会赋权带来的"新媒体赋权"的语境下，公民能够利用网络舆论的力量进行不同于媒体的议程设置。

"信息的传播绝不仅仅是事实、意义的传播，还是个体认知、思想、情绪、无意识的扩张。"②因此，互联网场域不仅是公共意见的表达场与交换场，也是社会情绪的积累场和宣泄场。"美国印第安纳大学研究员约翰·博伦在他的研究中指出，社交网络用户会根据某种需求聚集，并且用户成群汇聚的根据不仅仅是年龄和兴趣，而是对社会的情绪聚集。"③在互联网这个颠覆了现实权力结构、赋予了个体表达自由的新型空间，人们通过群体传播频繁地展开情绪互动，不仅仅表达个体的认知和情绪，同时也寻找立场相近的其他个体并逐渐聚合在一起。群体情绪就这样经由一次次互动累积起来，并将借助某种外因得到释放。

除了承载了现实生活中的社会情绪，"共景监狱"式的互联网场域也使

①　[美]保罗·莱文森：《手机：挡不住的呼唤》，何道宽译，中国人民大学出版社 2004 年版，序言第 7 页。

②　隋岩：《群体传播时代：信息生产方式的变革与影响》，《中国社会科学》2018 年第 11 期，第 126 页。

③　易臣何、何振：《突发事件网络舆情的生成演化规律研究》，《湘潭大学学报（哲学社会科学版）》2014 年第 2 期，第 75 页。

阶层壁垒透明化，利益差序更直观，这加深了民众的某些不满情绪。就目前的网络舆情来说，民众在现实生活中难以排遣且在透明化的网络中被强化的挫折感、焦虑感、相对剥夺感已经沉淀为互联网舆论场中的"情绪倾向"。正如李普曼在其著作《公众舆论》中指出的，"多数情况下我们并不是先理解后定义，而是先定义后理解。置身于庞杂喧闹的外部世界，我们一眼就能认出早已为我们定义好的自己的文化，而我们也倾向按照我们的文化所给定的、我们所熟悉的方式去理解"[①]。"情绪倾向"影响了网民的立场、态度、价值观等潜在的社会心理结构，使他们在面对新信息时习惯性地做出倾向性、定向性的解读。此外，国人在现代化进程中普遍经历着价值迷茫，这助长了浮躁、空虚、缺乏归属感等情绪在互联网场域中的滋生，也构成了社会情绪的一部分。

（二）互联网群体传播加速了突发社会情绪的产生和爆发

群体传播虽古已有之，但只有在互联网这个具有相对自主性的场域中，群体传播的作用才能得到有效的发挥。如果说互联网场域承载和积蓄了转型期的社会情绪，那么群体传播则强化并引爆了这种社会情绪，增加了突发社会情绪的爆发频率。具体地讲，"蝴蝶效应"使微小的个体事件沿着非线性路径扩散为群体化情绪，"群体极化"效应将群体情绪整合、放大，并有可能引向极端，二者是基于混沌学和心理学观察社会情绪生成的不同维度。网络语言作为一种生动、鲜活的表达方式和解构权威的象征性话语，增强了群体情绪的感染力和传播力。

1. 混沌系统中的蝴蝶效应：由个体事件到群体情绪

随着信息技术的进步与传播实践的更新，传播学领域对传播模式的认识也经历了一个不断深化的过程。在大众传播语境中，研究者对传播模式的探究主要分为三个阶段，分别是以拉斯维尔模式、香农-韦弗模式为代表的单线性传播模式，以施拉姆双向循环模式为代表的符号互动模式，以及以波纹中心模式为代表的强调传播过程动态性的社会系统化模式。如今，互联

---

① ［美］沃尔特·李普曼：《公众舆论》，阎克文、江红译，上海人民出版社2006年版，第62页。

网群体传播更为自由、开放，也更为复杂、无序和不确定，它"就是一种混沌系统，具有非线性秩序、自相似性、自组织性和对初始条件的敏感性等主要特征"①。

"蝴蝶效应"是混沌系统的显著特征，由美国气象学家爱德华·洛伦茨提出，最初用以描述热力场中的对流问题。关于"蝴蝶效应"，广为人知的表述是："亚马孙河流域热带雨林中的一只蝴蝶，偶尔扇动几下翅膀，可能在两周后引起美国得克萨斯州的一场龙卷风。"②这一概念表明，极小的偏差经过不断放大，将会引起极大的结果。在互联网群体传播这一混沌系统中，"蝴蝶效应"是普遍存在的。传播主体"为了使自己的信息或言论引起更多网络用户及传播媒介的注意，往往采用极夸张或煽情的语汇及表现形式，有可能成为引发'蝴蝶效应'的初值微小偏差"③。这一微小的偏差极有可能在互联网群体传播中造成非常显著的质的变化，社会情绪也容易在这一过程中集聚起巨大能量而爆发。

具体地说，互联网统合了人际传播与群体传播，PC 端、移动端的联动为传播行为搭建了一个即时、开放、高效的平台，而且这一平台还会因智能技术不断发展而不断创新与完善，这些技术因素极大地增强了信息与情绪的传播效能。有学者指出，"新媒体平台特质使得情绪的扩散形式呈现类似于'循环'与'共振'式的传播机理，在由点至线、由弱至强、由慢至快的过程中，情绪得以蔓延至整个场域"④。一则突发新闻或者网友爆料有可能从一个基点开始，沿着网状路径骤然四散。在"多对多"的交互式传播中，越来越多的网络用户由"围观"到参与，原始信息也"经过分形和迭代的传递，形成具

---

① 隋岩、曹飞：《从混沌理论认识互联网群体传播特性》，《学术界》2013 年第 2 期，第 86 页。

② 史周青：《蝴蝶效应在网络传播过程中的成因与防范》，《中国传媒大学第二届全国新闻学与传播学博士生学术研讨会论文集》，2008 年，第 333 页。

③ 史周青：《蝴蝶效应在网络传播过程中的成因与防范》，《中国传媒大学第二届全国新闻学与传播学博士生学术研讨会论文集》，2008 年，第 336 页。

④ 李春雷、雷少杰：《突发群体性事件后情绪传播机制研究》，《现代传播》2016 年第 6 期，第 61—66 页。

有不确定性的能量冲击波，最终形成传播效果的指数级放大"①。"蝴蝶效应"
中的连锁式正反馈引起爆炸性的舆论共振，从而形成了某种社会情绪。

由上可见，网络中的微小趋势潜藏着引发变革的巨大力量，星火燎原只
在一夜之间。这个动态过程看似无序、无中心、无管理，实则由每个互联网
用户自我组织、自我操作。每个人都是自发的舆情制造者，凭借自组织的合
力达成"蚍蜉撼树"般的传播效果和社会效应。正如约翰·厄里在《全球复
杂性》一书中指出的，网络上存在将微小输入大幅度放大的指数"递增收益"
（increasing retains）。这些非线性结果输出是因为系统演化至"引爆点"（tipping
point）。"引爆点"涉及三个概念：其一，事件和现象是会扩散的；其二，
小原因能导致大结果；其三，变化并不是以逐渐的、线性的方式发生，而是
随着系统转变以戏剧性的、瞬间的方式发生。②在我国，这个"引爆点"就是
上文所论的在结构性紧张中积累的"情绪原型"。"情绪原型"决定了涉及阶
层对立、官员贪腐、司法公正、公共安全等的话题最有可能引爆突发社会情绪。

还要指出的是，"蝴蝶效应"是对"混沌系统"的中性描述，它所导致
的结果具有不可预知的不确定性，既可能是正面的、建设性的，也可能是负
面的、破坏性的。这与突发社会情绪的双重作用效果暗合，提醒我们在看到
机遇的同时，也要学会规避风险。

2. 群体极化效应整合、放大了群体情绪

"群体极化"（group polarization）源于政治学、社会心理学领域，最早
可以追溯到法国社会心理学家古斯塔夫·勒庞对"群众行为"（crowd
behavior）的研究，他指出群体是理性缺失而情感夸张的，他们愚蠢、冲动、
偏执、从众，甚至原本理性的人也会变得残暴而狂热。③后经多位学者补充、
修改，"集群行为"或"集合行为"（collective behavior）这一术语在学术
界沿袭下来。具有代表性的是戴维·波普诺的观点，他认为集群行为是在"相

---

① 党生翠：《网络舆论中的蝴蝶效应：混沌理论视野的解释》，《内蒙古大学学报（哲
学社会科学版）》2011 年第 3 期，第 115—120 页。

② [英]约翰·厄里：《全球复杂性》，李冠福译，北京师范大学出版社 2009 年版，第
65—66 页。

③ [法]古斯塔夫·勒庞：《乌合之众：大众心理研究》，陈天群译，江西人民出版社 2010
年版。

对自发的、不可预料的、无组织的以及不稳定的情况下，对某一共同影响或刺激产生反应而发生的行为"①。

相较现实生活中的集群行为，互联网场域中的集群行为体现出更明显的极化倾向。美国学者凯斯·R.桑斯坦指出："在网络和新的传播技术的领域里，志同道合的团队会彼此进行沟通讨论，到最后他们的想法和原先一样，只是形式上变得更极端了。"②这主要有两点原因：一方面，虽然群体成员在网上能够自由而频繁地沟通，但往往会听取和交换相似观点而忽略不同的意见，这导致了极端立场环境的强化，使人越来越倾向相信这一立场；另一方面，网络的匿名性使群体成员在"法不责众"的心理暗示下大胆而盲目地跟风。有实验显示，当成员匿名在网络上相遇并强调团队认同时，极端化程度就会加深。因此，对于很多人而言，网络是产生极端主义的温床。③

"群体极化"理论在当下中国的网络舆论场中有一定的适用价值与解释力度。很多拥有相似心理结构与集体回忆的弱势群体、边缘群体在现实生活中咫尺天涯，却能借助开放、便捷的互联网聚到一处。他们在不断沟通中达成固有立场和观点的加固，放大了对既得利益者的仇视情绪，将刻板印象与阶层偏见推向极致。模糊、匿名的身份状态和群体带来的安全感助长了成员的发泄冲动和原始本能，使集群行为趋向情绪化和非理性，甚至走向偏激、狭隘与极端、失控。

整体上看，我国网络上的群体极化现象呈现出以下特征。

第一，群体极化效应并非随着事实的披露或观点的阐释而推进，而更多是随着大规模的情绪唤起与情感动员得以加剧的。甚至即便是虚假、谬误信息引发的情绪震撼，也很有可能承载着网民的真情实感。目前，网络事件的情感动员主要分为三种：一是启动恐慌情感，导致人人自危，涉及环境污染与食品安全的事件多属此类；二是以悲情为主，常伴有同情、义愤、谴责和

①　[美]戴维·波普诺：《社会学》，李强等译，中国人民大学出版社 2007 年版，第647 页。

②　[美]凯斯·R.桑斯坦：《网络共和国：网络社会中的民主问题》，黄维明译，上海人民出版社 2003 年版，第 47 页。

③　[美]凯斯·R.桑斯坦：《网络共和国：网络社会中的民主问题》，黄维明译，上海人民出版社 2003 年版，第 51 页。

抗议，涉及社会问题、道德问题的网络事件多属此类；三是以戏谑、调侃为主，并逐渐扩散为幽默、无厘头的网民狂欢，涉及文化、艺术的网络事件多属此类。[①]在悲情与戏谑的情绪的推动下，网民的言论呈现出泛政治化、泛道德化和民粹主义倾向。

第二，意见领袖在意见集中化、情绪极端化的过程中起着关键作用。他们"比普通人拥有更多的关注度和话语权，其一举一动的影响远大于普通百姓，因而他们的嬉笑怒骂很容易在互联网平台上通过话语权优势获得广而告之的社会化传播效果"[②]。活跃在新媒介的意见领袖（主要是自媒体意见领袖）往往以犀利的观点和大胆的表达备受追捧，这就统合了粉丝的情绪和立场。在某种程度上，意见领袖的角色类似于古斯塔夫·勒庞所谓的群体中的"领头羊"，他们为集群行为树立起标杆、指明了方向，让广大网友瞬间"找到了组织"，在群体力量的加持下进行更为大胆的表达。这也提示传统主流媒体需要着力培育自己的意见领袖，且久久为功。

第三，虽然群体情绪整体上呈现出极化趋向，但参与者的心态其实是多元化的，理性的抗争与非理性的宣泄相交织。在大规模的集群行为里，虽然有人云亦云、偏听偏信的盲目网友，有发泄私愤、蓄意滋事的"键盘侠"，但也不乏为社会公义、人民权益积极发声的理性民众。可见，对于群体心理的复杂性，不能以传统极化理论的"盲目""癫狂""非理性"等标签一概而论，尚待进一步细化与论证。

3. 网络语言增强了情绪的感染力与对抗性

互联网中每时每秒都有难以计数的信息在流动，注意力自然成为这个时代的稀缺资源。如果信息"搭载"的语言不够抢眼，这条信息很快就会被淹没在浩瀚无边的信息流里，更不可能带动群体转发、引爆社会情绪。因此，或戳人泪点、笑点、痛点，或出奇出新，或形象直观的网络语言成为传播主体的较好选择。

---

① 杨国斌：《悲情与戏谑：网络事件中的情感动员》，《传播与社会学刊》2009 年第 9 期，第 39—66 页。

② 隋岩、李燕：《论群体传播时代个人情绪的社会化传播》，《现代传播》2012 年第 12 期，第 12 页。

结构主义语言学的开创者索绪尔认为，语言是一种社会制度，是一种表达观念的符号系统。①英国语言学家费尔克拉夫从福柯的话语权力视角切入语言学的研究，并将语言学的文本概念扩展至视觉形象，以及作为文字和影像之结合物的文本。②实际上，网络语言也是一套符号象征系统，而且相较于官方推行的汉语普通话系统更具感染力与对抗性，更有利于情绪的表达与传播。下文将从网络语言的能指（音、响、形、象的具体文本）以及它所构建的话语权力两方面进行阐述。

第一，从网络语言的具象文本来看，随着媒介技术的更新换代，信息的能指也得到了进一步的丰富和发展，既包括文字文本，也涵盖图片、音频、动画、视频等多媒体形式，未来还会因人工智能和虚拟现实的发展催生出新的形态。就文字文本而言，网络语言拆解与颠覆着主流话语的表达方式，或替换能指（如"酱紫"），或新建所指（如"土豪"），表现出群体传播的后现代狂欢精神。③就多媒体文本而言，从早前各大论坛中对"无图无真相"的强调，到视频网站、直播平台的广泛兴起，再到百度"帝吧"出征 Facebook 的"表情包"大战，视听符号越来越受网友的青睐，也逐渐在意义与情感的传播中获得独立性——而非注释性——地位。比起静态的文字文本，多媒体文本能够更加立体、形象地传递信息、表达情绪，在一些突发事件传播中也能更生动、直观地还原现场情景，使人如临其境，感同身受。

对人们来说，读字、读图意味着两种完全不同的思维运作模式，阅读文字需要理性、严谨、抽象的逻辑思维，而视听文本更容易唤起感官震撼和感性情绪。所以，网络语言的"视觉转向"促使网民的思维状态由理性向感性、非理性过度。在群体传播时代，很多网络群体事件的爆发都离不开视频、图片的大规模转发，足见多媒体文本强大的视听冲击力与情绪感召力。值得警惕的是，网民以"有图有视频"来印证消息真实性的心态很容易被网络推手

---

① ［瑞士］费尔迪南·德·索绪尔：《普通语言学教程》，高名凯译，商务印书馆 1980 年版，第 37 页。

② 殷晓蓉：《话语分析：如何为媒介社会语言实践提供说明？——兼评〈话语与社会变迁〉的传播学意义》，《广播电视大学学报（哲学社会科学版）》2005 年第 2 期，第 22—24 页。

③ 隋岩：《从网络语言透视两种传播形态的互动》，《北京大学学报（哲学社会科学版）》2015 年第 3 期，第 187—191 页。

利用，他们通过假造图片、视频来策划网络事件，谋取经济利益。

第二，从话语权力的角度看，"群体传播的谐趣之一就是颠覆传统，打破权威，通过对大众传播的符号进行修改、补充、解构甚至扭曲、丑化来创建新的符号和话语意义"①。网络语言通过自己的话语秩序，构建起一个与主流媒介话语场相对立的网络话语场。民众在运用网络语言的同时，也就获得了一种象征性的话语权力，可以绕过大众传播的等级体系自下而上地表达利益诉求。因此，网络语言也可以被看作一种"语言变体"（language variety）②，一种"抗争性话语"（contentious conversation），一种亚文化（subculture）。它质疑着传统大众传媒话语的稳定性、统一性和同质性，彰显着社会空间内部的差异、变化与异质，整体上呈现出批判性、逆反性的价值取向。

除了上文提到的狂欢化、视听化，网络语言还具有迂回性、隐蔽性和碎片化的特征。一方面，在大众传播与互联网群体传播的博弈之中，为了能在网络监管制度的缝隙间游刃有余地流动，争取更大的话语空间，网络语言不得不用迂回、遮蔽的方式和逻辑来表达。③另一方面，为了迎合碎片化的信息传播模式和消费模式，网络语言也趋向短小精悍、言简意赅。总之，网络语言处在一种不断自我调整、自我更新的状态之中，确保了情绪可以更迅速、更巧妙、更具感染力地传播。

三、突发社会情绪的疏导理念和机制

突发社会情绪具有复杂多变、混沌无序、不确定等属性，其社会效果也包含着双重动力倾向，即机遇与风险并存。如果将网民自发的互动与聚集比喻为"蚁群行为"，那么这种行为和情绪"既可以帮助蚂蚁建成理想的'家园'，也可能以隐匿的方式产生不可预知的破坏力，令'千里之堤，

---

① 隋岩：《从网络语言透视两种传播形态的互动》，《北京大学学报（哲学社会科学版）》2015 年第 3 期，第 187 页。

② ［美］约翰·费斯克：《关键概念：传播与文化研究辞典（第二版）》，李彬译，新华出版社 2004 年版，第 304 页。

③ 隋岩、罗瑜：《网络语言：舆论场博弈的策略选择》，《中国社会科学报》2016 年 5 月 3 日。

溃于蚁穴'"①。

就积极的作用而言，互联网为群众行使知情权、参与权、表达权、监督权提供了平台。突发社会情绪频发说明有越来越多的网民参与到社会公共议题的讨论中，这标志着我国现代化转型过程中公民主体意识、权利意识的觉醒。作为舆情的组成部分，社会情绪可能是一种积极的建设性力量。网民在监督政府公权力、质疑既定利益结构时产生的适度的批判性情绪，远比袖手噤声的冷漠情绪更能推动社会进步。从消极的方面来看，由于新媒介环境中的群体传播信源不明，易产生谣言、流言，当信息再次进入人际传播时，人际关系的确定性反而使虚假信息被人们当作真实信息来信任，风险范围、风险系数加倍。②此外，网民极易在集群行为中陷入冲动、盲目、狂欢的非理性状态，加之网络传播中自律与他律的缺席，共同导致了诽谤中伤、舆论绑架、人肉搜索等网络暴力事件屡有发生，加剧了官民之间、贫富之间、不同地域之间的矛盾。除了这些矛盾，突发社会情绪中还混杂着网络推手、水军为了谋求经济利益的隐秘操纵，以及别有用心者蓄意策动的意识形态对抗。

在以群体传播为主导的舆论场中，如果民众的灰色情绪得不到及时疏导，就会沉积为社会情绪顽疾，不利于社会的和谐健康发展。因此，无论政府、媒体还是民众都应该充分认识新媒介的属性及传播特点，提高自身的媒介素养，形成良性互动的疏导机制，科学、有效地化解突发社会情绪带来的风险。

总的来说，突发社会情绪的疏导需要至少三方面的合力才能够达成，即政府在疏导突发社会情绪方面发挥总领性作用，各类媒体有效合作、提高应急联动能力，民众提高公民意识、不滥用新媒介话语权。此处扼要阐释在实践中需要注意的关键性问题。

（一）政府在疏导突发社会情绪方面起到总领性作用

美国社会学家兰德尔·柯林斯指出，各种短期情感体验的结果总是会流

① 隋岩、张丽萍：《从"蚂蚁效应"看互联网群体传播的双重效果》，《新闻记者》2015年第2期，第72页。
② 隋岩、李燕：《从谣言、流言的扩散机制看传播的风险》，《新闻大学》2012年第1期，第73—79页。

回到"情感能量"的长期情感构成之中。①如果在每次短期情感体验中都能产生正面情绪，那每次流回到"情感能量"里的情绪就是正面的。当正面情绪成长为社会主流情感后，负面情绪自然就退居次要地位了。因此，总的来说，疏导负面社会情绪，最根本的是要从源头上改善催生这种情绪的社会条件。"冰冻三尺非一日之寒"，社会负面情绪往往是在一个个小矛盾的累积下形成的。只有及时缓解民众心态上的失衡与错位，疏通民众的利益表达渠道，才能避免大量民怨的淤积与极化，将潜在的危害扼杀在摇篮中。当各方利益主体之间出现矛盾时，涉事主管部门要综合运用经济、行政、法律等手段进行协调，站在客观、公正的立场上，尽量找到各方都能满意的解决方案。特别是对于让步一方或弱势群体，要从制度、物质、精神上保障其生活与发展的基本需求，真正化解群众心中的不满。而且，有必要"拓宽民众的政治参与途径，提高他们的政治参与水平，缓解消极社会情绪"②。政府应与民众建立畅通的对话机制，加强对基层社会的舆论采集和检测，摸清潜藏的社会情绪，真正做到问计于民。总之，在政府管理和社会治理的理念中，需要充分意识到网络民意、网络舆情在相当的程度上是对政府和社会的一种监督，如果趋利避害地借助这些舆论和民意，则能够帮助政府有效地推动和开展工作（甚至是一些难以开展的工作），完善行政运行机制，以"自下而上"的方式协助实现"自上而下"的行政监督效果，这也是促进社会主流价值观形成的重要方式。③

　　同时，在政府主导的具体舆情回应和情绪疏导工作中，需要特别注意避免如下问题：第一，面对突发情绪，或反应迟钝，或故意拖延，或干脆采取鸵鸟政策视而不见。对于绝大多数的无法回避的"刚性"硬主题舆情，如果有关方面没有及时回应，而是以希望事件自生自灭的侥幸心理消极应对，则只会延误疏导情绪、逆转舆情的最佳时机，给谣言的迅捷传播提供了时机，

---

　　① ［美］兰德尔·柯林斯：《互动仪式链》，林聚任、王鹏、宋丽君译，商务印书馆2009年版，第186页。

　　② 温淑春：《当前我国社会情绪的现状、成因及疏导对策》，《理论与现代化》2013年第3期，第104—108页。

　　③ 刘俊：《突发公共事件中的"传播艺术"提升论要：信息与舆情——基于武汉新冠肺炎疫情的示例》，《现代视听》2020年第2期，第12页。

导致谣言信息大规模填补人们的信息空窗和断档期。第二，以二元对立的强硬姿态封锁消息、打压舆论。互联网是一个开放、自由、平等的场域，如以强权之网捕捉其中的所有碎片化信息，不仅难度大，而且更会激起网民的逆反心理和愤怒情绪，招致更大的质疑、问责的呼声。第三，虽然对事件做出回应，但一味否认、搪塞、诡辩、推脱，模糊和掩盖细节。一切企图敷衍了事、蒙混过关的做法都会导致政府公信力下降，加剧事态的恶化，二次激发突发社会情绪，甚至会演化为线下的突发集群事件。

在避免上述问题的同时，在舆情应对和情绪疏导过程中，政府主体需要注意应该坚持如下的理念。

第一，寻找同理心。在网络舆情的应对方面，切忌因为一味坚持官样表达，一味坚持官方姿态，而自觉或不自觉地展示出一种"与一切网友为敌"的姿态。这种与"与一切网友为敌"的情形表现为：①不产生关系的漠视。它是指完全忽视网络受众的诉求和情绪，与网络民间舆论场完全不进行交叉，只顾"自说自话"、完成任务式地发文了事。②产生关系的回怼。它是指完全否定网络民间舆论场的信息、诉求和情绪，以"自上而下"的语态教训或至少是规劝网络受众。

这提示政府主体需要思考在舆论回应时如何营造与网络受众的关系，其中寻求与网络受众的"同理心"是重要的传播艺术，即对于网络舆论场的合理诉求和疑惑，既不能完全忽视，也不能完全批判，而是需要首先部分肯定网络受众的合理诉求、疑惑、情绪等，敢于承认问题，勇于面对问题，这是网络舆论场对官方和主流媒体的一种最基本的态度。在进行舆情回应时，先和网络受众"说到一起"，网络受众才能听说话方继续"说"下去，其实这也是日常生活中人际传播中的一个基本规律。

网络舆论场是一个情绪化严重的场域，这种情绪化不仅体现为受众表达的情绪化，也体现为受众对舆情回应者的态度十分看重。因此，即便受众诉求的问题得不到有效解决，但一种好的回应态度在很大程度上也能释放网络受众的大量怨气，有助于网络情绪场重归平衡。

第二，富有亲润感。当前，网络受众比较反感的是官方主体和主流媒体一味的官样气、宣传气、传达气、空泛气、虚假气、套话气、苦情气、口号气、标语气，以及相关联地把灾事当喜事报道——往上，不合时宜地一味歌颂领导；往下，不合时宜地盲目拔高先进。这提示回应主体亟待摒弃刻板地完成宣传任务的"懒政"做法，在疏导时多思考相关内容可能带来的常识、常理、常情问题，能够以亲润、真切的姿态和语态面对受众。在媒介使用随身化的时代，在受众的媒介素养快速提升的当下，任何有意的引导、虚假的扮演、刻意的煽情都会被受众快速识别，从而对政府形象产生难以修复的创伤。

第三，能够批评和自我批评。"批评"是指政府主体要勇于承担舆论监管的责任。"自我批评"是指在政府主体及相关的主流媒体做出不当报道、发出欠妥声音、传播错误信息之后，自己能够勇于承认错误、勇于致歉、勇于反思。这种做法不仅是"亡羊补牢"，更可能因为诚恳的态度而有益于政府形象的树立，实现"坏事"向"好事"的转变。但可惜的是，当前还是几乎罕见有效的主动、积极的致歉行为示例，而是更多地在被动等待不良舆情过去，丧失了修复甚至营造正面形象的机会。[①]

此外，政府主体还应注意对突发社会情绪的平息期要持续监控，避免次生性突发情绪卷土重来。同时，应做好突发事件、突发情绪的善后工作，不为民众留下后患与心结，不让负面情绪潜藏在社会的集体回忆与情感能量中。

（二）各类媒体有效合作提高应急联动能力

在媒介融合的大背景下，当负面社会情绪被引爆时，传统媒体和新兴媒体应该在发挥自身优势的基础上双向互通、有效流动，搭建起官方与民众之间的沟通桥梁，并给予事件专业、理性的报道。

第一，传统媒体释放专业性功能。目前，大部分互联网媒体还不具备采访权，很多网络自媒体发布的信息不仅信源不明，更存在着大量的虚假信息和恶意谣言。相比之下，理性、严谨、客观的专业性正是传统媒体的优势所在。对于民众来说，除了大量的片段化信息外，也期待着全面、立体、翔实的权威报道与深度解读。在对突发事件的报道中，相关媒体要做到不盲从、不媚众，不为夺人眼球而一味报道负面的、刺激性的消息，但也不能回避矛盾，要切实保障人民的知情权。媒体的公信力与说服力很大程度上取决于它的专业度与可

---

① 刘俊：《突发公共事件中的"传播艺术"提升论要：信息与舆情——基于武汉新冠肺炎疫情的示例》，《现代视听》2020 年第 2 期，第 10—12 页。

信度，因此传统媒体要以专业、冷静的态度多方求证，拨开迷雾，还原事件的本来面目，有理有据地矫正网络舆论的偏差，击破坊间谣言，淡化恐慌情绪。

面对突发社会情绪，传统媒体不仅要做到及时报道，还要做好对事件的深度报道和追踪报道，将矛盾双方的信息不偏不倚地呈现出来，让公众进一步了解事件的真相。同时，要潜移默化地对公众进行正确的教育和引导，从而培养理性思考、理性对话的社会氛围，缓和紧张、偏激的对抗性态度。正确对待并报道负面事件，不仅不会对社会造成负面影响，反而能够以真实性的力量疏导社会情绪，稳定民心、民意。这会让公众看到社会各方应对突发事件的积极态度，也是凝聚人心、积累正能量的一种方式，比单纯"喊口号""树典型"的生硬的引导更能让公众信服和接受。

仍需一提的是，传统媒体不仅要在社会情绪爆发时做信息公开、情绪疏通的"急先锋"，平时也要及时纾解已经形成的负面情绪。如果传统媒体能够开辟出一个表达民众利益诉求的规范化的话语空间，并推动现有问题解决的话，那么民众的负面感受会在很大程度上得到消解，这无异于为突发社会情绪釜底抽薪。

在这个过程中，可以适度放开对主流媒体编辑、记者的报道的限制，这将会有利于主流媒体在网络舆论场的"占位"。主流媒体的编辑、记者大多经过了严格的筛选和一定的训练，既熟悉官方对舆论的期待和禁忌，又有较强的专业"采编撰传"能力，在很大程度上，这些都是商业媒体机构、自媒体平台的人员未必具备的。因此，如果适度放开主流媒体专业从业者的手脚（而不是强力束缚），主流媒体将在网络舆论场释放巨大的能量，以有效制衡网络舆论场中的负面影响，将已经拱手让给自媒体的网络舆论场重新收复。[①]

第二，新媒体构建理性讨论的空间。依托于互联网的新兴媒体拓宽了民众的发声渠道，搭建起一个相对自律、自主的讨论空间，让全社会看到了建立公共领域的曙光。但在目前看来，网络场域还是过于无序、散乱、原生态，非理性的宣泄远远多于理性的讨论。在一些极端情况下，所谓的"网络民主"几乎沦为"多数人的暴政"，社会情绪的"解压阀"反而变成了"压力锅"。

---

① 刘俊：《突发公共事件中的"传播艺术"提升论要：信息与舆情——基于武汉新冠肺炎疫情的示例》，《现代视听》2020 年第 2 期，第 12 页。

作为与突发社会情绪相关度最高的媒介载体,互联网媒体亟须净化网络环境,构建平和、理性的民意"广场"。

毫无疑问,新兴媒体,特别是已经获得"互联网新闻信息服务许可证"的官方网站、主流网站应该主动向传统媒体的业务水平靠拢,并结合多媒体的呈现形式提高对突发事件报道的质量,引导网络事件中的正面舆论走向,不弄虚作假,不道听途说,不大肆渲染社会阴暗面。同时,新兴媒体还应针对自身媒介的特点,制定具体的应对措施。

在突发社会情绪的酝酿期,微博、微信、论坛等社交媒体是社会情绪的集散地与主战场。为了防止社会情绪的单向度倾泻与极化,新兴媒体应该利用时效性与互动性的特点,及时搭建起民众与政府之间的沟通平台。例如,微博以及各大论坛可以组织政府官员、相关专家与网民交流看法,避免弱势群体在协商无望、走投无路时爆发高强度、非理性的情绪。再如,社交媒体应该重视意见领袖的舆论引导力,组建一批有公民理性、专业权威和表达艺术的民意引导者,他们条分缕析的意见表达很可能会成为网络民意的风向标。

正如前文所述,互联网群体传播的特征加速了社会情绪在网络场域的传播。因此,当官民之间的沟通、意见领袖的引导都收效不佳,不实信息与非理性情绪开始扩大化时,新兴媒体的管理者应该起到"把关人"的作用。具体地说,网络的开放性与交互式传播使得信息及情绪可以在瞬间大肆蔓延,不断卷入的网民呼声又使群体情绪走向极化。对此,新兴媒体的"把关人"应该及时锁定论坛帖子或微博评论,防止更多极端观点的介入,保持事件处于一个孤立、闭合的传播系统中。图片、视频等多媒体传播形式和耸人听闻的标题都能将突发事件迅速炒热,一旦监测到情绪有走向非理性的苗头,"把关人"就要考虑降低信息、情绪的传播效能。同时,"把关人"还可以通过顶帖、修改微博热搜等方式,以新的、正面的信息吞噬不实的、具有潜在危害性的信息,转移网民的注意力。

需要说明的是,以上手段的目的是过滤不良信息、减小事件的危害,是新兴媒体自我监督、自我净化的手段。我们也期待无论是政府监管部门、新媒体"把关人"还是相关机构,在疏导社会突发情绪时,能够摒弃一味删帖和封堵的"懒政"和僵化做法,给网络民意一定的表达空间。对于网络民意合理反映的问题,应充分利用媒体监督进行解决。同时,要以智慧的方式既保证多元、混杂、喧嚣的网络声音不影响社会稳定，又能够让民意的积怨有释放的通道，以软性的方式使民意大致保持在一种"平衡状态"。①

（三）民众提高公民意识，不滥用新媒介话语权

"每一次群体性事件的爆发都是一场理性的较量。它不仅是在检验着社会的理性、度量着媒体的理性，也在考验着公民的理性。"②然而，很多网民在自身利益受到侵害或面对突发性事件时，并没有理性地陈述情况、分析原因、表达诉求，而是先入为主，意气用事，甚至用前现代的价值观来看待现代社会中的问题。在互联网匿名性的遮掩下和阶层成见的操纵下，网民发泄私愤、以暴制暴等道德失范现象屡见不鲜。在看似自由、平等的网络舆论场中，偏见与仇视横行，理性与善意缺席。暴戾、浮躁的情绪不但不能解决问题，反而会激化社会矛盾。

在当前的网络舆论生态中普遍存在"新闻易感"与"新闻无感"两类极端人群。前者"没有对个案和普遍问题的区分能力，情绪容易被牵着走，爱跟风，易摇摆"，后者"则完全相反，再大的新闻都无法触动其高贵冷艳的灵魂，再轰动性的消息也无法将其从自我封闭的小世界中拉出来"③。其实，这两类症候群所展现的正是网民媒介素养与公民精神的双重缺失。

"新闻无感"是一种置身事外、抛却责任的政治冷漠，这种政治冷漠会将结构性的有机社会打散为原子化的孤立个体，降低了社会的凝聚力。现代公民理应具备社会责任意识。另外，积极参与不代表随波逐流与推波助澜，"新闻易感"又走向了滥用话语权的极端。面对互联网中的海量的碎片化信息，网民应该时刻保持独立、严谨的思考和判断，既不被自身的既有经验所影响，又不受网络中倾向性观点的绑架。在意见和观点的表达上，网民要理性地寻求对话与沟通，在协商中达成共识，而不是任凭非理性情绪作祟，在群

---

① 刘俊：《突发公共事件中的"传播艺术"提升论要：信息与舆情——基于武汉新冠肺炎疫情的示例》，《现代视听》2020 年第 2 期，第 12 页。

② 李春雷、张楚越：《群体性事件中新媒体对群体非理性心理的引导路径》，《南昌工程学院学报》2014 年第 5 期，第 27 页。

③ 曹林：《"新闻易感人群"与"新闻无感人群"》，《青年记者》2016 年第 31 期，第 96 页。

体极化中走向极端。作为网络舆论的直接参与者、社会情绪的直接推动者，网民只有树立起成熟的公民意识，在"新闻易感"与"新闻无感"之间找到一个理性的平衡点，才能培育出自由、平等、绿色的网络舆论场，降低突发社会情绪的爆发频率。

第二节　网络语言情绪的发展和演变

自 1994 年中国接入全球互联网以来，伴随我国互联网近 30 年的发展历史，网络语言也在不断演变并逐渐扩大影响。从最初少数网民使用的亚文化语言，到突然爆红的网络事件与网络语言的密切互动，网络语言已经成为人们网络生活中不可缺少的元素。国家语言资源监测与研究中心、商务印书馆、人民网等政府机构和媒介组织每年年终都会盘点当年的网络流行语，从中感知并探测社会热点和网民情绪，也反映了国家和社会对网络语言及其情绪表达的关注度。从总体上说，网络语言情绪的发展和演变分为如下几个阶段。

一、第一阶段：圈层亚文化使用者的温和式表达

这一阶段的时间大致是 1994 年中国接入全球互联网后的第一个十年。网络语言从互联网社区起步，最早可追溯到 1994 年建立的曙光 BBS 站。当时，仅有少数群体参加，用户多为教育科研人员、专业技术人员及海外留学生。伴随上网用户从 1997 年的 62 万人增加至 1999 年的 890 万人[1]，网络社区开始在全国范围内初具影响力。以新浪、搜狐、网易为代表的门户网站开启了人们上网的第一扇门，除了使用互联网了解新闻、获取信息外，人们还登录这些网站的论坛和聊天室进行沟通和交流。同期发展起来的还有 QQ 交友工

---

[1] 中国互联网络信息中心：《中国互联网络发展状况调查统计报告（1997/10）》，1997年 10 月，http://www.cnnic.net.cn/hlwfzyj/hlwxzbg/200905/P020120709345374625930.pdf；中国互联网络信息中心：《中国互联网络发展状况调查统计报告（2000/1）》，2000 年 1 月，http://www.cnnic.net.cn/hlwfzyj/hlwxzbg/200905/P020120709345371437524.pdf。

具、西祠胡同、天涯论坛、强国论坛等知名社区。网络用户逐步扩展到以大学生为主的青年群体，他们对新事物敏感、好奇，接受力强，在匿名聊天的过程中形成了以表情符号、字母、数字、缩略词等为特点的时髦话，从此网络语言开始活跃。

"青蛙"、"恐龙"、"美眉"、"GG"（哥哥）、"MM"（妹妹）是年轻用户群对彼此外貌身份的称谓；"9494"（就是）、"520"（我爱你）、"886"（再见）等简洁数字以谐音的方式传递意义；"LOL"（大笑）、"me 2"（我也是）、"CU"（再见）、"THX/3Q"（谢谢）、"I 服了 you"、"学习 ing"等字母、数字、汉字的混合使用成为当时的流行风尚。网络文学的兴起也在推动网络语言的迅速传播，人们期待能在虚拟世界里遇到下一个"轻舞飞扬"，《第一次亲密接触》中的痞子体成为爱情宣言的象征。①

这是一个网络语言初步形成的时期。彼时计算机尚未普及，人们需要依赖网吧、调制解调器、价格不菲的台式计算机、昂贵的上网资费等条件才可以接触互联网。此时，尽管网络语言已经出现，并在特定群体内活跃，但受限于网民数量和范围，其仍然属于少数群体的亚文化现象。

进入 21 世纪之后，互联网发展的速度加快，网络社区社群规模迅速变大。2002 年，eBay 和易趣联盟后很快成为国内最大的在线交易社区；2003 年，百度贴吧、淘宝问世；2005 年，以文学和影评乐评为主的豆瓣网创立；MySpace 和猫扑等社交网站也在同一时期流行起来。网络用户群进一步扩大，互联网在弥补信息匮乏的同时，也开启了用户情感交流的场域。

网络语言数量在不断增长，涉及的生活内容也逐渐增加。"晕""衰""倒""汗"不再是过去的意思，网民赋予其新的含义和用法；互联网里有"菜鸟"也有"大虾"，但只要能在"帖子"里抢到"沙发"或者成为"斑竹"就很"弓虽"；"百度一下"被创造出来，人们慢慢接受名词"百度"当动作使用；"博客"登上了 2005 年新浪调查的网络流行语；卖萌、搞笑和个性

---

① 台湾作家蔡智恒的《第一次亲密接触》是第一部红遍全国的网络文学作品，其中的名句也被称作"痞子体"，代表句式如下："如果我有一千万，我就能买一栋房子。我有一千万吗？没有。所以我仍然没有房子。如果我有翅膀，我就能飞。我有翅膀吗？没有。所以我也没办法飞。如果把整个太平洋的水倒出，也浇不熄我对你爱情的火焰。整个太平洋的水全部倒得出吗？不行。所以我并不爱你。"

化的情绪表达成为网络语言的重要组成部分，例如，"聚餐"叫"FB"（腐败）"，"变态"是"BT"，"歌迷"叫"Fans/粉丝"，"我"变成"偶"，"什么"变成"虾米"，"稀饭"是"喜欢"，"好"叫作"弓虽"，"不喜欢"是"吐"，"东西"变成"东东"；隔着冷酷的屏幕，网民充满热情地和陌生人聊天，想知道对方是"青蛙""恐龙"还是"轻舞飞扬"。

　　传统主流媒体是网络语言产生的另一个重要来源。来自报纸、杂志、电视、影视作品中的词汇，借助互联网传播得以进一步扩散。2001 年，借雪村的流行歌曲《东北人都是活雷锋》，"翠花，上酸菜！"火遍全国；电影台词如《手机》里的"做人要厚道"、《无间道》里的"出来混，迟早都是要还的"成为红极一时的网络时髦语；《超级女声》的走红使"PK""海选""选秀"变成大众的口头禅。

　　截至 2004 年，我国上网用户总数 8700 万人，月收入在 500 元以下的低收入者是当时互联网用户的主体。①彼时使用互联网的主力群体以未迈出校门的学生群体为主体，促使早期网络用语的稚化倾向明显。在普遍匿名化的状态下，实现情感交流和自我满足是当时网络语言传递的主流情绪。这一群体在网络空间中充满好奇又带着丝丝惶恐，在互联网情绪中留下稚嫩但又具有个性化的足迹。即便在这一阶段的末期，尽管互联网基础设施较十年前有了突飞猛进的发展，但从全社会来看，这个时期由于网络用户数量、使用范围、网民特征等条件的制约，网络语言还属于少数群体使用的亚文化表达，是年轻人追求的新奇、个性化表达的方式，网络语言尚没有"全龄"使用的可能。同时，此时的网络语言尚相对温和、礼貌、有善意，虽然也不乏活泼、幽默、时尚，年轻人的上述心态是此时网络语言的主流情绪。

二、第二阶段：社会热点的情绪化展示

　　这一阶段的时间大概是从中国接入全球互联网的第二个十年开始到2011 年微信全面普及之前，此时的网络语言迅速变得丰富起来。传统媒体依然有很强的流行语引领作用，尤其是收视率一直居高的"春晚"几乎每年都

---

　　① 中国互联网络信息中心：《中国互联网络发展状况调查统计报告（2004/7）》，2004年 7 月，http://www.cnnic.net.cn/hlwfzyj/hlwxzbg/200906/P020120709345360848110.pdf。

能引爆几个"金句"，这一阶段央视春晚小品中出现的"相当"成了人们的口头禅。农夫山泉的广告词被人们改成"人生最低奋斗目标：农妇，山泉，有点田"。电影《疯狂的石头》带来"顶你个肺"，电视剧《武林外传》引爆"额滴神啊"。这些语言比过去含有更加激烈的情感表达，人们迫切希望自己的声音被听到和被关注。

同时，人们开始用调侃的方式对待传统语言规则，尽显幽默和反叛的情绪色彩，如"骑白马的不一定是王子，他可能是唐僧"，"黑夜给了我一双黑色的眼睛，可我却用它来翻白眼"，"有钱人终成眷属"，"你有什么不开心，说出来让大家开心一下"等句式打破了约定俗成的语义表达，反映出了人们对传统思维和规约的破坏和叛逆情绪。从这个时期起，网络语言的情绪色彩更加饱满，自我表达、率性、张扬、个性、反叛等精神粉墨登场。

用这个时期的网络语言给网民画像就是整天"宅"在"蜗居"里的"蚁族"或"经济适用男"们，或者也叫"宅男""宅女"，过着"被就业"的"低碳"生活，不去电商搞个"秒杀"就会被认为"out"了，貌似"不差钱"但人生充满"杯具"，抽烟抽出了"寂寞"，上网变成了"很暴力"，偶尔去"打酱油"，却总被"妈妈喊你回家吃饭"，还不如去"偷菜"，所以在网络世界里，"不要迷恋哥，哥只是个传说"。

从这些语言可以看出，网民的现实焦虑增多。网络语言不仅仅关心年轻人恋爱、交友的情感生活，关于网民生存状态的刻画也多了起来。一方面，抒发对现实生活的抱怨；另一方面，用调侃来舒缓焦虑，用很多无厘头的方式捧红了像"打酱油""贾君鹏"一类的网络语言，之前的数字符号在这个阶段有了"囧""呆呆"等造词形式，展现出网民百无聊赖、哗众取宠的情绪和心理。

当人们一点点提高声音的"分贝"时，不仅能引来更多关注，而且会在网络得到同情和支持。人们发现虚拟的互联网社会可以摆脱现实社会关系的束缚，充分地表达不满、指责等负面情绪。语言不再像过去一样清新、高雅，粗俗、口语化的表达逐渐增多，调侃、讽刺、挖苦等修辞手段在论坛语言中也颇为流行。

另一个值得关注的显著变化是社会事件触发的网络语言开始产生，甚至在人们的生活中成为热点。部分语言用来描述事件发生的要点信息，部分语言带有揶揄、反讽的意味。不过这类语言在广泛流传过程中也不断被网友娱乐，被用一种泛娱乐化的方式对待，从最初使用时负面情绪为主的含义逐渐转向调侃，甚至到后来人们只是为了热闹、喧闹而玩弄词语，早已不在乎真实的含义表达。随着民众在互联网中的卷入规模增大、卷入程度不断加深，在网络语言及其情绪表达的新发展下，"后真相时代"的一些特质有了最初的显现。同时，"情绪"因其重要性，也初步受到网络语言、网络舆情、网络传播领域的研究者的关注。

三、第三阶段：表达社会情绪

这一阶段的时间大概是 21 世纪的第二个十年。2010 年 11 月，网络词语"给力"登上《人民日报》的头版头条，此事件成为网络语言正式被传统主流媒体接受的标志性事件。2010 年后可以被看作网络语言从小群体走向全社会的分水岭，从此网络语言走进千家万户。跨年龄、职业、地域、身份的各种社会人群悉数进入互联网社区。在这一过程中，微信的出现与"全龄化"普及是非常重要的推动力。微信如今已经不仅是交流工具、媒介工具，更是当代人的生存工具，是满足当代人虚拟生存的一种生态系统。较之以往，微信更为彻底地将网络语言及其情绪推至"全龄"接受和使用的状态，网络语言也不免进入表达更广阔的社会生活及其情绪的发展阶段。

传统大型论坛的式微也成为这一变化的重要标志。早期的 BBS、新闻组、电子邮件、MSN 到后来的论坛、在线游戏、雅虎的在线聊天和社群慢慢沉寂，人人网、开心网、豆瓣、猫扑和天涯的风光不再，新的媒体平台出现。2009年，微博开始流行，2012—2013 年微信迅速崛起。2012 年 12 月，网易社区宣布关闭。网民互动聊天的平台发生明显转向，博客、微博、微信、贴吧、A 站、B 站、弹幕、游戏社区、知乎、短视频平台等更加分层的社会化媒体成为主流。

网民群体从早期的绝大多数为学生群体，逐步拓展到年龄跨度更大的中青年群体，但情感话题依然是这个时期网络语言情绪的核心组成。"约吗""见光死""单身狗""CP""外貌协会""坐在宝马里哭""感觉不会再爱了"等网络语言体现了多维度的情感生活。与前一阶段的网络语言相比，网民的情感生活范围扩大，涉及交友、择偶、婚姻、家庭关系等，出现对容貌、地位、财富等社会现实需求的渴望和不满，既充满对自身的感情生活的美好期待，同时又对现实阻力和打击发出牢骚和进行调侃。

在这一阶段，网络语言依然保持了一贯的戏谑、调侃等娱乐情绪。"友谊的小船""葛优躺""Duang""洪荒之力""蓝瘦香菇""城会玩""我想静静"都是典型代表。这一时期，稚化语言继续存在，如"本宝宝""小公举"。在负面新闻满天飞的网络世界里，"世界这么大，我想去看看"，"明明可以靠脸吃饭，非要靠才华"等网络语言传递着温情和对美好生活的追求。2010 年，伴随"我爸是李刚"事件，政治性话语成为网络语言的重要组成部分。

这一时期网络语言情绪的另一个显著变化是，2015 年后，粗鄙化语言、身体性表达及其情绪传递更为突出。例如，人民网舆情监测室推出的 2015 年网络流行语中就包含"什么鬼"，"人渣"也成为网民的常用语。传统性语言的社会禁忌也被拿来尽情发泄，成为公共平台公开谈论的话题，"老司机"等词语变得流行。这个时期，网民的情绪变得更为激烈甚至极端，不惜用污名化的方式给彼此贴上身份标签，从而达到语言上的权力强势。

总体来看，这个时期的网络文化变得更加多元和丰富，数量上明显增多，网民依然对自己的感情生活、社会身份定位很关注，娱乐、搞笑、无厘头的语言很多，新闻引发的社会事件产生的流行语明显增多，人们用激烈的语言表达对政治腐败、道德滑坡等现象的不满和愤慨，用语出现粗鄙化，有走向越来越极端的倾向，但其中仍不乏对正面情绪的渴望和追捧。网络语言及其情绪化表达与社会生活的各个层面均可能产生关联甚至是深度融合，这些语言和情绪表达的内容指向、情感指向、意义指向也日益混杂，并走向极度多元。

四、戏谑：网络语言情绪的主调

网络语言形式从最初的以 ASCII 码为主的键盘符号发展到后来的文字语言狂欢，以及当下表情包文化的泛滥，其背后离不开情绪力量的推动。从最初的温和、彬彬有礼走向声嘶力竭的呐喊，再到极端、粗鄙的宣泄，伴随互联网文化的深入和用户群体的不断扩大，大众情绪也伴随语言经历了这样的明显变化，社会情绪呈现出一个持续高涨的过程。

一般认为，大转型背景下社会结构性的压力和矛盾是导致大量负面社情绪爆发的根源，在语言方面的表现就更加激烈和非理性，用语言宣泄的方式替代现实行动，语言上的发泄就更加极端和情绪化，用高分贝、极端、夸张的方式凸显社会中的某些情绪积累。

与此同时，包含极端情绪的言论慢慢扩散开来时，伴随着更多人的参与，其含义逐渐发生变化，附着在语言之上的泄愤情绪经过人们的遮掩、调侃、曲解后产生了新的情绪意义，最初的极端情绪加载被褪去。通常对社会情绪的研究，从积极和消极两种情绪动力着手，但在互联网情绪不断极化，以及负面情绪得到宣泄的情况下，我们依然观察到了大众自觉对粗鄙情绪的抵制、消解和重新赋义。

在长期传播过程中，由特定情绪触发的网络语言的原初语义发生了很大变化，戏谑文化成为广大网民参与的集体创作。不断流转的网络语言逐步扩大化后，人们用文字狂欢的形式来宣泄"一切皆娱乐"的时代情绪。在实现谩骂、指责、贴标签、污名化等情感发泄后，最初包含的激烈情绪逐渐被戏谑和调侃取代，仿佛之前的恩怨对立都不存在了。"灌水""拍砖""吐槽"是网络语言的基本节奏。无论是各种"淘宝体""咆哮体""凡客体""知音体"等"体"文化的流行，还是"贾君鹏""Duang""蓝瘦香菇""葛优躺""城会玩"等无厘头的词语接龙，以及模仿四字成语而出现的"十动据然""人艰不拆""喜大普奔"等生造词汇，这些语汇的诞生就是为了搞笑、娱乐，直接意义不再重要，参与到网络大集体中并进行充满娱乐精神的一致表达成为新的隐喻。

人们对这种恶搞形式经历了从不接受到逐渐接受，再到主动传播的过程。最初的反应激烈，到后来恶搞形式的愈演愈烈，人们开始慢慢接纳这种新的互联网文化，其甚至因有助于提升人气而得到明星们的认可。姚明在接受采访时对此现象的回应称"我觉得我的图像能够博大家一乐，也挺不错"①。《新周刊》认为恶搞"以国外的 Kuso 文化作为内核，在融合了本土的无厘头精神后，利用戏仿、变造和拼贴等手法以达到取乐的目的，其最大的价

---

① 佚名：《姚明亮相演说节目说公益：陪伴是最重要的慈善》，2016 年 7 月 18 日，http://csgy.rmzxb.com.cn/c/2016-07-18/924403.shtml。

值在于将无意义的行为变成了有意义的创意发表活动"①。网络语言往往通过对名人或流行文化元素进行重新拼贴后使用，既借用符号意义，同时又是一种去情境化的再造。原初的形象、含义被去掉，植入新的含义，这甚至成为一种开放式的创作过程，可以不断进行意义修饰和叠加。互联网开放平台为年轻人提供了丰富的表达渠道，自嘲、戏谑、恶搞的语言既是反叛传统的个性表达，也在一定程度上成为对权威话语的抵抗。其产生动因，"从文化的角度来讲，源于以后现代主义为精神标签的当代中国文化表征"②，这种流行也反映出了多元、狂欢、草根崛起、权威消解、道德虚无等文化现状③。

　　戏谑是对传统、经典的解构，是一种双关语，表面上在说着一个意思，实际传递出另外的意义，用嘲笑、讽刺、挖苦的方式重新剪辑经典，传递出娱乐精神。戏谑不是对经典的否定和批判，更多地用来娱乐，用非严肃和正式的幽默语言传递彼此心头的会心一笑，使传播者和接受者达到一种心理默契，是一种情绪感染。Brown 等认为，讽刺的功能之一就是减少威胁。④Harris 等的研究也发现，戏谑性语言有助于削弱话语强度，使批评性语言变得不那么负面，同样褒奖性语言也不那么正面。⑤国外学者在对网民使用笑脸表情符号进行研究时发现，有 18% 的用法都是用来讽刺和戏谑的，戏谑是互联网文字传播中的普遍情绪色彩。⑥以戏谑情绪传播的网络语言在传播者和接受者之间建立起心照不宣的心理暗示，用掩盖情绪的戏谑语言表达观点。尽管不少网络语言表面看起来粗俗不堪，是人们线下社会交往中很少使用的词汇，但正是网络语言背后的娱乐色彩使极端语汇变得相对温和，用幽默和夸张进行

　　① 陈漠：《恶搞的生存路径》，《新周刊》2006 年第 17 期，第 34—35 页。

　　② 刘国强、袁光锋：《论网络流行语的生产机制——以"躲猫猫"事件为例》，《现代传播》2009 年第 5 期，第 56 页。

　　③ 杜骏飞、袁光锋：《选秀：庄严的嬉戏》，中山大学出版社 2008 年版，第 21 页。

　　④ Brown P, Levinson S, *Politeness: Some Universals in Language Usage* (Vol. 4), Cambridge: Cambridge University Press, 1987.

　　⑤ Harris M, Pexman P M, "Children's perceptions of the social functions of verbal irony", *Discourse Processes*, Vol.36, No.3, 2003, pp.147-165.

　　⑥ Veale T, Hao Y, "Making lexical ontologies functional and context-sensitive", *In Proceedings of the 46th Annual Meeting of the Association of Computational Linguistics*, Prague, 2007.

批判、指责，用褒扬词汇进行挖苦、讽刺，使得原先的语言负面含义不再极端和强烈，在呼应语言表达的观点的同时，也削减了这种观点的力度。这样的表达方式看似不合逻辑，但饱含讽刺、挖苦、嘲笑的戏谑语言往往打破了人们的认知定势，产生了意想不到的效果。

第三节　网络语言情绪的生产方式

一、联想场的建立

联想本属于心理学范畴，指认知主体由一件事物想到另一件事物的思维活动。研究词汇的语言学家借用这一表达提出了联想场（associative field）的概念，"以某一概念为中心，联想到与其有关的其他概念，然后聚集在一起构成一个联想场"[①]。从语言学家韩礼德的观点来看，每个词语或者语言符号都处在一个联想场中，跟周围的其他符号发生纵向聚合或横向组合的关系。这些符号有的直接呈现在表达方式中，有的以隐性的方式发挥作用。"一些联想是以意义的相似为基础的，另一些联想是纯粹以形式为基础的，还有一些联想是既以意义为基础，又以形式为基础。"[②]近些年，从层出不穷的各种网络符号中可以明显地观察到联想场的这些特征。比如，非常流行的表情符号，以图形模拟身体语的方式进行形式上的类比，"楼主""沙发"等词汇以比喻的方式形容如"盖楼"般的论坛发帖中的不同位置。无论哪种方式的联想，都离不开联想场中符号之间的互动关系。这些符号好像被无形的绳索串联起来，牵一发而动全身，形成一个暗中包围的磁场环境。从心理学角度来看，联想是认知主体的思维活动，会引起认知主体的一系列记忆和情感活动，是人对符号的主观、能动的理解。联想过程是人的积极主动参与，但每个人的联想方式则不尽相同，亚里士多德就曾提出了相似联想、对比联想和

---

① 王文斌：《隐喻的认知构建与解读》，上海外语教育出版社 2007 年版，第 273 页。
② 李如龙、苏新春：《词汇学理论与实践》，商务印书馆 2001 年版，第 19 页。

临近联想。^①从信息传播的效果来看，无论哪种情感反馈，只要进行了联想，就会引发关注，在不知不觉中完成符号的传播。网络的出现给联想场提供了比以往更广阔的平台，更多的人参与到这种对符号的积极主动建构中，生产出比过去任何时代都要丰富的符号。

合理化联想的一个重要表现"是在个体与群体、部分与整体之间寻找共同点、建立相似性，进而营造一种身处集体的参与感和充实感"^②。当人们使用网络流行语"你懂的"来回答他人提出的问题时，并没有提供新增的有效信息，却构建了互动双方彼此的信息认知默契，表达了各群体间的"心照不宣"。"你懂的"的直接意指并不明确，却以缺场化在场的方式支配着人们丰富的联想。人们通过对这个符号含蓄意指的联想组成了互联网时代的"想象的共同体"，从而也掀起了这个流行语的网络热潮。

在使用语言符号时，人们通过合理化的联想寻找彼此的认同点，能够听得懂这些网络"行话"的人就有了一种无形的归属感，形成了一个默默存在的舆论场。发声的和不发声的网民都在构建着这个联想场，随着卷入其中的网民数量越来越多，联想场的边界范围和影响力也在不断扩大。在各种网络兴趣小组群体内，多有自己常用的词汇和语言，比如，早期聊天工具盛行时涌现出的表情符号、数字符号、谐音拟声符号，文艺青年偏爱的天涯、豆瓣、知乎、果壳网站，影视爱好者常聚的各种弹幕网、视频库，网络购物剁手党经常光顾的淘宝、京东等各类电商，以及可以吐槽和社交的博客、微博、朋友圈等都形成了各有特色的网络群组，穿梭在其中的网民用语言和行动表达着对这个群体的归属、认同和参与。一大批与正统语言显著不同的网络语言和符号不断产生，同时以此吸引着更多对网络向往的后继之人。今天，人们日常交谈中都少不了当下流行的网络用语，像"PK""补刀""回血""秒杀"这些词汇原本是游戏中的用语，是游戏玩家的身份标识，随着联想场的不断扩大，现在已经充满整个网络环境，成为最普通的大众词汇。从某种意义上讲，网络本身已经构成一个稀松而巨大的联想场，与传统的话语场拉开

---

① 宋洪英：《语言文化学视野下的定型研究》，河南大学出版社 2011 年版，第 113 页。
② 赵乐平、范明：《互联网群体传播中网络语言的社交属性研究》，《中国出版》2016年第 2 期，第 55 页。

距离，同时又保持着一定的互动关系。

然而，语言的联想也有非理性、极端化的一面，尤其是在情感的刺激下催生了网络符号的变异，有走向极端化发展的特征。甚至在一些突发事件的推动下，非理性的网络语言容易成为当前社会矛盾的放大器和助燃剂。2013年，在一张引发热议的网络照片中，一座楼房的顶层被搭建起两层违章建筑，同时还做了很多景观设计，俨然一个空中花园。新闻采写的聚焦点本是对违章建筑的揭露，然而一经报道，引发网民热议的点却不在这里，而是房屋所有人的身份。这种以群体压力的方式进行的联想，把情绪的极端化发展表现得淋漓尽致。

二、典型化叙事

"框架"这一概念由社会学家戈夫曼提出，指"人们用来解释外部客观世界的心理模式，人们使用框架来归纳、建构和解释各种现实生活经验，框架使我们能够确定、理解、归纳、指称事件和信息"[①]。新闻媒介中的信息传播实践离不开框架的影响。"媒介的框架就是选择的原则——刻意强调的、阐释的和呈现的符码。媒介生产者惯常使用这些来组织产品和话语……这一些框架成为大众媒介文本编码的一个重要制度化了的部分，而且可能在受众解码的形成中发挥关键作用。"[②]网络符号的诞生，虽然不像媒体一样是经过专业人士把关之后呈现的产物，但其背后依然存在着框架的影响，网民也是在一定的社会背景和文化制约下创作和使用语言符号，某些符号在大量网民群体中的流行，反映出一致的心理认知，无论是符号的发出者还是接收者都受到其内在框架的制约。

在"城里人真会玩"，"有钱就是任性"，"世界那么大，我想去看看"，"人丑就要多读书"等流行网络语言中，看似涉及的内容、表达的情感各不相同，但实际上都是在网络框架下诞生，隐藏着同样的逻辑线索和传播手段。

---

① Goffman E, *Frame Analysis*. Philadelphia: University of Pennsylvania Press, 1974, pp.10-11.

② 黄旦：《传者图像：新闻专业主义的建构与消解》，复旦大学出版社 2005 年版，第 231 页。

典型化叙事就是最常用的一个框架，网民通过对网络符号的创造和参与，在不断地建构并强化这个框架。

（一）体现二元对立认知模式的典型化叙事手段

列维-施特劳斯的神话理论揭示，深层结构的二元对立是符号力量的源泉，对立越是鲜明，人们的焦虑感就越强烈，调和矛盾的符号也就越有力量。因此，在戏剧表现中，塑造反面人物和先进典型变得一样重要，甚至可以说没有极端的反面人物就凸显不出极端的典型英雄。亚历山大指出，"从符号学意义上说，恶是善所必需的对照物；从叙事动力学意义上说，只有通过设置反面人物，戏剧的张力才得以展现；从仪式上说，正是恶的潜在污染性，使净化仪式在文化上成为必需"[①]。于是，通过典型化，对立双方的冲突越是激烈，受众的焦虑感和关注度就越高，神话也就越有力量。典型化叙事的成功之处不仅在于树立一个榜样，更在于打造榜样所处的二元对立结构，唯有在这个结构中榜样才能表现出极端化了的神圣性。网络符号是意义再生产的过程，从一个无人重视或毫不知晓的符号开始，通过联想与其他意义发生关联，然后在典型化叙事的影响下扩大传播效果。

在一些案例中，网络符号的流行过程中多次呈现出典型化的叙事结构，经典的英雄和反面人物多次发生了现实的转置，找到了现实的对应，具有了神话力量。

2019 年，一则"奔驰女主维权"的视频流行于网络。在这个典型化叙事中，第一次转置发生在消费者和经销商之间的二元对立冲突建构中。其中一方是新购汽车还未开出商家店铺就发现发动机漏油的西安女子，另一方是销售 60 多万元豪华奔驰车的当地 4S 店经销商。在这场矛盾冲突中，当事双方的身份角色符合人们的一般社会认知，即作为消费者的个体居于弱势地位，经销商处于强势地位。在该事件中，双方的"强—弱"对比通过叙事细节得到进一步放大。西安女子通过坐在车顶哭泣的非理性方式凸显自身的无助和弱小，而经销商对刚卖出的新车不同意退款或提供换车服务，更显其霸道一

---

① Alexander J C, *The Meaning of Social Life: A Cultural Sociology*. New York: Oxford University Press, 2003, p.110.

面。这种极端的二元对立地位呈现出典型化叙事结构，从而快速引发网民关注。在随后的传播中，第二次转置出现，多数网民站在西安女子一边，人们以共情代入的方式，给予弱势一方情感上的支持。这种支持源自社会普遍存在的结构化矛盾。在消费纠纷中，消费者长期居于下风，无法通过协商、投诉甚至法律途径维护自己的正当权益。然而，在该事件的网络传播过程中，产生了网民和事件弱势方的情感共振，使消费维权难具有了广泛普遍性，从而增强了弱势一方的抗争力量。在舆论力量的影响下，工商、质监和物价等第三方介入后，女车主与 4S 店签订了和解协议，接受奔驰方面的道歉和换新车等服务。典型化叙事在两次与现实事件的转置中，将二元对立的冲突扩散至更广泛的网民群体，通过符号的相似性联想建立起叙事的普遍性，进一步凝聚起集体的认同，从而引发强大的传播效果。

典型化叙事和结构性冲突塑造了一些悲剧英雄形象，而情感代入又使悲情成为弱势群体普遍化的体验，最终引发了网民的同情和声援。同时，典型化遮蔽了中间的共性细节，使得复杂的事件的各因素被符号化为相对简单、封闭的二元对立结构。

（二）典型化叙事常出现刻板印象

典型化叙事在突出二元对立的同时，也在强化二元双方的刻板印象。悲情人物必须是底层的、可怜的、无助的，恶霸势力则一定是强权的、蛮横的和咄咄逼人的。"在日常语境中，一看到有'官员自杀'就想到'畏罪'和'掩盖'，一看到'临时工'就想到替罪羊"①，此类符号在完成一次次的联想过程，同时也反映出非理性想象在公共舆论中的累加效应，从而造就了人们对此类事件或符号的负面刻板印象。

网络文化，尤其是娱乐文化盛行的网络环境中另一个明显的刻板印象就是对容貌的要求，年轻男艺人必须是"小鲜肉"，女性成功不是靠容颜就是"人丑就要多读书"。这些标签既是由于特定事件产生的后果，同时也具有社会放大和流通作用，社会情绪的不断酝酿和催化，进一步加深了人们对这种

---

① 赵乐平、范明：《互联网群体传播中网络语言的社交属性研究》，《中国出版》2016年第 2 期，第 56 页。

标签的刻板印象。联想总是倾向"最有冲突性和刺激性的符号"，甚至形成了某种条件反射。于是，在负面联想的作用下，一个模糊的网络符号很容易被置换，转而强化名人、富商及其二代等传统强势群体的负面的刻板印象，形成高度简单化的先入为主的惯性思维，最终强化了社会内在的结构性冲突。

三、借助多种修辞手法渲染情绪

夸张、戏谑、幽默、讽刺等是网络语言常用的修辞手法。有时通过夸大的细节和浮夸的表达方式来表达情感，增强效果。2014 年，巴西世界杯赛期间，部分球迷重金购买赌博彩票，后遭遇冷门比赛结果，需要大额赔付，于是"上天台"一词流行开来，喻指球迷们"活不下去了，想要上天台跳楼"的绝望心情。当这个流行语从最初的少数球迷群体快速扩散到更大范围的网络用户中时，人们只是借用这种夸张表达进行调侃，表达自己对于现实生活的不满和失望之情，并不意味着会做出跳楼这种过激行为。类似的还有"感觉不会再爱了"，表示内心的郁闷和抱怨。

情绪化表征是网络语言创作的内生动力，当现实生活与既有预期出现明显落差时，个体极易产生情绪"异化"，同时受制于"情绪管理"，人们会选择通过网络语言来进行情绪发泄和引导，由此产生一系列无奈而幽默的反讽表达。对于风靡 2014 年的网络语言"有钱任性"，使用者以自嘲的方式表达了对于物质需求无法得到充分满足的无奈。这种幽默反讽的表达方法可以在排解情绪、调节个体情绪"异化"的同时，引发群体间的情感共鸣。

此类作用于情感细节的修辞手法使网络语言用词巧妙而醒目，将原有情感通过一种更直接有力的方式进行表达，说明在网络语言的使用过程中，使用者的情绪诉求远高于词意准确，使用者并非在使用最准确的表达方式来陈述事实，而是使用最能凸显情感的词语来传达情绪，在这一使用诉求下，这种略显浮夸的网络语言可以更好地强化情绪的传播。

不同于上述修辞使用的相对直白的情绪表达，网络语言亦可采用暗喻的方式赋予某一特定事物他意，隐晦地表达情感，完成符号的赋义与解码。在严打贪腐的环境下，"打老虎"一词在网络传播中暗喻"打击贪官"，用词生动形象，并可与《水浒传》中"武松打恶虎"的形象联系起来，传递出公众对于"严惩贪腐"的赞扬。

网络所传递的情感是多元的，但有一些情感受制于某些因素，并不适合直白地进行传播，这种隐晦、暗喻的情绪化影射可以在约束框架内实现情绪的传导，将原有矛盾隐性化的处理方式也可以避免过激的言行出现。隐晦的表达方式能促进人们探究事情的心理需求，一种心照不宣的心理作用和暗示拉近了人们彼此的情感距离。

第四节　网络语言情绪的社会传播

随着互联网技术在媒介领域的应用和发展，在网络上晒心情、求安慰、盼支持成了人们的日常生活行为之一。然而，网络传播手段的丰富则促进了人与人之间的情绪分享和互动，"导致情绪逐渐由私人领域走向公共领域，使个体情绪负载的社会信息也日益明确地彰显出来。有学者甚至认为，当今西方社会正在进入一个被称为'后情绪（post-emotion）社会'的发展时期"[1]。后情绪社会是一个情绪过剩的社会，大规模生产的、不真实的情绪正重新定义着我们的世界，人类在情绪洪流中无路可逃。[2]虽然这种说法不一定准确，但不可否认的事实是，情绪在我们生活中的重要性日益显现。

20 世纪 80 年代兴起的情绪社会建构论认为，情绪是一种由社会创造、个人扮演的社会角色。虽然情绪角色建立在一种或多种生物性行为的基础之上，但情绪的意义却是社会建构的结果，文化和语言是重要的建构力量。[3]网络语言作为人类在互联网时代创造的交流符号，"虽然主要在虚拟空间传播，却是人们对现实社会关注和情绪表达的产物"[4]，带有明显的情绪特征。随着

---

① 尹弘飚：《情绪的社会学解读》，《当代教育与文化》2013 年第 4 期，第 113 页。

② Mestrovic G S, *Postemotional Society*, London: Sage, 1997, pp. xi-xvi.

③ Averill J R, "A constructivist view of emotion", In Plutchik R, Kellerman H（Eds.), *Emotion: Theory, Research and Experience*, New York: Academic Press,1980, pp.305-339.

④ 王仕勇：《我国网络流行语折射的社会心理分析》，《探索》2016 年第 6 期，第 172 页。

网络语言基于模因原理在交际中不断被模仿、复制、传播，其所蕴含的个体情绪也随之在社会网络中扩散、弥漫，甚至实现了从个体情绪到社会情绪的质变。网络语言所具有的情绪表达和模因传播双重特征，使其在推动个体情绪社会化传播方面有着重要作用。

一、社会文化建构个体情绪

与传统心理学认为情绪是个体内部的心理状态、其反应取决于生理机制不同，社会建构论将情绪等心理现象置于社会关系中来考察，认为情绪是人际互动的产物，其产生、表达和传播深受社会文化的影响。

（一）情绪的社会建构论

20 世纪下半叶，心理学领域逐渐掀起第二次认知革命，质疑第一次认知革命中诞生的认知心理学，推动了心理学社会建构论的兴起。传统认知心理学认为，在人的大脑中先验性地存在一个类似于计算机的认知机制，负责处理外来信息并指导人们的外显行为。然而，在第二次认知革命中，"认知过程被看作是人使用语言和话语的结果，而语言和话语是社会性的，是人际交流的产物，因此认知过程在其根本意义上是公开的、社会性的"[①]。基于这一基本认识，社会建构论逐渐兴起。

情绪作为基本的心理现象之一，也深深地打上了社会建构的烙印。1986年，英国心理学家罗姆·哈勒编著的《情绪的社会建构》一书出版，从社会文化角度来阐释情绪的特征、社会功能等，奠定了情绪社会建构论的基础。事实上，社会建构论并不否认情绪的生理属性，其重点在于强调情绪的认知功能和文化特征，主张将情绪置于多样的社会文化背景下来理解和考察，认为情绪是人际交往中话语建构的产物，不能脱离其所经历、体验和表达的社会文化意义而存在。社会文化中约定俗成的道德秩序和语言规则很大程度上影响着交往主体的情绪感知、体验和表达。由于文化的多样性和历史性，情

---

① 叶浩生：《第二次认知革命与社会建构论的产生》，《心理科学进展》2003 年第 11期，第 103 页。

绪的内涵和表达也丰富多样：在一种文化里被鼓励的情绪可能在另一种文化里被隐藏，在一段时期内被关注的情绪可能会随着社会环境、文化规则的变迁而变化。

社会建构论立足于情绪的社会性，强调社会文化对于情绪形成、表达和传播的影响，即所谓的建构。事实上，这种建构是双向的，情绪反过来也建构着社会文化。根据多伊尔·麦卡锡的观点，情绪是一种社会客体。社会客体具有行为对象和表意符号的双重身份：作为行为对象，它是行为作用的客体；作为表意符号，它能"做出陈述"以维护行为的合法性。情绪也具有这种双重功能，不仅是精心的社会仪式和实践的作用对象，而且能够作为符号指示我们是谁，指示我们处理自我认同的其他事物。这种双重身份使得情绪从个体角度来看具有认知功能，能帮助人们认知自我、评价环境从而指导行为。从宏观层面上来说，作为社会价值观内化载体的情绪具有指示社会的宗教、政治、道德、美学、社会实践等文化体系的作用，它的表达和使用也必将支持和维护这一整套社会文化系统。当一个人出现违背道德规则或者社会团体价值规范的行为时，社会群体会表现出愤怒、怨恨等情绪，迫使当事人感到愧疚、悔恨，从而使其约束自己的行为以避免被群体孤立；当一个人的行为符合主流社会文化观念时，社会群体往往会表现出赞赏态度，以正面情绪鼓励这一行为。通过谴责道德失范行为、鼓励道德合范行为等方式，情绪事实上起着社会控制的作用，以维护某一社会或社团的文化价值体系。[①]在这一过程中，情绪也进一步塑造着社会文化，巩固了某一社会的价值体系和文化观念在社会生活中的地位。

（二）语言是建构情绪的重要手段

情绪的社会建构论强调社会文化对于情绪建构的影响。文化是一个宏观而宽泛的概念，按照文化研究学派代表人物雷蒙德·威廉姆斯的理解，文化主要是一种表意系统。"'文化实践'（cultural practice）和'文化产品'……

---

① Claire A J, "The social functions of emotion", In Harre R(Ed.), *The Social Construction of Emotions*, New York: Blackwell, 1986, p.57.

不是简单地由社会秩序构成，而本身是社会构成的重要元素……它将文化视为能够交流、再生产、体验和发现一种社会秩序而必要的表意系统。"①作为人类特有的交流传播手段，语言可谓是最高级的表意形式，在情绪认知、表达等建构过程中有着重要作用。罗姆·哈勒甚至直言情绪是"某一文化中行之有效的语言游戏"②。从某种程度上来说，社会文化对情绪的建构，实质上是通过将意义内隐于语言来完成的。由于语言的使用与交流情境、社会环境、道德规则、情绪感知等密切相关，罗姆·哈勒主张，情绪研究"第一优先点应当放在语言研究上"③。

语言在表意方面的独特优势，赋予其显著的认知功能，是人们理解和评价情绪等内在心理状态的先验工具。美国心理学家莉萨·巴雷特发现了情绪研究所面临的矛盾——人们相信情绪是可感知的具体事件，但科学家却难以发明一套指明情绪何时出现和消失的清晰标准。因此，她主张将情绪体验视为一种范畴化行为，人们只有在将某一情感事件概念化以后才能体验到情绪。这种体验由个体的具体情绪知识所指导，而情绪知识通过语言进行传播和传承。④人们在运用语言描述和表达情绪时，能够建立起情绪表征与相关概念之间的对应关系，形成一套包含情绪知识的概念解释框架，从而指导人们的情绪体验行为。因此，从某种程度上来说，语言驱动了人们的情绪行为和体验。

与传统心理学认为语言是客观、中性的工具不同，社会建构论站在文化研究的角度认为，"语言的意义不是固定的，是随着社会文化历史的变化而变化的"⑤，我们不能脱离语言的时代背景、不能超越社会文化规定的范畴来

① Williams R, *The Sociology of Culture*, Chicago:The University of Chicago Press, 1995, pp.12-13.

② Rom H, "An outline of the social constructionist viewpoint", In Harre R(Ed.), *The Social Construction of Emotions*, New York: Blackwell, 1986, p.13.

③ Rom H, "An outline of the social constructionist viewpoint", In Harre R(Ed.), *The Social Construction of Emotions*, New York: Blackwell, 1986, p.12.

④ Barrett L S, "Solving the emotion paradox:Categorization and the experience of emotion", *Personality and Social Psychology Review*, Vol.10, No.1, 2006, pp.20-46.

⑤ 叶浩生：《第二次认知革命与社会建构论的产生》，《心理科学进展》2003 年第 11 期，第 104 页。

使用语言。社会建构论者借鉴福柯的观点，认为语言以一定的结构化方式形成话语影响人们的认知，人际交往中的情绪活动事实上是一种话语实践。由此，情绪成了话语操作的产物，不再是单独个体的内部心理状态，而是指示一系列社会关系、文化观念的对象。

二、个体情绪社会化传播的路径

社会建构论的显著特点是将情绪置于人际交流中来考察，这一过程既是情绪从私密心理感受被建构注入社会性的过程，也是情绪从个体扩展到他人的传播过程。心理学研究者将人们的情绪传播行为称为情绪社会分享。情绪社会分享具有普遍性、反复性和多次传播等特性[①]，这充分说明了个体情绪在一定条件下经过人际分享、传播扩散成为较大群体内社会情绪的可能性。

（一）情绪的链式传播效应

任何信息一旦进入传播渠道，便不再受信息源的控制，情绪的社会分享也不例外。法国心理学者克里斯托夫·韦罗妮克和伯纳德·里梅发现，情绪在社会分享过程中能产生一种情绪诱导效应，促使聆听者进一步向他人分享其所知晓的情绪事件，形成情绪的链式传播，这一过程被称为情绪的再次社会分享。[②]进一步的研究表明，情绪再次社会分享是一个无关性别、年龄等人口差异的普遍现象。无论是积极情绪还是消极情绪都能引发再次分享行为。不过，消极情绪比积极情绪更能激发人们的分享欲望。相应地，情绪激烈程度越高，再次分享意愿也越强烈。[③]同时，出于寻求情感支持和社会

---

① 孙俊才：《情绪的文化塑造与社会建构：情绪社会分离视角》，上海师范大学博士学位论文，2008 年，第 27—28 页。

② Veronique C, Rimé B, "Exposure to the social sharing of emotion: Emotional impact, listener responses and secondary social sharing", *European Journal of Social Psychology*, Vol.27, No.1, 1997, pp.37-54.

③ Curci A, Bellelli G, "Cognitive and social consequences of exposure to emotional narratives: Two studies on secondary social sharing of emotions", *Cognition and Emotion*, Vol.18, No.7, 2004, pp.881-900.

同情的需要，人们更容易大肆分享高度负面的情绪。[①]这就不难理解为什么"好事不出门，坏事传千里"，也能解释为什么负面事件更容易激发社会公众的情绪参与。

情绪的再次社会分享并不是说情绪在传播过程中只被分享两次。事实上，某一个体的情绪一旦被分享出来，进入人际传播渠道，就可能沿着人们的社会关系网络快速蔓延和传递。因此，有学者提出，关于情绪再次社会分享的进一步研究"应当聚焦于网络组织结构分析，考虑网络中成员的相关地位对于增进情绪体验社会分享的作用"[②]。肯特·D. 哈伯和多夫·J. 科恩将情绪通过多次社会分享沿着人际网络梯级传播的过程概括为情绪传播理论[③]，初步勾勒了个体情绪社会化传播的路径方向。

虽然研究者意识到了社会关系网络在情绪社会分享过程中的作用，但情绪是如何沿着社会网络传播的呢？社会网络中的哪些因素会影响情绪社会分享行为？美国社会学家柯林斯结合社会学理论传统，提出了情感传播[④]的互动仪式链（interaction ritual chain）理论，一定程度上回答了上述问题。柯林斯认为，"互动仪式链"是社会结构的基础，人与人之间在微观层面通过具体情境中的人际互动结成人际关联。这种人际关联随着互动在时间和空间方面不断延展，由此形成了如同一个长的互动仪式链般的宏观社会结构。互动仪式得以成立，所依赖的核心机制是高度的相互关注（mutual focus）和高度的情感连带（emotional entrainment）。在互动仪式中，人们关注共同的对象，分享共同的情绪或情感体验，从而形成群体符号、加强群体团结，而参与其中的个体则会获得情感能量（emotional energy）。情感能量是"一

---

① Christophe V, Delelis G, Antoine P, et al. "Motives for secondary social sharing of emotions", *Psychological Reports*, Vol.103, No.1, 2008, pp.11-22.

② Curci A, Bellelli G, "Cognitive and social consequences of exposure to emotional narratives: Two studies on secondary social sharing of emotions", *Cognition and Emotion*, Vol.18, No.7, 2004, p.897.

③ Harber K D, Cohen D J, "The emotional broadcaster theory of social sharing", *Journal of Language and Social Psychology*, Vol.24, No.4, 2005, pp.382-400.

④ 心理学中的 emotion 常译为"情绪"，而社会学中的 emotion 常译为"情感"。本书遵照各学科翻译传统，在引用社会学理论时采用"情感"表述。

种采取行动时自信、兴高采烈、有力量、满腔热忱与主动进取的感觉"①。与人们在互动仪式中投入和分享的短暂情绪体验不同,情感能量作为互动仪式的产出结果是一种长期的较为稳定的积极情感,比如,对群体的信任和依恋感是人们追求的对象。因此,互动仪式实际上是一个情感变压器(emotion transformer),能够将投入其中的个体情绪转换、凝聚为一种集体的积极情感。

与文化、符号等其他资源一样,情感能量是社会网络中一种重要的社会资本,是人们追求互动的驱动力之一。柯林斯进而提出了"互动仪式市场"的概念,认为个体参与互动仪式是一种理性的市场行为,人们基于所具有的际遇机会和拥有的情感能量及文化、符号资本等资源,趋向于参与能够获得最高情感能量回报的互动仪式。于是,情感能量成为人们共同的行动标准,"决定着在可选择的行动方向与完全不同的行为场所中如何做出选择……个体将其时间分配于各种活动中",试图获得总体情感能量流的最大化。②也就是说,人们在进行情绪分享、情感互动时,不会随意选择倾诉对象,而是会在综合考虑互动的成本和情感收益后做出最有利的选择。

在可能的情况下,与情感能量较高的人进行仪式互动和情感交流是一个不错的选择。柯林斯认为,由于自身资源的差异性,情感能量在社会网络中不是平均分布的。一般来说,各个领域的成功人士通常具有较高的情感能量,柯林斯称之为"能量明星"。他们和美国传播学家保罗·拉扎斯菲尔德发现的"意见领袖"一样具有强大的影响力,不仅"具有能量去控制他们与他人发生际遇的情境",还能对情感能量较低的人产生较大影响,从而影响互动仪式的效果和情感能量的流动。情感能量较高的人"拥有引发新的情感刺激和鼓舞他人的热情",并且"能够努力重新集合群体,或聚合一个新的群体"③,因此与能量明星互动能够推动互动仪式的进一步延续,单一的互动

---

① [美]兰德尔·柯林斯:《互动仪式链》,林聚任、王鹏、宋丽君译,商务印书馆 2012 年版,第 80 页。

② [美]兰德尔·柯林斯:《互动仪式链》,林聚任、王鹏、宋丽君译,商务印书馆 2012 年版,第 208 页。

③ [美]兰德尔·柯林斯:《互动仪式链》,林聚任、王鹏、宋丽君译,商务印书馆 2012 年版,第 210 页。

仪式由此变成了互动仪式链,最初的互动仪式中的个体情绪也就得以沿着仪式链在社会网络中传播。

（二）互联网群体传播时代的情绪传播路径

由于传播条件的限制,人类在很长一段时间内的社会活动被限制在较小的物理范围,社会关系网络也相对简单,大多局限于具有亲密关系的人际圈层。柯林斯强调"亲身参与的在场性"是互动仪式发生的重要条件,虽然不是特指参与者之间必须是相互认识的亲密关系,实际上也大大限制了情感在社会网络中的传播范围。这使得以往的情绪社会分享研究在考察社会关系网络因素时,往往局限于人际交往领域。例如,里梅等发现,几乎所有年龄段的情绪社会分享都发生在家人、朋友等关系亲密的人际网络中,而很少发生在不认识的人之间,手机等现代传播技术只是加快了人们的情绪分享行为,并没有改变情绪分享的对象。[①]

亲朋好友等亲密人际圈子内的交往具有交往时间多、情感力量强、亲密程度高、互惠性强等特征,在美国社会学家马克·格兰诺维特看来,其属于社会网络中的强关系（strong ties）。与之相对应,社会网络中还广泛存在着一些联系松散、不那么亲密的弱关系（weak ties）。强关系具有同质性,通常发生在群体内部,具有增强群体凝聚力的作用;弱关系具有异质性,通常发生在群体之间,像桥一样能够连接群体、促进传播链条的延伸。[②]也就是说,弱关系具有扩张性,能够跨越社会距离,通过联结亲密的小群体将众多素不相识的人织成一张更大的社会网,整个社会便呈现出微观的强关系和宏观的弱关系结构。在此基础上,美国华裔社会学家林南提出,社会关系网络中嵌入着财富、权力、声望等社会资源,一个人能在多大程度上利用社会关系,获取何种质量和数量的社会资源来达成目的,与他在社会网络中的位置密切

---

① Rimé B, Corsini S, Herbette G, "Emotion, verbal expression and the social sharing of emotion", In Fussell S R (Ed.), *The Verbal Communication of Emotions: Interdisciplinary Perspectives*, New Jersey: Lawrence Erlbaum Associates, Inc., 2002, pp.185-208.

② Granovetter M S, "The strength of weak ties: A network theory revisited", *The American Journal of Sociology*, Vol.78, No.6, 1973, pp.1360-1380.

相关。"一个行动者通过她或他的社会网络连接的资源代表了自我资源的全集。"①换句话说,一个人的能量不仅来源于他自身的资源,还包括他认识谁,能连接多大的社会网络。互联网技术背景下群体传播的活跃,使得微观强关系、宏观弱关系的社会结构特征更加凸显,个人更容易扩张其社会网络并获取社会资源。

所谓群体传播,"是指非组织群体内成员与成员之间自发的、非制度化的传播活动。其最大的特点是群体成员自发集聚,彼此之间互不相识"②。作为人类社会传播活动的基本形态之一,群体传播早已存在,但互联网技术下传播手段的不断丰富,打破了长期以来物理空间对群体传播的限制,使得这种传播形态在无限广阔的网络虚拟空间中广泛流行。互联网是集人际传播、大众传播、群体传播、组织传播等所有社会传播形态于一体的超级传播系统。其中,群体传播作为普通人接近和使用媒介的表现,正在日益强烈地影响着社会传播结构和行为方式。这成为互联网时代区别于大众传播时代的显著特征,因此可以说群体传播是互联网传播的本质属性。随着新媒介技术下群体传播越来越活跃,人类社会已经进入"人人都能发声,传播无处不在"的群体传播时代。③根据格兰诺维特的定义,群体传播的主体之间在互动时间、情感强度、亲密程度、互惠性等四个维度的水平都比较低,属于典型的弱关系。互联网群体传播的活跃,使得人与人之间的弱关系更加容易建立,个人的社会网络更容易扩张,无形中提高了人们获取自身之外的社会资源的能力。

另外,网络群体传播的流行也使得情绪传播的条件发生了重大变化。即使人们不在同一场所,也能通过网络群体传播进行情感仪式互动。也就是说,互动仪式不必非得要求同一物理空间的"身体集聚"。柯林斯辩解称共同在

---

① [美]林南:《社会资本——关于社会结构与行动的理论》,张磊译,上海人民出版社2005年版,第43页。

② 隋岩、李燕:《从谣言、流言的扩散机制看传播的风险》,《新闻大学》2012年第1期,第74页。

③ 隋岩、曹飞:《论群体传播时代的莅临》,《北京大学学报(哲学社会科学版)》2012年第5期,第139—147页。

场的亲身参与不是仪式的核心要素，只是更容易促进仪式成功；通过电视、网络等远程交流也能形成一定程度的关注和情感连带，只不过仪式效果会比较弱。但互联网群体传播时代的情感互动实践表明，柯林斯的坚持已经过时，网络"远程交流"下的互动仪式也能取得良好效果。

　　2015 年，国庆期间发生的"青岛大虾案"是个体情绪借助网络群体传播建立的弱关系网络进行社会化传播的典型案例。2015 年 10 月 4 日晚，一名普通网友用刚刚注册的、未经认证的无名账号在新浪微博爆料，其在青岛旅游期间点菜时，38 元一份的大虾结账时按 38 元一只收费。次日，媒体账号@青岛交通广播 FM897 将其编辑成微博新闻发布，迅速引起网友和其他媒体的关注，成为社会热点话题，仅该微博就被转发了 5600 多次、评论 3000 多条。运用社会网络分析方法厘清这些转发之间的关系，可以直观展现当事人的不满是如何通过社会网络中的"情感互动"引发社会共鸣的（图 4-1）。

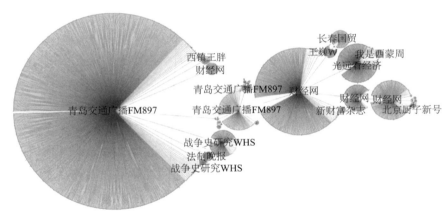

图 4-1　"青岛大虾案"个体情绪社会化传播路径图

　　据统计，@青岛交通广播 FM897 关于青岛大虾事件的最初报道在一周内被 3261 个主体转发，其中媒体 22 个，大 V 220 个，普通用户 3012 个，其他机构 7 个。[①]这些主体因对当事人遭遇的情绪事件的共同关注和情感连带而通过暂时的弱关系连接形成虚拟在场的群体，群体成员站在各自的立场对该

---

① 此处数据为本书作者运用网络工具采集数据自行统计出来的。

事件进行评价和解读，形成了一场网络情绪互动仪式。当事人的个体情绪在互动中得到普遍理解，进而被整合为集体体验，推动问题最终解决、集体情绪得以平复。那些粉丝数量较多的主体（媒体、大 V）拥有较高的情感能量，具有更大的影响力，在图 4-1 中呈现出更大的圆圈，其社会网络对情绪的传播和整合起到了重要作用。

由此可见，互联网时代的个体情绪分享与传播有着鲜明的特色。网络群体传播的活跃，打破了情感互动仪式对物理空间身体集聚的要求，也使人们与现实生活中无法接触的主体尤其是高情感能量主体建立弱关系网络有了可能，使得人们可以在虚拟空间内结成更大范围的群体。当个体情绪被分享出来以后，人们出于情感支持等原因参与分享行为，在网络空间形成情感互动仪式。个体情绪借助以网络群体传播形式建立的弱关系网络得以快速传播，不仅极大地扩展了传播范围，而且在情感互动仪式这个变压器的作用下变成了较为稳定的集体情感，从而以社会舆论的形式推动相关部门解决问题、平复社会情绪。在这个过程中，互联网群体传播为人们建立和扩展个人社会网络提供了可能，因而是个体情绪社会化传播的重要推手。

三、网络语言推动个体情绪社会化传播

网络语言是网络环境下出现的特殊语言形态。广义的网络语言包括计算机编程语言、网络术语（如"点击""在线""链接"等）和网民交流用语三类，狭义的网络语言特指第三类。①本书关注的为狭义的网络语言，即网民在网络空间中交流时所创造和使用的文字、图像、表情包等表意符号，往往以网络群体传播方式广为流传，成为网民之间的"行话"。作为对人们现实关注和情绪表达的映射，网络语言在建构情绪的同时，也推动着情绪的社会化传播。

（一）网络语言的情绪特征：双重情绪基因

社会建构论认为，语言对于情绪形塑有着重要作用。事实上，语言不仅

---

① 俞香顺：《传媒·语言·社会》，新华出版社 2005 年版，第 120 页。

是认知情绪的手段，也是表达情绪的载体。不止"高兴""生气""快乐""悲伤"等词汇能表达情绪，几乎人们交流所使用的所有语言都或多或少、或轻或重地带有情绪印记。语言在传递信息的同时，也或公开或隐约地表达着情绪。词性的褒贬之分正是语言具有情绪功能的充分体现。作为互联网文化下的特殊表意符号，网络语言的情绪层次更为丰富，通常具有表层和深层双重情绪基因。表层情绪与深层情绪指向不同又相互交织，形成了网络语言独特的情绪表达机制。

根据不同的标准，网络语言可以分成不同的类型。按照构成方式，网络语言主要有谐音、缩略、数字、旧词新解、表情符号、表情包、网络段子等；根据社会功能，网络语言可分为纯娱乐、自我个性表达和时事评论等类型[①]；从生成来源来看，方言、外来词汇、影视文学作品、网民个性创造、公共新闻事件等是主要的网络语言土壤。[②]相较于日常交流语言，网络语言的一大显著特征是含有游戏性、娱乐性的情绪底色。同样的意思，用网络语言表达通常会显得比传统语言更为时尚、有趣。例如，网民通常把"胖"写作"月半"，后者不仅形象生动，而且自带幽默属性。可以说，无论什么来源、功能和形式的网络语言，无论它们的深层情绪是什么，首先都体现了网民的创造力，显示出风趣幽默、善于找乐甚至苦中作乐的生活态度，拥有娱乐、戏谑的表层情绪。这正是网络语言日渐从虚拟空间走向现实空间的重要原因。

在"嬉皮笑脸"的外表之下，网络语言还有着"一本正经"的内心，具有内涵丰富的深层情绪。例如，"青岛大虾"表达了人们对于旅游乱象的愤怒，对"做头发""时间管理大师"的调侃反映出人们对于演艺明星私德有亏的不满，而以"自干五（自带干粮的五毛）"自居则体现出人们对于中国发展道路的自信、对社会主义核心价值观的认同。这种深层情绪实质上是人们对于社会现实的道德判断和情绪评价。无论是嘲讽、抱怨还是赞美、骄傲，

---

① 孙秋云、王戈：《大众文化视野下的"网络流行语"》，《湖北社会科学》2012 年第 11 期，第 120 页。

② 陈绍富：《基于新闻事件的网络流行语研究》，重庆工商大学硕士学位论文，2011 年，第 12 页。

都是他们对赖以生存的社会文化价值体系的维护，显示出社会控制的功能。因此，深层情绪才是网络语言的意指所在，表层情绪常常扮演着面具角色，以精致的面孔吸引人们的注意，促进深层情绪的传播。在表层情绪的掩护下，深层情绪伴随着网络语言的群体传播而四处蔓延，由此实现网络语言的真正意图。

（二）网络语言的传播机制：群体传播驱动模因复制

网络语言情绪能量的发挥，需要以网络语言的大规模传播、使用为前提。基于新达尔文进化论观点解释文化进化规律的模因论认为，人类社会存在像基因一样的文化传递的复制因子——模因，能够通过模仿进行自我复制并像病毒一般传播。[①]作为社会文化传承的重要手段，"语言本身就是一种模因，模因也寓于语言之中"[②]。语言本身的运用促成了模因的复制和传播，这一过程反过来也说明了语言的流传原理，即语言是通过其使用者（宿主）的模仿、复制而得到传播和保存的。

弗朗西斯·海利根认为，模因复制要先后经历同化（assimilation）、记忆（retention）、表达（expression）和传输（transmission）四个阶段，这四个阶段周而复始循环，构成了模因的生命周期。每个阶段都存在选择，意味着某些模因会被淘汰。[③]语言模因的传播也不例外。由于激烈的生存竞争，语言模因形成了强势和弱势之分，只有强势模因才能得到广泛的复制。[④]

能否成为强势模因，首先取决于模因自身的特质是否具有竞争力。网络语言作为互联网时代根据人类交流需要而发展起来的反映社会现实的语言形态，有着鲜明的个性特征，在模因复制的四个阶段都有着独特的优势，

---

① 何自然、何雪林：《模因论与社会语用》，《现代外语（季刊）》2003 年第 2 期，第 201 页。

② 谢朝群、何自然：《语言模因说略》，《现代外语（季刊）》2007 年第 1 期，第 31 页。

③ Heylighen F, "What makes a meme successful? Selection criteria for cultural evolution", *Proceedings of the 15th International Congress on Cybernetics*. Association Internat. de Cybernétique, Namur, 1999, pp.418-423.

④ 何自然：《语言模因及其修辞效应》，《外语学刊》2008 年第 1 期，第 69 页。

容易成为强势模因而得到广泛传播。相对于传统语言，网络语言往往形式新颖、言简意赅，还常常形象风趣，具有很强的感染力，容易引起人们的注意进而被理解、接受，从而被纳入人们的认知体系，完成同化和记忆过程。同时，网络语言的形式丰富多样，文字、符号、图片、表情包等都可以成为网络语言的形式载体，其间各种要素的组合又形成了丰富多样的网络语言文化，如段子接力、表情包大战等。这使得网络语言天生具有极强的表达力，容易被人们接受和使用。同时，相比传统的书面文字和口头语言，网络语言尤其是符号、图片、表情包类的网络语言被用于人际交流后，常常能够被收藏、保存以便后续使用，从而容易实现语言模因在人际网络中的传输。

从外部因素来看，能否激活大规模的群体传播是决定语言模因是否强势的重要条件。群体传播越活跃，语言模因的传播速度越快、范围越广，其"强势"属性也就越明显。当然，如果模因自身非常有竞争力，容易引发群体传播，就更容易成为强势模因。互联网让人与人之间的弱关系网络更容易建立，群体传播更便捷，这就为模因复制创造了条件。甚至一些原本比较普通的语言，利用群体传播无管理主体、可操控性的特征，通过人为促成大规模的群体传播，最终成为强势模因而得到广泛流传，例如，以"贾君鹏，你妈喊你回家吃饭"为代表的由网络营销而来的网络语言。由于能够触发大规模的网络群体传播甚至形成具有破坏力的网络群体事件，社会公共事件近年来已经成为网络语言滋生和流行的温床。

因此，相对于传统的交流语言，网络语言的自身特性和群体传播机制使其更容易以模因的形式被同化、记忆、表达、传输从而被复制、传播。一些网络语言甚至还走出了网络传播领域进入现实交流空间，从非正式的网络群体传播形态登堂入室，进入正式的大众传播渠道，完成了从"社会方言"到"主流语言"的蜕变。伴随着网络语言在生命周期内被模仿、复制、传播，其所蕴含的情绪也随之传播开来。

（三）网络语言对个体情绪社会化传播的作用

网络语言尤其是来源于社会公共事件的网络语言，带有鲜明的情绪特征。其根据模因原理进行群体传播，不仅能够反映社会现象，还能让网民的情感得到传递和释放。①从这个意义上说，网络语言的流行过程，也是其所承载的双重情绪突破个体范畴，在人际关系网络间进行社会化传播的过程。在这一过程中，网络语言的双重情绪基因通过群体互动发挥作用，从三个层面影响着个体情绪的社会化传播。

1. 凝合效应：促进情绪整合，形成社会舆论

社会建构论认为，情绪的社会分享和传播，一个重要目的便是"限制不受道德欢迎的行为或形成合宜的动机和意愿"②。因此，饱含道德判断的深层情绪是激发网络语言群体传播的重要动力。网络语言的大规模群体传播又反过来促进了深层情绪的传播与整合。

群体传播的作用不仅仅在于通过人际关系网络扩大个体情绪的传播范围，更重要的是，它具有柯林斯所言的情感变压器的功能，通过群体互动促进情绪理解（emotion understanding），最终实现个体情绪向集体情绪的转变。诺曼·K. 登青指出，情绪理解是某一个人进入另一人的经验领域，亲身体验与另一人同样或相似经历的主体间过程。情绪主体间性（emotional intersubjectivity）能够将两个或多个个体的情绪经验凝合成共享情绪体验，为人与人之间的情绪理解提供了可能。借助情绪知识和语言，人们不用亲身参与他人经历的情绪事件，通过语言分享就能理解他人的情绪。③正是通过人际互动中的情绪诠释和经验分享，所有参与者不断进行着情绪再造，从而让某个人的情绪变成参与者的共同体验，即柯林斯所言的情感能量。

经过社会化分享、群体互动仪式的变压之后，个体情绪被其他参与者获知并理解，实现了传播范围的量变和情绪性质的质变，凝合成一种集体性的社会情绪。这种社会情绪能够产生强大的群体压力，在维护社会价值体系等方面具有较强的控制作用，实质上是一种社会舆论。事实上，舆论研究者早已注意到了舆论中的情绪因素。陈力丹将舆论定义为"关于现实社会以及社

---

① 刘越：《试析网络流行语的形成机制》，《延安大学学报（社会科学版）》2014 年第 2 期，第 103 页。

② Claire A J, "The social functions of emotion", In Harre R (Ed.), *The Social Construction of Emotions*, New York: Blackwell, 1986, p.80.

③ Denzin N K, *On Understanding Emotion*, San Francisco: Jossey-Bass, 1984, pp.130-139.

会中的各种现象、问题所表达的信念、意见和情绪的总和"①。美国学者卡斯珀·约斯特甚至认为，舆论等同于社会情绪。"情绪就是人的思想和心理的复合产物，所以通常所谓舆论——差不多人人都这样叫它——实际上就是公共情绪，因为它含有感情，也含有思想。"②

网络语言作为网络时代特有的情绪知识载体，大多生动传神，具有心领神会的特殊效果，有助于人们更好地理解情绪事件，实现自我与他人情绪经验的整合，最终形成社会舆论。由于成功的情感互动仪式"达到了很高程度的相互关注与情感连带"，能够创造新的符号，如"发明新的用语，开创时髦词语、值得回忆的俏皮话、值得再流传的笑话"等③，网络语言在群体情感互动中存在变异和发展的可能，能够反过来再次为情绪传播推波助澜。经过多次反复，最初基于某一个案的单一、个体的情绪便发生质变，成为反映某一类社会现象的复合的、公共的社会情绪。经过社会群体互动，"70码"所蕴含的愤怒不再指向催生其诞生的交通肇事案，而是变成了普通百姓对"富二代"违法犯罪的集体怨恨。网络语言从"70码"到"欺实马"的变异，则进一步反映了社会不同群体间的情绪矛盾。

这些由网络语言推动形成的社会情绪包含着人们追求社会公平正义、维护社会秩序的理性诉求，也难免夹杂有群体感染、模仿状态下的非理性表达。理性与非理性交织，共同构成了情绪型社会舆论的特征，也成为人们行动的动力。"情感是一种动机力量，因为它们不仅使人们的主观体验有序，而且赋予人们以力量，指导行动的方向。"④社会情绪所产生的舆论压力，能够促使相关部门积极回应公众关切、解决社会问题。不过，其中的非理性情绪也容易造成网络狂欢，导致舆论偏离理性轨道，管理部门急于疏导社会情绪而可能会对非理性舆论妥协，造成新的社会不公平，为新的情绪激发和传播埋

---

① 陈力丹：《舆论学：舆论导向研究》，上海交通大学出版社2012年版，第33页。

② 转引自：刘建明：《基础舆论学》，中国人民大学出版社1988年版，第350页。

③［美］兰德尔·柯林斯：《互动仪式链》，林聚任、王鹏、宋丽君译，商务印书馆2012年版，第218页。

④［美］乔纳森·特纳、［美］简·斯戴兹：《情感社会学》，孙俊才、文军译，上海人民出版社2007年版，第8页。

下隐患。社会建构论认为，对情绪、知识的认知因社会文化而异，没有唯一标准，带有明显的相对主义倾向，这就对社会管理部门认识和研判舆情、治理社会情绪提出了挑战。

2. 转移效应：推动情绪转化，疏导社会舆论

网络语言主要由青年网民创造和使用，大多通过形式的拼贴、意义的结合来创造新的词汇或赋予现有词汇新的内涵。包裹在公共参与精神内核之外的是网络语言戏谑、调侃的形式外衣，其表层情绪表现出明显的娱乐性和游戏性。这些特征使得网络语言容易引起网民的关注、模仿，并在戏谑情绪的驱动下进行新一轮创作，引发网络造句、段子接力等网络狂欢现象。对网络语言表层娱乐元素的追求，在一定程度上能够分散人们的注意力，使得网络语言表现出一种转移效应——人们不那么专注于网络语言反映社会现实、宣泄社会情绪的深层内涵，而是投身于其游戏外表所引起的群体狂欢。青岛大虾案被曝光后的第二天，就有以此为素材的段子在网络上流传，由此引发了网友的段子接力。网友被事件挑动起来的紧张神经也渐渐地在各种段子营造的"笑果"中放松下来。自娱自乐的网络语言狂欢、能够推动网络群体互动仪式的情绪基调从深层的宣泄压力向表层的戏谑和调侃转换，避免负面社会情绪积累到临界点引发过激行为，在一定程度上起到了疏解社会舆论的作用。

网络语言的娱乐特性也为社会舆论引导提供了新的思路，提醒官方和大众媒体以符合群体传播心理的方式疏导社会情绪。从网民嘲讽富人"有钱就是任性"到政府工作报告告诫官员"有权不可任性"，从网友集体吐槽"APEC 蓝"到主流媒体反思"APEC 蓝"，官方以网络语言的形式真诚回应蕴含在网络语言深处的社会关切，对于网民来说无疑是一剂疏解心情的良药。另外，经过官方及大众媒体被注入新内涵的网络语言，又会引发新一轮的网络群体传播，进一步消解网络语言最初对情绪产生的影响。事实上，"群体传播多以'段子'的形式为网民情绪泄洪，大众媒体重拾这些变异后的新词汇，并注解新的意义，会带来更为理性和深刻的思考，这也符合大众传播主流舆论引导的角色作用"①。

---

① 隋岩：《从网络语言透视两种传播形态的互动》，《北京大学学报（哲学社会科学版）》2015 年第 3 期，第 191 页。

3. 沉淀效应：积累情绪氛围，建构社会文化

网络语言作为互联网环境下人们进行情绪方面的交流的新载体，反映的深层内涵是社会转型、矛盾凸显背景下普通群众对社会公平正义的追求，对社会主义核心价值观的维护，对幸福美好生活的向往。从这个意义上来看，可以说网络语言是社会发展的活化石，记载着人类文明道路上的社会公共参与。有的网络语言甚至具有长久的生命活力，"说明它所反映的问题在社会发展过程中始终未得到妥善解决，一种普遍情绪始终弥漫在社会生活中"①。然而，即便促使其诞生的具体问题被解决了，网络语言所蕴含的深层次社会情绪也不会完全消失，而是表现出沉淀效应，会较为长久地储存在网络语言中。正如柯林斯所言："互动仪式随着时间连接成链条，其结果是最后的互动（通过情感与符号）成为下一次互动的输入端；所以情感能量往往会随着时间而累积（既有积极的也有消极的）。"②

社会情感能量随着时间而沉淀、积累，将对社会的情绪氛围（emotional climate）产生重要影响。美国社会心理学者约瑟夫·德里韦拉认为，情绪氛围指一定情境下个体成员感知到的多数人的感受。这种感受与一段时间内的社会结构、政治管理、经济形势等密切相关，反映的是社会成员与他人的关系（如是否信任）以及与自身期望的关系（如是否满意）。③国内有社会心理学研究者将其译为情感氛围，并认为它是社会情绪的准备状态。④在适当条件下，情绪氛围能被激活成为社会情绪。因此，网络语言的每一次使用，都可能会唤醒沉淀其中的社会情绪，并为下一次情绪互动仪式做铺垫。

社会文化影响情绪表达，情绪表达反过来也建构着社会文化。人们运用网

---

① 常宴会：《从网络流行语看社会心态的培育》，《思想教育研究》2016 年第 2 期，第 77 页。

② ［美］兰德尔·柯林斯：《互动仪式链》，林聚任、王鹏、宋丽君译，商务印书馆 2012年版，第 172—173 页。

③ De Rivera J, "Emotional climate: Social structure and emotional dynamics", In Strongman K T(Ed.), *International Review of Studies on Emotion*, New York: John Wiley & Sons, 1992, pp. 197-218.

④ 王俊秀：《社会情绪的结构和动力机制：社会心态的视角》，《云南师范大学学报（哲学社会科学版）》2013 年第 5 期，第 59 页。

络语言表达情绪、储存情绪的行为，也形成了一种独特的网络大众文化。美国大众文化理论家费斯克认为，"大众文化不是消费，而是文化——是在社会体制内部，创造并流通意义与快感的积极过程"[①]。网络语言正是大众充分利用互联网资源和群体传播特性展现语言创造力、寻求生产和交流快感的表现。个体情绪社会化传播形成的群体情感互动仪式，成了大众抒发情绪、彰显智慧的灵感来源。他们以戏谑式的网络语言聚焦各种社会问题，表明自身态度、推动社会改革，促进社会利益的公平分配。这也为大众文化注入了社会参与的基因，成为互联网群体传播时代鲜明的文化特征。这种社会文化反过来又会指导和鼓励人们的社会情绪表达，创造新的语言符号，以维护人们经过社会协商所建立的社会价值体系，约束各种违背社会运行规则和人类道德规范行为的发生。

综上所述，互联网技术的发展、传播手段的丰富，促进了情绪这一特殊信息在网络空间中的分享和传播，个体情绪可能经过社会化传播产生了巨大的影响。从社会学角度看，个体情绪在社会网络间的传播，实质上是一场以情绪理解为内核的群体情感互动仪式。互联网激活了群体传播的能量，使得群体传播成为互联网时代区别于以往其他时代的显著标志。在群体情感互动仪式中，网络群体传播解除了物理空间在场性对互动仪式的限制，使得人们可以在网络空间内通过弱关系连接更大的社会网络，促进情绪的大规模链式传播和互动。经过群体互动与讨论，个体情绪被整合成代表群体意志的社会集体情绪。社会情绪是社会舆论的一种表现形式，具有维护社会道德秩序和价值体系的功能。

社会建构论认为，文化和语言是建构情绪的重要力量。作为互联网文化的重要组成部分，网络语言是建构情绪和表达情绪的重要载体，具有表层和深层双重情绪基因，同时在模因原理的作用下能够不断被模仿、复制，因而在推动个体情绪社会化传播方面有着独特作用。其主要表现为两种效应：一是凝合效应，网络语言通过模因复制进行群体传播，能够促进参与者之间的

---

① [美]约翰·费斯克：《理解大众文化》，王晓珏、宋伟杰译，中央编译出版社 2001年版，第 28 页。

情绪理解，推动私人情绪凝合成为社会情绪，展现舆论功能。二是转移效应，网络语言表层的娱乐化、游戏化情绪能转移甚至分散人们的注意力，使其陷入戏谑、调侃的形式主义游戏中，从而起到疏解深层社会情绪的作用。无论是宣泄负面情绪还是自我娱乐调侃，无论是形成舆论还是疏导舆论，网络语言都反映了人们在维护社会道德规范和价值体系方面做出的努力。三是沉淀效应，网络语言会作为一种社会参与基因沉淀在社会文化中，鼓励日后新的情绪表达和互动行动，成为互联网时代社会文化的鲜明特色。

第　五　章

网络语言与价值观的社会表达

第一节　网络语言对网民思维方式和价值观的影响

互联网群体传播时代，网络语言被网友集体创造、使用并传播，形成了一呼百应的网络狂欢，网络语言成为互联网甚至生活中一种奇特的语言现象和文化现象。这种现象暗示着其实并非我们操控了网络语言，相反是网络语言在一定程度上改变了我们。人们使用网络语言的频率可大致分为经常使用、不常使用和完全不使用三类，因此在表达交流时的方式也有所不同，彼此间由此可能会产生隔阂。在此过程中，受到潜移默化的影响，网民的思维方式和价值观也会发生改变，这既与互联网群体传播方式有关，也与网络语言的特性相关。思维方式作为人们看待世界和思考问题的方式方法，是人类的一种重要能力，不仅可以改变个人的生活轨迹，甚至对整个社会和文化都有着重要意义。

一、媒介发展对受众思维方式的影响

麦克卢汉认为，媒介的变革是整个人类文明演变的核心。他提出了"媒介是人体的延伸"的观点，指出媒介使用对人类生理和心理有改造作用。他在《媒介即讯息》中认为，不仅是传播内容起着变革社会的作用，不同媒介本身也会带来不同信息，即"媒介即信息"。①以麦克卢汉为代表的技术决定

---

① ［加］马歇尔·麦克卢汉：《麦克卢汉书简》，何道宽译，中国人民大学出版社 2005年版。

论不乏极端，饱受争议，但是这些思想的火花使我们认识到，传播科技对传播过程、传播结果产生影响的关键因素就是媒介，媒介对受众的阅读习惯乃至思维方式都有着重要的影响。

传播媒介经历了早期符号媒介、手抄文字媒介、印刷文字媒介、电子媒介、互联网等几个阶段。语言出现之后，人类可以使用语言概念进行思维，文字的出现进一步促进了人类对世界的感知和理解，除了以口口相传的方式交流以外，人类开始很大程度地利用文字进行间接学习。电子媒介和互联网则为人们认识世界、改造世界提供了更多便利，在这个过程中，也促进了受众思维方式的相应变革。

（一）印刷媒介对受众思维方式的影响

线性、思辨、个人化是印刷文字媒介时代受众思维方式的基本特征。印刷技术的发展，尤其是报纸、杂志和书籍的普及，砸碎了只有特权阶级才能识文断字的锁链，促进了知识的全面普及。"一千个读者就有一千个哈姆雷特"，受众阅读文字时，结合个人的社会阅历和积累，对阅读到的文字进行二次加工，每个人对所读内容的感悟都有差异，提高了思考的能力。阅读行为是一种个人行动，在文字阅读过程中，受众在保证专注力不受打扰的同时，无形中让渡了社会交往的时间与机会。加之印刷媒介的线性排版使读者逐行阅读、思辨，造成了人类理性的最终形式。[①]

（二）电子媒介对受众思维方式的影响

电子媒介背景下的受众倾向视觉思维，想法直观，重感官快感。以广播、电视、电影等媒介为代表的大众媒介主要通过显性而动感的声画手段进行传播，打破了文字严谨、理性的叙述腔调，轻易就能将受众带入一种极富感染性的虚拟情景中，即使受众不认真思考，也能直观地用感官来接收信息。"读图"取代了"读字"，语言成了形象的辅助品，感官诉求代替了靠头脑想象形成的画面感。美国学者尼尔·波兹曼在其代表作《娱乐至死》等反思了电

---

① ［加］马歇尔·麦克卢汉：《理解媒介——论人的延伸》，何道宽译，商务印书馆2000年版。

视文化的感官娱乐,指出了电子媒介对文化的消极影响:娱乐化、琐碎化、低俗化的电视节目内容让大部分受众丧失了思辨地思考的能力,甚至是试图思考的动力,"其结果是我们成了一个娱乐至死的物种"①。人们往往不加甄别地从电子媒介上接收信息,"沙发土豆""容器人""电视人"这些称呼就是形容这一代受众的,他们喜爱观看电视,从电视中获得对周围环境的认知和评价,也往往很孤独,不愿与他人进行交流。电视等大众传播媒介的受众极其广泛,这些本来各自有不同生活积累的人,由于观看同样的电视节目,在大众传播信息的影响下进行个人的社会化,"所有接触这些相同信息所产生的效果,便是格伯纳等人所称的涵化作用,或者教导共同的世界观、角色观和价值观的作用"②。

（三）互联网对网民思维方式的影响

互联网引起了传播形态和结构的巨大变革,每个网络用户都被赋予了发声的权利,传统意义上的"受众"概念逐渐淡化,互联网在"传"和"受"的双重意义上作用于"网民"。互联网传播的个性化、非线性、虚拟性、创新性、共享性等特征同时也融入网民的思维方式中。互联网的超链接打破了印刷媒介和电子媒介的线性传播方式,网民不再完全需要按序逐行阅读文字,或是按照电台、电视台的编排观看节目,而是可以根据自己的喜好和需求来选择信息,自主性大幅提升。一方面,网络的虚拟性给网民表达自我诉求提供了现实中不能实现的可能性;另一方面,网络的匿名性也带来了相应的隐患,催生了网络安全管理和网络伦理等新的问题。人类思维的个性化通过互联网得到了最大程度的展现,"互联网思维"成为国家政策出台和个人创新创业的热门词语,这种新的思维方式给与时俱进的个人和组织带来了重大利好,"互联网+"（即"互联网+其他行业"）的理念在我国政商界的引导和实践下改变着社会的各个行业和领域。

媒介的发展影响着受众思维方式的变革。互联网群体传播时代,网络语言作为一种独特的语言形式,潜移默化地使网民的思维方式发生了改变。相

---

① ［美］尼尔・波兹曼:《娱乐至死》,章艳译,广西师范大学出版社 2004 年版,第 4 页。
② ［美］尼尔・波兹曼:《娱乐至死》,章艳译,广西师范大学出版社 2004 年版,第 4 页。

较于传统语言形式，网络语言具备传播的便捷性和敏感性。网民将个人情绪注入网络语言的表达创造中，当这些词句因共情和认知赢得网络社群成员的共鸣而得以广泛传播流行时，网民的思维方式也随之呈现出一系列新特征。

二、语言与思维方式的辩证关系

因纽特语中有好几百个与"雪"相关的词语，而英语中描述"雪"的词语只有"snow"，这个例子形象地阐述了语言会影响其使用者对世界的认知，以此说明了语言对思维的决定性作用。语言与思维方式的关系受到众多语言学家、社会学家的关注、研究，他们提出了各种学说，至今却没有说服彼此达成共识。语言与思维二者谁先出现、谁决定谁，是学者争论的焦点。

其中，萨丕尔-沃尔夫假说是语言与思维的关系研究中的重要理论之一。美国学者萨丕尔及其弟子沃尔夫的研究指出：语言决定思维。正如萨丕尔所说，"语言强烈地制约着我们对各种社会问题和社会变化的一切思索。人类并非孤立地生活在客观世界之中，也不是孤立地生活在人们通常所理解的那种社会活动范围之中，而是深受那充当社会表达工具的特定语言的支配"[①]，事实是，"'现实世界'在很大程度上是不自觉地建立在人类社团的语言习惯之上的"[②]。随着研究的演进，该假说被划分为强式和弱式两大维度。强式假说的观点相对绝对，认为语言决定和制约了思维，语言不同，思维方式也不同；弱式假说则没有那么绝对，认为语言对思维方式产生了一定程度的影响。

萨丕尔-沃尔夫假说的意义在于，它将语言与思维方式联系起来，启发了学者对二者之间关系的思考，同时也与语言学中的翻译、二语习得等研究方面息息相关。但是，其理论缺陷也是显而易见的。第一，语言对思维的决定作用违反了唯物主义的世界观，从源头上讲，应当是客观环境的不同造成了人类发展过程中语言和思维方式、态度信念的不同。第二，说同种语言的人

---

① 转引自：伍铁平：《语言学是一门领先的科学——论语言与语言学的重要性》，北京语言学院出版社 1994 年版，第 131 页。

② 伍铁平：《语言学是一门领先的科学——论语言与语言学的重要性》，北京语言学院出版社 1994 年版，第 131—132 页。

可以有不同的思维方式，而有些人类共同的思想观念并不因彼此语言的不同而有所区别。

语言与思维方式是相互促进、共同发展的关系。在人类发展的进程中，语言和思维二者之间不是简单的一方决定另一方的关系，而是相互影响、共同发挥作用。语言的出现使人类得以表达思维，人类把对世界的感知转换成语言等符号代码，使间接学习成为可能，使文化得以传承。语言虽然不能决定思维方式，但在一定程度上影响着思维方式。反之，思维方式的改变也促进了语言的形成和发展。

网络语言是语言的一种新形式，网络语言与思维方式的关系也是共同发展、相互影响的。网络语言传播广泛，迅速流行，又随着热点消失迅速遇冷，在此过程中群体传播与人际传播相互交织，网民身处互联网环境中不可避免地会遇到网络语言，其思维方式也会在网络语言的浸润下发生微妙的改变，而这种改变反过来又会影响其语言的表达。一方面，网络语言会影响网民的思维方式。以微博体为代表的网络语言，因其发布的字数限制使网民的思维碎片化，情感而非信息的表达使网民更易情绪化，而随时更新的动态节奏又使网民的思维比以往更加活跃、主动和开放。例如，"不喜长文"就表现了网民偏好"浅阅读"，而是更喜欢简单、浅显表达的一种思维碎片化倾向，他们不愿意再接受长篇大论、严肃正经的线性图文信息，即使是他们写的微博长文，通常也夹杂着表情包，用低龄化和戏谑化的表达"隔断"了本是由文字承担的起承转合。另一方面，不同思维方式的人会有不同的语言表达体系。微博、微信、短视频平台上经常流行的"文科生绝对看不懂的笑话""理科生的浪漫情话"等由各个学科专有名词组成的极富特色的句子，也从侧面印证了思维方式对网络语言是有影响的。

三、网络语言影响下网民思维方式的新特征

（一）碎片化

相比印刷媒介时代书籍、报纸和期刊上的大段文字，以及电子媒介时代连续播出的广播电视节目，互联网群体传播时代的网络语言则不再按时间轴线性集中地提供信息，而是呈现出碎片化的状态。从网络语言本身分析，有

以下三方面的原因。

第一，网络语言的传播主体多元化。互联网传播时代，群体传播成为重要的传播形态，大众传播的主导地位日渐削弱。网民通过自媒体赋权，不再单纯地作为受众接收信息，开始拥有自己的话语权。可以说，只要会使用网络、有基本的语言基础并且愿意表达，每个人都可以创造并使用网络语言，发声的资格不再只为大众媒体所独有。由于受教育程度、经济水平、社会地位等条件的差异，每个人使用网络语言的风格都不相同，自然能感受到不同思维之间的碰撞。

第二，网络语言的传播渠道碎片化。互联网的发展与移动终端技术相结合，智能手机和平板电脑的功能增多，同时其便携性增强，网站、网络社区、App 客户端的类型也日益多元。不同网络社群平台的网络语言各有特色，如QQ 空间经常使用"火星文"；豆瓣往往走文艺风；人人网的日志以抒发励志型的心路历程居多；对于"男生看了会沉默，女生看了会流泪"这样的标题，一看便知是贴吧的帖子。此外，不同渠道中信息的重复泛滥，也会对网民思维方式的碎片化产生影响。如今，传统媒体也会使用部分网络流行语，网络语言除了在互联网上流行，也被报纸、广播、电视等大众传播渠道所传播。

第三，网络语言的传播内容碎片化。互联网群体传播多用图片、视频等直观表达，文字的易读性增强，传播内容的碎片化引起了网民阅读习惯的改变，即使阅读被中断，也可以快速续读。

网络语言的碎片化使网民的思维方式也呈现出相应的特征，显然对网民的思维方式产生了消极影响。首先，内容的字数限制导致信息的琐碎，网络语言为了吸人眼球而让渡自身语言的组织性和逻辑性，与印刷时代受众对长篇文本的逐行阅读相比，更多情况下，身处网络语境的受众只是进行单纯的信息解码，只接收信息而不主动思维，跳跃性地跟随有意思的内容而非接收完整的信息，导致网民思维的片面化、肤浅化和非理性。其次，在海量信息中，网民需要寻找被淹没在无数冗余信息中的有效信息，突破抄袭、无信源转载、断章取义、以讹传讹等干扰，适应随时可能被打断的阅读进程，导致网民注意力难以集中，多为短时注意。最后，受选择性注意机制的影响，网民更易按喜好和观看习惯选择固定的内容。虽然这样节省了时间，但是大量关注同类同质信息，容易使思维变得狭隘。

当然，其对网民的思维方式也有一定的积极影响。网络语言大多言简意赅，彰显文采，用简洁的语言针砭时事，便于创造和模仿，容易形成潮流，可以充分调动网民的积极性。

（二）情绪化

在社会转型期，社会问题多发。不同于以往的社会变革，如今个人借助互联网拥有了表达情感的渠道和途径，群体传播的媒介生态极易把个人言论和情绪放大、扩散，网络语言的流行对网民个体情绪产生感染和影响。

大多数情况下，网民创造、使用、传播网络语言是为了表达情绪而不是传递信息，在这个过程中，网民宣泄了情感，减轻了压力。有些网络语言原本含有信息量，但在其流行和传播的过程中传递信息的功能被弱化，如针对某一热点事件而产生的网络语言，部分网民也许在并不知道起因的情况下由于话题热门触发了情绪而转发传播。例如，"蓝瘦香菇"本出自广西南宁一男青年失恋后录制视频中由于对"难受、想哭"发音不标准形成的南宁普通话和壮语普通话的加成，却随着网络视频的传播火遍大江南北，之后互联网上出现各种扩写版本的网络段子，被运用于各种表示无可奈何的语境中，而与之前的所指相分离。互联网带来的碎片化认知使网民对网络语言进行选择性理解，更容易趋于感性和浮于表面。通常网络语言要流行，其内容和表达方式必须具有冲突性和戏剧性，涉及的大多是娱乐事件，在眼球经济时代，"有趣"比"有用"更容易吸引网民的注意力，引起情绪的共鸣。有些网络语言虽意在对物质主义、享乐主义等不良现象进行讽刺，却在客观上扩大了其传播范围，在网民普遍仇富、逆反、从众等心理机制下反而会产生负面作用，如"靠脸吃饭""有钱任性"等，扩大了不客观、不正确、不理性价值观的传播。

网络语言通常借助微博、微信、短视频平台等社交媒体平台，以群体传播和人际传播交织的方式传播，个人情绪在个体和群体组织的助力下迅速社会化。网民思维方式的情绪化使其重快感、轻思考。网民的素质参差不齐，因欠缺新媒介素养容易信谣传谣，导致盲从、群体极化、网络暴力等现象的发生。随着网民新媒介素养的逐渐提升，网民渐趋理性，并呼吁理性，网络语言中正能量的内容传播频次增多，对负面事件的暗讽和隐喻也起到了公民监督的作用，具有强大的社会情绪感染力。

（三）质疑化

在互联网群体传播中，传播者、参与者、文本内容与形式、信息的真假与价值、传播的时间、传播的规模与影响都是不确定的。[①]网络语言的流行依托于网络，技术的发展带动了平台的发展，传播渠道的分散化使网民极易流失。不同网络社群中网络语言的使用行为不尽相同，从而导致网民的忠诚度下降，群体归属感下降。这一系列不确定性导致了网民心理的不稳定感，基于一定的媒介素养，网民在对信息进行思考的过程中，思维更易趋向质疑化。

网络语言的产生，通常以某个社会热点事件或突发事件作为描述对象，对整个事件的来龙去脉缺乏细致了解的网民有时仅仅通过碎片化的信息和情绪的渲染来认知事件，并把这种不确定性带入传播过程，有时通过网络语言传谣而不自知，容易被利益集团如商业组织利用。当此类事件发生概率提高，网民再遇到类似问题时，自然会有质疑，而不是完全相信。与印刷媒介时代和电子媒介时代的受众只能被动地接收大众媒体的信息产品不同，部分网民在强烈的逆反心理作用下，习惯性地对传统媒体的信息进行解构，怀疑一切主流媒体的信息。例如，有关灾难突发的新闻报道，尚未确认情况之时，网民往往指责官方媒体不及时发声，却又在官方媒体公布情况之后质疑其公开信息的可信度。

在互联网信息"把关人"缺失的情况下，网民带着质疑思维，创造、使用并传播与社会或网络热点事件相关的讽刺性网络语言，对网络文化乃至现实社会产生习惯性质疑，对文化的认同感下降，甚至造成政府、媒体的公信力缺失。这对缺乏独立思考能力的青少年网民群体的消极影响更大。但不可否认的是，这种带有讽刺色彩、怀疑论调的网络语言无形中也促进了舆论监督，如网络反腐和微博问政的盛行，在一定程度上净化了社会风气。

---

① 隋岩、曹飞：《从混沌理论认识互联网群体传播特性》，《学术界》2013 年第 2 期，第 86—94 页。

（四）非线性

互联网群体传播方式以及网络语言的流行路径呈现出非线性、去中心、分散化等特点。例如，网民可以利用搜索引擎或社交平台通过关键字词主动搜索网络流行语；利用互联网的超链接进行跳转阅读；通过接收实时热点的推送，接收 App 定制信息，以及关注特定个人或组织的账号，来接收定制化的信息。网民的选择增多，而非仅通过印刷品或广播电视节目按序、线性地接收信息。网民的思维方式随传播方式的变化趋势呈现出非线性的特征，更具跳跃性与发散性；社会不再褒奖一味循规蹈矩的平淡生活，敢想敢做、敢于展示、突破常规的人往往更受欢迎。

这意味着网民不再被动地接受线性传播秩序，他们打破了信息垄断，打破了常规思维，并利用发散性思维思考问题，多角度、多层面地进行"大众创新"。此外，"面对线性秩序的讯息，如果我们按照熟悉的顺序进行快速浏览，有可能会忽视掉很多潜在的有用信息"[①]。"微博等群体传播则打破了线性传播秩序，使那些在大众传播和组织传播中边边角角的内容重新散发了活力。"[②]

（五）虚拟性

互联网本身是真实世界的虚拟空间，网络语言在互联网上流行，网民的思维也会因为主客体的虚拟性而产生相应的变化。

首先，网民的思维主体具有虚拟性，通过使用网络语言进行角色扮演。网民会用不同的账号登录不同类型的网络平台。对网络语言的使用情况受主体的影响，如对网络语言的态度是抵制还是接受，对网络语言是进行使用、转发、模仿还是创造，在网络环境还是现实生活中使用网络语言等，以此来塑造和管理自身形象，进行角色扮演。不只是个人，组织也有同样的需求，如官方主流媒体肩负着传播信息和教育大众的责任，会因不规范、不文明而抵制网络用语，但偶尔也会使用一些无伤大雅的网络流行语，以期塑造亲切友善、

---

① 隋岩、曹飞：《从混沌理论认识互联网群体传播特性》，《学术界》2013 年第 2 期，第 88 页。

② 隋岩、曹飞：《从混沌理论认识互联网群体传播特性》，《学术界》2013 年第 2 期，第 88 页。

顺应民意、与时俱进的形象。但具体的传播效果也有差别，《人民日报》刊登的文章标题出现"给力"能被公众认可，而某些电视节目频繁使用网络流行语则令公众反感，可见网络语言要在不同的场合适度使用。对于个体来说，如果要塑造一个严谨、好学的形象，就要尽量避免使用不规范的网络语言；如果要塑造紧跟潮流的形象，则会频繁使用新近流行的网络语言，而融入一个网络社群的最佳方式就是习惯其社交语境，并使用该社群独有的网络语言。

其次，网民的思维客体具有虚拟性。网络语言生存的环境虽然与现实相关，却可以超越现实，营造出一个完全不同于现实社会的拟态环境。网民不再仅以自身周边环境作为参照系，而是会根据网络的拟态环境判断该如何使用语言。

网民思维方式的虚拟性可能会造成虚拟与现实、个人与社会的脱离。网络语言更新换代快，追求"与时代同步"的网民对媒介和技术产生了严重依赖。网络语言容易形成小范围网络社群单独共享的语境，对于接触不到、不关注、不使用该网络社群通用的网络语言的受众来说，他们被隔离在一道无形的语言围墙之外。例如，不玩微博的人就不懂"梗"这个微博体的含义，就在无形中增加了人际交流中的阻碍。思维方式的虚拟性使网民之间的沟通有了无限的可能性，通过网络语言的传播进行信息获取、人际交往和舆论表达，满足了网民的心理需求，而依托网络语言进行个人角色扮演，从某种意义上而言也是扩大了个人的社会资本范围。

（六）开放性

互联网的开放性决定了每个连接到网络的人都可以搜索、传播、模仿、创造网络语言。读一本书，看一本杂志，注重的是独处时的思考与心境；电视、电影的出现扩大了受众参与的数量与范围，使多人一起观看并讨论成为可能。网民可以跟通过互联网连接到的他人进行沟通和交流，时间和空间的限制被打破，思维也由闭塞变得开放。

这种开放性的思维方式可以使网民更好地认知世界，克服自身的局限，同时反过来又激发了其参与网络语言传播的积极性。例如，微博中曾一度流行过网络仿句"两个黄鹂鸣翠柳，土豪我们做朋友"，"蓬门今始为君开，小伙伴们都惊呆"，"钟山风雨起苍黄，挖掘技术哪家强"等，将古典诗词与网络语言相结合，创造性地打破并弥合了"阳春白雪"与"下里巴人"的界限，并通过微博评论和转发功能迅速扩散，在一定程度上唤起网友对传统诗词文化的集体记忆。开放的互联网媒介环境中的网络语言容易被搜索，同时也被商业利益群体利用，如借鉴网络语言作为广告用语，以提高信息传播的趣味性、商业营销的针对性和有效性。

然而，网友的思维方式越开放，接触到的网络信息越多，也越容易使自身暴露在消极的网络语境下。这种开放性导致的直接后果就是不规范、不文明的网络语言及其承载的语意被广泛传播，产生不良影响。网民可以在创新观念、突破界限的基础上，对海量信息有选择地扬弃。同时，要尽量避免一些特定网络语言"病毒式"传播对传统文化、语言规范、价值认同的消极影响，也要避免太多人使用同一类网络语言而导致的文化和思想趋同现象。

（七）动态性

网络语言的传播过程具有动态性，只有在思维动态化的情况下，网民才能跟上网络语言的节奏，参与网络语言的传播活动。网络语言迅速流行，又迅速被新的网络语言取代。网民既促进了这种动态过程，也深受其影响。网民对网络语言的传播，加速了文本的流通，在一定程度上促进了语言和文化的发展。网民思维的动态性打破了传统受众静态、被动接收信息的习惯，凸显了与时俱进的意识与思维。

但是，这种动态性也导致了互联网中冗余信息增多，在转发和传播过程中，有些网络语言原有的含义和内容被改变，且随时会有新的网络流行语涌现。为了紧跟网络潮流，网友容易形成媒介依赖，如典型的"手机依赖症"。僵化的思想固然应当摒弃，但受众在思维动态化的过程中也应时刻警醒，缺乏自我规划而盲目地追求新鲜事物也是一种对自身有限注意力的挥霍和浪费。

（八）主动性

互联网赋予了每个网络公民发声的权利，使受众的地位提高，主体意识增强，思维方式更具主动性与开放性。与个人阅读书籍和在家观看电视等行为不同，互联网的参与对个体主动性的要求更高，也更能激发网民积极主动参与到网络语言的创新、模仿、评论、转发等传播环节中，这既增强了网民对语言和文字的认同感，也对语言和文化的创新起到了积极作用。在这一过程中，网民的思维变得主动，具有更强的自我意识，通过使用网络语言来表达自己的心声，积极参与热点公共事件的线上讨论和线下活动，即便有情绪化、非理性等风险，但民众的集体参与意识推动了社会的发展。

当然，缺乏理性的主动也可能会产生一些不良后果，网民思维的主动性应与媒介素养相结合，只有这样才能更好地体现其价值。

学者对网络语言的态度，从最初的未引起充分重视，到关注并深入研究；传统媒体从一开始消极抵制网络语言，到适度使用一些网络语言，再到如今坦然面对网络语言，甚至近年来每年年末开始盘点年度网络语言热词和流行语；网民从一开始的网络语言的狂欢，到后来积极主动创造、模仿、传播和使用网络语言。这些现象无不预示着在互联网群体传播时代，网络语言已经成为一种有价值和意义的变量，网络语言的表达承载着网民的价值观，同时隐含着网民的思维方式。随着网络语言的演变与发展，网民个体也随之发生改变，尤其体现在思维方式和价值观等方面。网民思维方式的改变也影响着网络语言的发展，二者相辅相成。在互联网传播语境下，人类思维方式和价值观的变化趋势呈现出开放、多元、人本的特点。对个体而言，网民思维方式的改变会影响工作、生活和个人发展。当每个个体的思维方式都有着类似的发展趋向时，则会形成整个社会的思维趋势，对社会和文化产生重要影响。网络语言本身并无优劣之分，只要使用得当，就会对个人、群体和社会产生积极的导向和促进作用，引导网民思维方式创新发展，网民的新媒介素养随之提高，为语言的创造锦上添花。同时，网络语言的发展又会影响网民的思维方式，从而形成一种动态的良性循环，使网络语言在不断变化的媒介生态环境中展现出互联网群体传播时代的独特魅力。

第二节　网络语言中的价值观与传统价值观的比较

互联网时代，网络空间成为各种意识形态、思想舆论和价值观念释放、传播和扩散的主战场。"网络世界把人的主观能动性空前地调动起来了"①，而网络语言是我们输出价值观的重要载体。只有把握价值观的生成和发展规律，才能最终构建起适应时代要求和国家发展要求的核心价值体系。

一、网络语言是网络时代价值观的表征

价值观是人们基于社会生存和发展的需要，对事物做出的关于好与坏、对与错、善与恶、美与丑的稳定而持久的主观心理倾向。社会转型、经济变革、政治图新、文化交融固然是丰富和充实价值观内涵、诱发和引导价值观形成和转变的深层动力，但语言在价值观的形成、培育和传承方面的作用同样不容忽视。②网络语言是互联网时代群体传播的主要社会表达方式，其更迭一方面记录和反映了现代社会中人们的生活方式、思想观念、价值取向的变化，另一方面人们在不停地制造和消费网络语言的过程中，颠覆和嘲弄着社会发展过程中所要舍弃之物，选择、沉淀社会认知和意识形态等诸多因素，挑战和重构了现代社会和人的价值观念。作为网络时代群体传播主要表达方式之一的网络语言，从表象来看，互联网技术的更新换代催生了网络语言的更迭，但就实质而言，意识形态对网络语言的影响至关重要。

（一）社会价值判断多元化，模糊性明显

近些年是我国社会的转型期，也是网络文化尤其是自媒体盛行的时期。政治话语、经济话语、文化话语多元交叉，网络语言的更新也呈现出多元化趋势，出现了网络语言"反哺"社会语言的现象。自 2008 年开始，一些社会热点类流行语暴增，互联网反映和影响舆情热点的时政功能在这一时期集中爆发。2011 年至今，社会热点类网络语言减少，表情达意类的网络语言呈井喷式增长，有"伤不起"，"蓝瘦、香菇"，"累觉不爱"等所传递出的普遍焦虑感和压力；有"一言不合就××""涨姿势（长知识）""萌萌哒"等网民借助流行语参与的一种集体狂欢；更有"给力""点赞""光盘行动"

---

① 李忠杰：《当代中国社会问题的深层解析》，《大连干部学刊》2010 年第 7 期，第 7 页。

② 杜锐：《价值观维度中的网络语言》，《光明日报》2012 年 10 月 21 日。

等正能量词语的流行，从侧面反映出网民追求积极、阳光情绪的心态。网络语言不断丰富的背后，实质是网民价值观的多元呈现，也凸显了网民对社会价值判断的多元化，并逐渐消解了不同价值取向间的界限，使其模糊化。究其根源，与不同时期政治、经济、文化等的变化呈正相关。

（二）网络语言已成为价值观的潜在引导者

诚如有学者所言，语言的产生和发展变化是社会集体意志的产物。[①]凭借互联网技术的不断更迭，公众的社会情绪在极短时间内迅速发酵，集中通过话语形式表达出来。尤其是当下互联网传播速度快、传播范围广、匿名性等特征，更无限放大了网民并不平衡的心态和强烈表达的意愿，"星星之火"极容易形成"燎原之势"，网络语言自然成了公众啸聚的方式。例如，万达集团董事长王健林在接受专访时表示："想做世界首富，这个奋斗的方向是对的，但是最好先定一个能达到的小目标，比如我先挣它1个亿。"[②]随后，"小目标"便迅速成为流行语被广泛应用。"小目标"的裂变式传播，已然不能简单地解释为语言的一种流行现象，反映出的是网络社群这一新型社会形态中网民价值观与时代的冲突，而价值观的引导在网络时代显得尤为重要。

网络文化以网络语言为载体，在网络社群中构建起共同规范，价值取向便在网民的对话与交流中受到潜移默化的影响。毋庸置疑的是，网络语言在构建社会主义和谐社会的过程中发挥了举足轻重的作用。与此同时，由于互联网的快速发展，在一定程度上也造成了网络文化根基和理性支撑的缺失，加上社会转型时期经济发展和精神建设之间的不平衡，极易造成公众社会价值选择的偏差和困顿。因此，充分利用网络语言的正面导向功能显得至关重要。

（三）语言传播中隐蔽的价值观问题

我国接入全球互联网已近30年，在这段时间，我国与世界范围内各种思

---

① 新华网：《1996—2015 网络流行语背后的文化变迁》，2016 年 1 月 1 日，http://cul.qq.com/a/20160101/012065.htm。

② 搜狐新闻：《王健林：先定 1 个能达到的小目标 比方挣它 1 个亿》，2016 年 8 月 29 日，http://news.sohu.com/20160829/n466531456.shtml。

想文化的融合与交锋更加激烈、频繁，在不断吸纳先进思想和文化的同时，大量代表着西方价值观的话语也裹挟而来。互联网的接入在一定程度上体现了网络文化的开放性，同时也反映出西方社会企图通过网络的开放性对我国的价值观培育进行渗透和教化的野心。殊不知，西方价值观体系中的自由、平等、民主、人权不能一概而论，同一表述在不同的国情和语境中存在着极大的差异。同时，网络语言通过隐蔽的方式使精英文化推崇的集体主义价值观和整体性原则逐渐瓦解，折射出的以自由主义、个人主义为代表的西方价值观对当前的社会价值观造成了冲击。因此，越是自由开放，越是要时刻警惕网络语言所传递出的对传统价值观念的揶揄和排挤，由个人主义崇拜带来的国家观念淡化等价值偏差，应该自觉抵制因低俗网络语言的传播而带来的种种价值取向。

二、主流媒体与主流价值观

建设和谐有序的社会秩序，是以社会的绝大部分人认同一定的核心价值观为基础的。核心价值观的形成不可能是一个自发的过程，需要正确、有效地引导。因此，大众媒体对于核心价值观的宣传和引导迫在眉睫。目前，媒体机构的价值生产方式发生了变化，主流媒体就是主流价值观的媒体[1]，除了传统主流媒体，对新型主流媒体的打造也刻不容缓。

（一）传统媒体对社会主流价值观的支撑

如果说价值观是个人基于认知与需求对外界事物产生的是非判断，那么主流价值观则是一个社会大多数民众即主流民众所信奉或各种价值取向大体一致的价值观[2]，反映出了一个国家意识形态和社会道德的根本意愿，以及一个国家中主流社会的基本价值取向，包括"历史传统、意识形态、民族精神、宗教信仰、道德风尚和生活方式等"[3]。一个国家主流价值观的彰显，是人心

---

① 徐达内：《主流媒体就是主流价值观的媒体》，2013 年 5 月 26 日，http://mt.sohu.com/20160526/n451670255.shtml。

② 廖小平：《主导价值观与主流价值观辨证——兼论改革开放以来主流价值观的变迁》，《教学与研究》2008 年第 8 期，第 18 页。

③ 俞正樑等：《全球化时代的国际关系》，复旦大学出版社 2000 年版，第 54 页。

凝聚力的表征，是社会稳定的根基，更是经济有序发展的保障。当代中国建立的主流价值观，是以社会主义核心价值体系为内核，坚持对中国优秀传统价值观的继承和发扬、对西方价值观的合理借鉴，是中国特色社会主义道路的"思想根基"，反映了我国改革创新和现代化建设的时代精神。

在世界各国，其传统主流媒体，无论是传统报刊、广播，抑或是电视媒体，都始终肩负着传递和引导主流价值观的使命和责任。就我国而言，以主流价值观所固有的基本立场和思维方式来分析当前形势，解读新的政策法规，剖析重要新闻事件和社会热点现象，抵制敌对的意识形态和价值观等，正是传统媒体支撑主流价值观的重要方式。即便是在媒介融合的当下，传统媒体作为党和人民的"耳目喉舌"，传播方式的变革并不能从根本上改变其本身隐含的伦理属性和政治功能，依然是通过对信息源和话语权的控制自上而下地将政策宣传、政府主张、治国方略渗透到社会的方方面面，主流价值体系由此得以形成、贯彻，最终实现社会治理和社会管理，这也是执政党行之有效的执政方式。然而，主流价值观的培育和建构是一项极其复杂、庞大的社会工程系统，引导主体，培育目标，基本原则、内容建构，以及效果评价体系等环节都对公民的价值取向起着决定性的作用。这一社会系统的维系更需要主流媒体及其从业人员的政治素养和职业道德作为支撑，尤其是新媒体和自媒体的兴起，主流媒体更应以其专业性占领舆论阵地，引导网民的价值观。

主流媒体对于主流价值观的形成之所以如此重要，根源在于公众主流价值观的形成过程与主流媒体的引导呈正相关。也就是说，主流媒体通过无处不在、每时每刻的信息传播，会对受众的思想、情感、情绪和行为等产生影响，进而左右人们对价值观的选择。当下，网络对受众的注意力的转移却让主流媒体最为惯常的机械、严肃式的传输方式得以瓦解，而借助网络语言诙谐、有趣的方式对严肃、客观的政治问题和社会现象进行解读和剖析，理解起来通俗易懂，又巧妙地规避了困境。同时，主流媒体也是流行语生成的策源地之一。例如，2015 年 3 月 5 日，主流媒体播出的政府工作报告中说要全面制订"互联网+"行动计划，"互联网+"便迅速流行开来，成为人们日常使用的高频词语。又如，"打虎拍蝇"中的"打虎"喻指惩治腐败官员，以主流媒体为主导进行传播，在反映了党中央在惩治腐败这一大是大非问题上的原则立场和政策措施的同时，对主流价值观进行了正面的阐述和弘扬，从而使公众形成了固有的基本立场、基本观点和思维模式。

一直以来，世界各国对于主流媒体的重视程度不言而喻，这恰是因为主流媒体肩负着强化文化自觉的社会责任。只有始终秉持文化自觉，主流媒体才能担当起应该担当的社会责任。然而，我们必须清醒地意识到，并非所有的主流媒体都可以自觉建构和传播主流价值观，有部分媒体表现出了对主流价值观的不支持、消解甚至是抵抗的态度，这是我们需要时刻警惕的。

（二）新型媒体对主流价值观的重塑

当前，中国正经历着深刻的社会转型，各种文化相互激荡，多元价值观交织，共同影响着人们价值观念的形成和发展。随着互联网技术的迅速崛起，新媒体成为构建主流价值观的新阵地，对主流价值观的影响力的传播作用越发彰显出来。

新媒体甚至是自媒体的快速崛起，给予了中国公民自由表达的渠道和空间，但从大量典型的群体事件中不难看出，网民非理性、情绪化的宣泄往往容易造成视听混淆、鱼龙混杂的局面，甚至引发错误的舆论，任其发展的后果便是网民的价值观出现偏差。因此，在巩固传统主流媒体的同时，也应该注重新型媒体的文化建设，扩大主流媒体在新媒体领域的话语权，创造健康的舆论环境。主流媒体应该利用其权威性和专业性，挖掘事件背后的真相，引导人们客观、公正、全面地分析事件和认识社会。除此之外，其还应该在网络空间占据舆论引导高地，无论是通过开设微博、微信公众号、短视频平台账号，还是通过网络大 V 的引导，都有助于营造积极、健康的网络环境。客观而言，网络空间的存在对主流媒体从业人员的专业主义精神和职业素养都提出了更高的要求和更大的挑战。

2015 年，人民论坛问卷调查中心曾对我国各地区就"网络宣传报道评价"进行过一次大规模的问卷调查。[①]调查结果显示，当前网络宣传报道主流价值观存在两个主要问题：第一，部分新闻网站对主流思想观点等的宣传不够充分；第二，对国家发展思想、战略等的分析和解读"不够深入"。这就从侧

---

① 人民论坛问卷调查中心：《如何优化主流价值观的网络表达》，2015 年 8 月 24 日，http://www.rmlt.com.cn/2015/0824/400196_2.shtml。

面反映了主流媒体在新媒体领域的驾驭能力有待提升，同时主流媒体在新媒体领域的影响力同样来源于公信力和思想性两个方面。随着互联网尤其是移动客户端的覆盖面逐渐扩大，信息流通渠道多样化，传播范围更加广泛。在这种情况下，公信力成为衡量媒体在市场上的活跃度和信息传播有效性的标尺。主流媒体在互联网上的声音在人们心目中仍享有特殊的权威性，这是宝贵的资源，对主流价值观的构建和传播、市场经济的有效运转、社会秩序的稳定都起着至关重要的作用。与此同时，主流媒体报道体现的思想是提高公信力的根本。这就要求新闻网站等发布的评析内容要有独到的见解和视角，有全局观念和全球视野，并且能够对时事政策进行鞭辟入里的解读和分析，这也是正确、客观地宣传党的路线、方针、政策的题中之义。

三、网络语言与主流价值观

随着互联网技术的引入和纵深发展，主流价值观的争夺随之从现实生活蔓延到网络阵地。在网络语言泛滥的今天，两套价值观系统之间的博弈或许更多表现为话语权之争。当主流媒体对现实事件的解释框架出现破绽时，大众话语系统中的网络语言便会进行弥补和阐释。如何正确引导公众的价值取向成为当务之急。不可否认的是，在网络社群这一新型社会形态中，网络语言表现出对主流价值观的解构、挑衅甚至颠覆，并在很大程度上成为两套价值体系之间博弈的导火索，主要表现在以下两个方面。

第一，网络语言折射出的非理性主义价值观与主流意识形态中主体人格间的对抗。在日常的交流与沟通中，严肃的信息或复杂的情绪被人们用诙谐的、戏谑式的网络语言消解、重构而变得简单和易于传播，而这一特征在青年群体中表现得尤为突出。这部分人群是推动互联网发展的重要用户群，也是网络语言的重度使用者。作为最具创造力的群体，他们能够快速地捕捉到社会的变化并及时做出反应，通过话语方式阐明态度、传递思想情绪和价值取向。这也在无形之中使得网络语言受到青年亚文化的影响，群体意识逐渐形成。这种"意识，只有当它充满思想的、相应的符号内容，只有在社会的相互作用的过程之中，才能成为意识"[①]。群体意识在网络社群中体现得尤

---

① ［俄］巴赫金：《巴赫金全集》，白春仁、晓河译，河北教育出版社 1998 年版，第 351 页。

为明显，而网络语言的运用和传播更强化了这一群体意识。语言作为意识形态的符号被青年群体大量使用时，在获得认同的同时，其承载的价值观便自觉形成了网络社群遵从的规范。青年个体在社群中使用新语言时，受心理暗示的作用，其他青年也会做出同样的选择，无形之中选择和使用网络语言的盲从性造成了非理性价值观的传递。同质化语言的覆盖不利于青年的理性思维的养成，从某种程度上而言，青年亚文化消解了主流意识形态的建构。

第二，网络语言折射出的实用主义价值观与主流意识形态中的精英文化的对抗。语言不仅可以运用于人与人之间的交流和互动，其话语体系对于社会文化的建构也有着重要的作用。网络语言的创新、传播、淘汰的过程与当时所处的网络环境息息相关。在社会变迁和技术变革的双重作用下，网络社群这一新的社会形态逐渐崛起，形成与其相适应的网络文化。网络语言作为网络文化的载体，在不断创新的变迁历程中，在重塑网络环境的同时，也在现实社会与网络社会之间架起了桥梁。如索绪尔所说，"语言却是同质的：它是一种符号系统"[①]。网络语言不同于自然语言，它是多种符号系统的综合运用，其简洁、实用、通俗易懂、易于传播的特征，从侧面体现了网络文化与现实社会的文化在意识形态领域的对抗。

四、网络语言与主流媒体

从最近几年的发展趋势来看，进入主流媒体的网络语言和仅仅活跃在网络空间中的网络语言之间呈现出一种协商与对话的关系。顾名思义，网络语言是伴随着互联网技术的发展而兴起的，通常只流行于网络社会和网民的交往中，而主流媒体的流行语则因媒体的集中报道而广泛传播，两套语言系统彼此独立。但随着网络语言影响范围的不断扩大，主流媒体对一些网络语言予以认可并开始引用，这一过程对网络语言的流行起到了推波助澜的作用。例如，"给力""点赞"等网络语言频频被主流媒体引用，更有"吐槽""拍砖"等网络语言被收入《现代汉语词典》。种种现象表明，以网络语言为代

---

① ［瑞］费尔迪南·德·索绪尔：《普通语言学教程》，高名凯译，商务印书馆 1980 年版，第 36 页。

表的"网络亚文化"已经成为一种显性文化,逐渐赢得了主流文化和权威声音的认可。

从历时性的角度考察,2010 年的流行语"给力""微博"同时出现在主流媒体和网络媒体两个榜单中,打破了两套话语体系长时间并行的状态。尤其是在 2013 年以后,随着媒介融合的加强,两套话语体系之间的界限逐渐模糊,过去的竞争关系表现出明显的互动、协商,尤其体现在主流媒体主动参与到部分网络语言的传播中。不可否认,从媒介竞争的角度而言,难免存在吸引受众眼球、增强自身竞争力和影响力的嫌疑,但值得肯定的是,从语言发展的角度来看,网络语言的不断推陈出新无疑是对现代汉语词汇的有益补充。

例如,APEC 会议期间,北京通过一系列有效的治理举措,出现难得的蓝天。随即微博、朋友圈掀起"随手拍蓝天"话题,并在极短的时间内形成民间舆论场。通常而言,民间话语极少进入官方话语体系,然而对于此现象,主流媒体并未回避,而是在第一时间设置议程,引导舆论,迅速弥合了意识形态之间的鸿沟。题为"让'APEC 蓝'永驻天空"的评论见诸各大主流媒体的同时,中国国家主席习近平更是面对世界各国首脑,在会议致辞中表示:"有人说,现在北京的蓝天是 APEC 蓝,美好而短暂,过了这一阵就没了……我希望并相信,通过不懈努力,'APEC 蓝'能保持下去。"[1]由此,官方话语与民间舆论场实现了对接。群体传播多以"段子"的形式为网民情绪泄洪,大众媒体重拾这些变异后的新词汇,并注解新的意义,会带来更为理性和深刻的思考,一旦进入主流媒体,就会使语言的生命力更顽强。[2]

网络语言的不断创新、更迭在很大程度上丰富了中国的话语表达系统,对主流文化的构建也是一种有益的补充。但我们必须承认的是,处于亚文化中的网络语言只有很少的一部分能够真正被主流话语体系所接受,并没有最终建构起一种让整个民族共同信守的文化核心价值取向。从国家长远的文化

---

[1] 人民网:《习近平:相信通过努力 APEC 蓝能保持》,2014 年 11 月 11 日,http://world.people.com.cn/n/2014/1111/c1002-26005766.html。

[2] 隋岩:《从网络语言透视两种传播形态的互动》,《北京大学学报(哲学社会科学版)》2015 年第 3 期,第 191 页。

发展战略考虑，我们应当避免不同的话语体系在文化核心价值观上的相互错位，避免不同的价值理念在文化标准上的相互偏离。网络语言的形成、传播必须整合在既定的价值体系之内，而不是使它置之于外。其应当在不同的叙事形态中建立一种共通、共享的核心价值观，而网络的开发、技术的发展也不应成为不同的文化价值取向的"准入证"。

第　六　章

网络语言与政治文化的社会表达

第一节　官方话语实践：网络语言的软性化表达

李普曼曾指出，古老的说服艺术并非随着民主政治的出现而消亡，而是随着技术的进步获得了极大的改善。在现代交流手段的配合下，"说服已经变成一种自觉的艺术和大众政府的常规功能"，成为正在发生的一场革命，"其意义比经济权力的任何变动都要重大的多"①。麦克奈尔极度赞赏李普曼的这一观点，将其视为政治传播的本质。说服艺术贯穿于中外古今的政治传播活动之中。我国上古时期的"口传政治"、先秦时期的"游说政治"、秦汉时期的"书刊政治"、唐宋时期的"进奏政治"，以及元代的中书省、明代的通政司、清代的特务机构的设立都在意图通过官方话语的传播达到说服的目的。②西方的政治传播活动从古希腊时期的"修辞政治"到中世纪的"宗教政治"，到近代资本主义时期的"宣导政治"，再到当今西方国家的"选举政治"，从根本上来说也在通过官方话语达到说服的目的。说服是政治传播的本质，说服的实现有赖于话语，而话语的建构则诉诸语言的表达方式。国家、社会与媒介的发展和变迁在很大程度上推动并重塑着政治传播的话语实践。话语是途径，说服是目标。如果说"说服"倾向对结果的成败的追求，

---

① ［美］沃尔特·李普曼：《公众舆论》，阎克文、江红译，上海人民出版社 2002 年版，第 199 页。

② 段鹏：《政治传播：历史、发展与外延》，中国传媒大学出版社 2011 年版，第 2—10 页。

那么"话语"则强调过程的有机实现。话语的存在是为了达到说服的目的，官方话语实践是为了在政治传播中实现说服效果，是对借言语之力实现沟通、促进共识、达成认同的价值期待。

一、作为官方新话语实践的网络语言软性化表达

费尔克拉夫认为，"所谓话语，指的是对主题或者目标的谈论方式，包括口语、文字以及其他的表述方式。话语根源于人们的生活方式和文化习惯，但同时也影响着人们的生活方式和文化习惯"[①]。官方话语又称国家话语，"是指国家领导人、官方文献或官方发言人发表的正式观点，代表政府和国家的立场，表达国家的意愿和意志"[②]，是政治传播的重要内容和途径。国内有学者认为，政治传播可以分为三种基本形态，即政治宣传、政治沟通和政治营销。[③]相应地，作为政治传播重要内容的官方话语也可以分为宣传话语、沟通话语和营销话语。"目前中国的政治传播处于从政治宣传到政治传播的转型状态"[④]，因此，当前官方的话语实践也亟须实现从宣传话语向沟通话语的转向，而官方网络语言的政治软性化表达正是与转型中的政治传播相契合的一种新的话语实践。

长期以来，宣传话语作为传统官方话语实践的主导，宣示价值追求，表征意识形态。政治传播学认为，宣传话语作为政治语境下的话语类型，是"一定的阶级、政党或社会集团为达到其特定的政治目的及利益，有意识地传播和阐明自己的意识形态观念及理论，以期对人们的价值观、世界观和思想行为产生一定的影响，使之朝着自己期望的方向发展的一种社会活动"[⑤]。西方

---

① [英]诺曼·费尔克拉夫：《话语与社会变迁》，殷晓蓉译，华夏出版社 2003 年版，第 2 页。

② 窦卫霖、王洁：《我国官方话语的对外传播研究》，《对外传播》2014 年第 3 期，第 7 页。

③ 荆学民：《政治传播简明原理》，中国传媒大学出版社 2015 年版，第 233 页。

④ 荆学民、苏颖：《中国政治传播研究的学术路径与现实维度》，《中国社会科学》2014 年第 2 期，第 80 页。

⑤ 张晓峰、赵鸿燕：《政治传播研究：理论、载体、形态、符号》，中国传媒大学出版社 2011 年版，第 166 页。

的宣传话语实践源于第一次世界大战的战争语境，是一种控制论视角下的话语实践。"战争、东西方对峙、垄断资本的发展、全球化的进展和恐怖主义这些事件和因素都使得控制媒体从而控制舆论成为现代资本主义社会的一个重要话题。"①这种控制论视角下的宣传话语通常被视为"控制""操纵""欺骗"，如费斯克所揭示的，是"为了实现某种政治目标而对信息与形象进行的有意控制、操纵与传播"②。我国的宣传话语实践来源于中华人民共和国成立以前的革命语境和改革开放时期的改革语境，作为"一种政策信息告知和扩大的有效形式，帮助政策的运行实施，达成公众的政策诉求"③。宣传话语往往是抽象的、凝练的、高度概括的，通常"被浓缩和隐喻为一种具有信仰高度且易传播的政治象征和政治符号"④。宣传话语的政治议题性突出，叙事框架程式化、结构化，具有鲜明的意识形态属性。这种以政治信息的单向流动实现"自上而下"的话语动员，凸显了话语主体的"高势位"与话语存在的"高语境"。

"话语是语境、历史条件或现实巨变的产物，离开具体的社会环境和社会问题，不会产生话语，社会发生变化，话语也随之改变。"⑤政治生态的变化必然要求政治话语实践随之发生相应的改变。政治传播功能作为政治生态变化的重要指标，体现为"对权力合法性的构建与维系、形成公众舆论、推进政治民主"⑥。不同的政治生态环境对政治传播功能的倚重程度不同，对政治话语实践的表达的要求各异。如果说政治宣传话语着力于对合法性的构建与维系，那么政治沟通话语则更侧重于形成公众舆论、推进政治民主。⑦当前政治生态的发展和变化，已经在一定程度上超越了对合法性构建与维系的倚重，

① 沈国麟：《控制沟通：美国政府的媒体宣传》，上海人民出版社2007年版，第13页。
② ［美］约翰·费斯克：《关键概念：传播与文化研究辞典》，李彬译，新华出版社2004年版，第226页。
③ 段鹏：《政治传播：历史、发展与外延》，中国传媒大学出版社2011年版，第102页。
④ 荆学民、段锐：《政治传播的基本形态及运行模式》，《现代传播》2016年第11期，第8—15页。
⑤ 刘建明：《话语研究的浮华与话语理论的重构》，《新闻爱好者》2018年第9期，第6页。
⑥ 荆学民：《中国政治传播策论》，中国传媒大学出版社2017年版，第239页。
⑦ 荆学民：《中国政治传播策论》，中国传媒大学出版社2017年版，第239页。

这就从客观上敦促着政治传播功能倚重的转移，继而推动着政治话语及其实践的变革。

近年来，官方话语不断创新表达方式、丰富话语类型，通过打造以民间叙事为基础的网络语言的表达方式生成主流舆论、激活大众舆论，以开放、包容、共享的互联网思维构建对话空间，将大众喜闻乐见的软性化表达融入官方话语体系。例如，习近平主席在 2015 年的新年贺词中讲到"我要为我们伟大的人民点赞"，"为了做好这些工作，我们的各级干部也是蛮拼的"；在 2016 年的新年贺词中，习近平总书记再次运用网络流行语讲到"世界那么大"，"让我们的'朋友圈'越来越大"。可见，网络语言正在进入官方话语体系，作为桥梁与纽带，努力实现着官方话语与民间话语的相融相通。从话语的政治传播功能来看，这种官方网络语言的政治软性化表达正是从"政治宣传"走向"政治沟通"，从"着力合法性构建与维系"走向"形成公众舆论、推进政治民主"的新的话语实践——沟通话语实践。

沟通话语是民主政治语境下的话语类型，是"各种与政治有关的信息在一个政治共同体内流通"的过程性话语。①哈贝马斯的交往行为理论认为，社会行为分为策略行为和沟通行为。其中，沟通行为是指"至少有两个行动者通过语言的交流，求得相互理解、共同合作、协调相互间关系的互动行动……沟通行为是相互沟通对世界的理解并协调彼此行动的机制，它也具有目的性，但是，它与目的论行动不同，其目的不是个人的意图，而是达成共识"②。沟通行为也是一种言语行为，诉诸沟通话语来实现。"政治沟通着力于政治运行和行政决策中的'沟'与'通'"，"展现的是沟通主体与沟通对象之间的政治信息流动的'反馈互动机制'"，"通过'输出—反馈'机制实现整个政治场域政治信息的良性循环"。③沟通话语以"对话式"的话语动员形成认同聚合，预设了对话关系的平等性与主体间性，以信息流动的方式完成话语实践。官方网络语言的政治软性化表达作为一种沟通话

---

① 王长江：《政党论》，人民出版社 2009 年版，第 237 页。
② 侯钧生：《西方社会学理论教程（4）》，南开大学出版社 2017 年版，第 342 页。
③ 荆学民：《中国政治传播策论》，中国传媒大学出版社 2017 年版，第 203 页。

语实践，正是顺应网络社会发展与政治生态变迁的时代话语要求与媒介实践的结果。

二、基于交往关系的官方网络语言软性化表达

话语作为社会变革的产物与结果，不仅存在于"现有社会关系和社会结构的社会再生产之中，存在于社会冲突得以发生的领域之中"，还同时"存在于更广泛的社会变化和文化变化之中"[①]。官方网络语言的政治软性化表达作为一种沟通话语实践，不仅存在于网络社会发展与政治生态变迁的语境下，还同时存在于鲜活、生动的网络大众文化之中，是一种通过网络语言进行对话、沟通的交往实践。

交往作为人类社会的普遍现象，既包含了人的要素，也包含了物的要素。"人的要素就是主体要素，而目的、结果、价值关系等则是围绕人展开的精神属性和要素；物的要素，主要表现为人与人交往的中介手段和媒介要素。"[②]

从交往主体来看，交往关系以人学视角强调人的主体性的完全回归，取代了经典大众传播范式将人置于传播的主客二分的固定性地位，提出了交往活动中的互主体性或主体间性。互联网传播的扁平化、去身份化以及话语平权等特征激活了民众的主体性意识，充分调动了"草根阶层"通过娱乐化的话语再生产实现社会参与目的的主动性与积极性。官方网络语言的政治软性化表达正是对民间话语、大众话语的积极反馈与及时回应，体现了官方对传播活动中对话双方互主体性的觉醒与认知，实践着基于交往关系的话语的双向互动过程。在这样的交往活动中，官方与民众通过不断置换自身的话语主体位置，在话语平权、身份平等的伙伴关系的基础上，以积极的姿态相互影响着对方。

从交往媒介来看，语言作为建立交往关系的媒介，是交往活动的中介性客体和交往工具。马克思主义媒介观认为，交往工具"是为人类的生产和交

---

① [英]诺曼·费尔克拉夫：《话语与社会变迁》，殷晓蓉译，华夏出版社 2003 年版，第 28 页。

② 李欣人：《反思与重构：西方传播理论的人学解读》，高等教育出版社 2011 年版，第 200 页。

往活动所创造的历史性的存在……随着生产技术的发展，交往程度的提高，它将越来越具有前提性作用"①。同时，作为交往媒介的语言既具有表现性的物质外壳，又包含着内容性的意识内涵，传达着人类的思想认知、情绪情感与价值判断，也流露着意识形态与文化内涵。网络语言作为人类生产发展与媒介技术变革中的历史性存在，是"一定时期内，在政治、经济、文化、社会等客观环境的催化下，由特定事件或话题引出，与公众心理思潮和社会活动倾向相契合，从而在互联网推动下盛行的词汇、短语、句子或特定的句群模式。它反映出特定时期的社会变迁、社会心态以及网民尤其是年轻网民的情绪"②。官方网络语言的使用不仅是适应社会生产发展、媒介话语与大众话语变革的必然，而且体现了官方主体为建立良性互动的交往关系而在话语实践中主动创新求变的姿态和与时俱进的决心。

从交往的效果来看，基于线性传播关系的经典大众传播效果理论的诞生以实证研究为基础，从一开始就带有强烈的实用主义色彩与工具理性精神。经验理论的主导观念将话语视为意识形态的宣传工具，通过宣传话语制造出传播中强势主体与被动客体的两极，背离了传播的初衷与本真，无限追逐数量上的传播效果的最大化。"而从交往理论看来，传播活动的最终归宿在结果而不是效果。结果与效果不同。所谓效果，在传播活动中是以一方为主导，去影响和支配另一方，所以效果研究经常表现出实用性的特点。而结果则不以传播活动中的某一方为主导，传播主体双方在对话基础上展开平等互动，这种互动体现出一种主体意识和自由精神。"③官方网络语言的政治软化性表达不仅营造了平等、轻松的商谈环境，而且通过"互为话语性"的表达方式，克服了大众传播环境下"孤独主体"的存在，将官方与民众均视为交往中相互沟通、相互开放的主体，肯定了官方与民众之间的平等共在与主体间性，进一步揭示了严肃政治话语与大众娱乐话语的"文化间性"与共在的合法性，

---

① 李欣人：《反思与重构：西方传播理论的人学解读》，高等教育出版社 2011 年版，第 203 页。

② 廖灿亮：《从网络流行语看网民舆论生态》，《网络传播》2017 年第 2 期，第 64—66 页。

③ 李欣人：《反思与重构：西方传播理论的人学解读》，高等教育出版社 2011 年版，第 209—210 页。

彰显着交往的主体意识与自由精神。

从交往关系来看，传播的双向流动必然会形成人与人之间的关系，"传播关系是交往双方相互联结、相互交流的本质原因和隐性要素"①。语言是意识的，具有价值属性。因此，以语言为中介的交往关系的实质是一种价值关系。"价值关系是传播结构得以成立和维持的深层原因。传播主体间的互相联结、互相置换、互相交流，内在地隐含着主体之间的需要和被需要、满足与被满足的价值关系。"②官方与民众之间的政治传播过程就是一种价值关系的互动实现过程。这种价值的实现借助以网络语言为媒介、以政治软化表达为途径的话语实践的相互作用来完成，通过官方与民众之间价值取向与内在需求的联系，建立起合目的性与合规律性相统一的交往话语实践。

从交往主体所处的文化语境来看，新媒介赋权使普通个体成了信息生产者，使大众文化获得了再次勃兴的可能性，并在互联网场域掀起了"全民造义"的娱乐化浪潮。因此，网络语言的政治软性化表达一时间成了普通民众政治文化参与的创举。官方对网络语言政治软性化表达的运用，一方面为"狂欢"中的情绪情感设立了导流、找到了出口；另一方面激活了网络公众舆论，打通了官方与民间两个语义场，让原本存在于同一话语时空中的两条语义平行线有了交集，实现了话语的流动，为严肃、刻板、僵化的官方政治话语注入了鲜活的时代血液，也打破了精英文化长期垄断政治话语的僵局。

从这一点来看，网络语言的政治软性化表达打破了精英文化与大众文化之间存在的文化隔阂，逐渐成为基于交往关系的官方与民众沟通和对话的桥梁与润滑剂。官方网络语言的政治软性化表达作为一种话语实践，打破了人们习以为常的严肃性政治话语的宣传逻辑结构及其背后的权力指向。同时，官方话语对当下最具时代特质、最能反映民众情绪情感的网络语言的选取与吸收，既表达了官方对网络传播环境下大众文化中娱乐元素的存在价值的认同，以及作为网络流行文化的政治软性化表达在某种程度上的合法性赋予，

---

① 李欣人：《反思与重构：西方传播理论的人学解读》，高等教育出版社 2011 年版，第 211 页。

② 李欣人：《反思与重构：西方传播理论的人学解读》，高等教育出版社 2011 年版，第 210—211 页。

又意味着官方介入网络传播语义场对网络语言政治软性化表达的合理性规约。这一话语实践正是以相互尊重为前提的交往关系的体现，官方主体通过大众话语与政治话语之间"互为话语性"的表达方式，建构、说明、阐释着主流意识形态的题中之义，实现了话语合目的性与合规律性的统一。

三、寻求认同共识的官方网络语言软性化表达

正如约翰·塞尔所言："一切语谓行为最终都是语用行为。"[①]作为媒介的话语无疑承载着使两端的话语主体达成共识的语用目的。哈贝马斯也认为，如果将以话语为媒介的交往行动作为一个过程加以考察，那么交往对话的开展与行动一定是以达成理解、建立共识为目的的。在共识的达成过程中，"制造共识"与"认同共识"作为政治话语传播的两种策略体现了不同的政治传播意图。乔姆斯基曾直接以"制造共识"为题，抨击美国从 20 世纪 60 年代中叶开始通过宣传模式炮制舆论、制造共识，最终导致共识破灭的赤裸裸的工具性行为和无止境追逐资本逻辑的强势政治。相较"制造共识"，"认同共识"通过话语的柔性力量实现"以柔克刚"的政治传播目的，它所建构的话语实践是让话语在主体之间在互动、协商中导向认同、达成共识。官方网络语言的政治软性化表达以最具时代特质同时又来源于民众之中的网络语言为语料，以"从群众中来，到群众中去"的群众路线作为官方话语实践的指导思想，寻求通过"柔性"的话语实践，实现政治传播中的认同共识目的。

哈贝马斯的话语理论认为，"话语具有双重结构，分别为'陈述性的'和'以言行事'的两个层面。""话语的陈述性的层面是指话语在语义学分析层面上所具有的信息、内容"；"而'以言行事'则是用话语来做事，也就是说，通过话语交往建立人与人之间的关系"。[②]传统的官方话语实践是以信息告知、灌输、教化为特征的宣传话语实践，从本质上来说是一种信息交

---

① 转引自：刘晗：《哈贝马斯基于交往的话语理论及其规范问题》，《上海交通大学学报（哲学社会科学版）》2010 年第 10 期，第 64 页。

② 转引自：刘晗：《从巴赫金到哈贝马斯——20 世纪西方话语理论研究》，西南交通大学出版社 2017 年版，第 173 页。

往型话语实践。信息交往型话语实践认为，"交往过程只是在一个单独水平、即内容或信息传递水平上发生着。结果，事情的关系方面失去了相对于内容方面的独立性，话语的交往作用失去了自身的构成性意义并被填加到信息内容之中，陈述的语用学操作——它在形式化的呈示过程（例如符号逻辑）中呈示着话语的以言行事成分——也因此不再作为达到陈述性内容之理解的特定方式来译解，而被错误地解释为被传递信息的一部分"①。信息交往型话语理论的片面性正是哈贝马斯的交往话语理论所批判的焦点。在哈贝马斯看来，话语作为媒介不仅要发挥传递信息的作用，而且要实现建立人际关系的功能。"虽然说话语的陈述性的内容与以言行事的方式之间具有一定的独立性，但是它们之间并不能单独存在。话语的陈述性内容必须通过以言行事的方式才得以固定。"②从这个意义上来说，传统官方宣传话语的时代失语症结就在于只看到了"陈述性内容"层面的可传达性，或者说将"以言行事成分"误解为被传递信息的一部分，而忽视了"以言行事成分"在新语境下对话语的固定作用和话语主体关系的强调，从而造成了奥斯汀所谓的"以言取效行为"的失利。

认同共识通过话语主体之间展开的沟通、对话、交流来实现。在传统媒体的传播场域中，一方面，底层民众不具备与官方展开沟通、对话的媒介资质；另一方面，官方在政治传播中使用的是高语境、单向性的宣传话语，这两个方面都造成了官方话语在"以言取效"层面上不可避免地会遭遇传播壁垒，不能够达到认同共识的传播目的。这种传播壁垒一方面会造成"信息无法传达到底层群体中去"；另一方面也会引起"信息内容传递偏差。由于底层群体更愿意接受软化的信息，这就使得传统的官方宣传话语较难得到底层群体的有效接收和及时反馈"③。可见，"信息交往型"的官方话语实践很难达到认同共识的目的。以网络语言的政治软性化表达为体现的关系交往型话语实践则存在达成认同共识的可能性。

---

① ［德］哈贝马斯：《交往与社会进化》，张博树译，重庆出版社 1989 年版，第 44 页。
② 刘晗：《从巴赫金到哈贝马斯——20 世纪西方话语理论研究》，西南交通大学出版社 2017 年版，第 174 页。
③ 郎劲松、侯月娟：《政治形象传播：建构与重构——新媒体语境下领导人的形象传播策略研究》，《中国政治传播研究（第 1 辑）——基础与拓展》2015 年第 5 期，第 48—56 页。

这是因为从功能上来说,关系交往型话语实践无疑是一种沟通话语实践,而沟通话语预设了交往主体之间的平等性与主体间性。在新媒体传播场域中,互联网络"连接一切"的本质与网络传播机制赋予了传播场域中的参与者话语平权。①同时,网络传播的去中心化、去身份化特征使原本处于低语境中的普通大众也成了政治话语表达的主体。因此,以平等对话为基础的沟通话语成了契合新媒体的传播场域与政治社会语境的必然选择。从话语理论层面来看,沟通话语的语效行为之所以具有实现的可能性,是因为它在"陈述性内容"的可传达性与"以言行事成分"的表意方式上进行了有机结合。

例如,习近平总书记在 2017 年新春贺词中讲到的"天上不会掉馅饼","撸起袖子加油干",以坊间俗语、口头语等大众话语的表意方式行事,传达着与"不劳无获""努力奋斗"异曲同工的陈述性内容,不但弘扬了国家主旋律,而且激起了社会各界的强烈共鸣。这种从高语境向低语境的话语转向,淡化了传统官方政治话语中官方与民众之间的"主体-客体"关系,"弱化了政治宣传中主体向对象的'意志推展'的强度"②,提高了官方话语在大众语义场中的认同度,打破了精英化政治话语的垄断格局与长期以来政治信息单向性、无互动式传播造成的文化隔阂,让政治话语更加生动形象的同时,也充满了人情味。

哈贝马斯在肯定塞尔有关语谓行为的语用目的的基础上指出,以理解与认同为目的的交往话语"不是无缘无故地发生,它必须遵循一定的规范才能获得"③。因此,哈贝马斯在乔姆斯基"语言资质的主体性语言理论"的基础上,提出了"交往资质的主体性话语理论",并认为交往资质是一种"从话

---

① 喻国明、马慧:《互联网时代的新权力范式:"关系赋权"——"连接一切"场景下的社会关系的重组与权力格局的变迁》,《国际新闻界》2016 年第 10 期,第 6—27 页。
② 荆学民、段锐:《政治传播的基本形态及运行模式》,《现代传播》2016 年第 11 期,第 8—12 页。
③ 刘晗:《从巴赫金到哈贝马斯——20 世纪西方话语理论研究》,西南交通大学出版社2017 年版,第 170 页。

语的合语法性向考虑他者的能理解性的转换"。①也就是说，存在于同一关系
网络中的"交往行为的参与者或者言说者只有具备这种交往的资质才能作为
对话的一方参与交往，也只有具备这些条件，才可能被交往中的他者认可。
构造一个合乎语法的句子，说出一句在一个语言集团中能被理解的句子，这
是一个具有语言资质的主体所必须具有的能力"②。作为社会建构论基础的符
号互动论也认为，话语在社会构建中处于中心地位，影响甚至支配着人类理
解世界的方式，而人们又总是在互动性而非结构性话语中"通过所属群体共
享的符号意义来理解他们的体验"③。这也就意味着沟通有效性的实现必须以
沟通话语主体双方处于同一话语体系或话语模式为前提，这也是斯考伦夫妇
提出的"判断参与沟通的行为主体的沟通意向的真诚性"的重要标准。④官
方网络语言的政治软性化表达将原本高高在上的精英政治话语拉进可以平视
的大众通俗话语的语义场之中，在精英话语与大众话语、政治话语与通俗话
语之间找到了平衡点。它不仅以民众喜闻乐见的软化表达承载政治信息，同
时还将网络流行语揉进官方话语，彰显了官方主体对大众话语的了解与关切，
缩短了官方与民众之间的社会距离与心理距离，实现了政治话语大众符号的
有效传播。

　　从这一视角可以窥见，在当代的政治传播语境中，官方一改程式化、僵
硬化、灌输性的意识形态宣传话语，转变成感性化、柔性化、幽默化的协商
式的沟通话语，利用当下最生动、鲜活，最具时代性且源于大众话语体系的
网络语言实现政治传播，不仅彰显了官方对民众之于国家主人翁地位的尊重、
认可与强调，同时表达了官方以平等沟通的姿态邀约民众共同参政议政的真
诚与决心。通过平实的话语实践，逐步实现着"官民共治"的国家与社会、

---

　　① 刘晗：《从巴赫金到哈贝马斯——20 世纪西方话语理论研究》，西南交通大学出版社
2017 年版，第 174 页。
　　② 刘晗：《从巴赫金到哈贝马斯——20 世纪西方话语理论研究》，西南交通大学出版社
2017 年版，第 174 页。
　　③ 许静：《论政治传播中的话语构建——以大跃进运动为例》，《中国政治传播研究
（第 1 辑——基础与拓展）》2015 年第 5 期，第 106—115 页。
　　④ 谢立中：《哈贝马斯的"沟通有效性"理论：前提或限制》，《北京大学学报（哲学
社会科学版）》2014 年第 5 期，第 142—148 页。

政府与公民的关系，这便是官方网络语言政治软性化表达的终极政治语用目的——"善治"。

第二节　市场要素对网络语言政治表达的侵蚀

距离尼葛洛庞帝的《数字化生存》在中国出版已过了数十余年，这数十年间互联网本身及其相关产业的发展似乎都在印证着他的预言，人类社会已然确实地开始逐渐从"原子"向"比特"进行过渡。在当代中国，网络已经逐步覆盖到了普通人生活的方方面面，麦克卢汉当年预言的"地球村"似乎正在以一种势不可挡的势头加速变成现实。与此同时，正如陈原所说："语言——作为社会现象，同时作为社会交际工具——毫不含糊地随着社会进展的步伐而发生变化。"[①]当代的语言也跟随互联网的发展发生了巨大的变化，网络语言已经从网络社区和即时通信工具发端伊始时的简单音译、缩写等方式迅速变化为含义更丰富、形式更复杂多变的新式"网络语言"，而在这种"新式网络语言"的创造和传播过程中，社会对其的形塑作用依然显而易见，甚至可以说在互联网的技术神秘感逐渐退却的现在，社会作为网络语言生成和发展最为重要的维度被凸显出来。

《中国青年报》之前的一次联合问卷调查显示，网络语言的快速发展正在对越来越多人的现实生活层面产生影响。调查数据表明，一份样本数量为2000人的问卷显示：89.6%的受访者平时会频繁接触网络用语，其中46.8%的受访者经常接触。对于网络用语的含义，85.9%的受访者表示比较了解，其中18.2%的受访者表示"几乎都了解"，"不怎么了解""不了解"的受访者分别仅占13.4%和0.9%。[②]

由此不难发现，网络语言的适用语境已经远远超出了互联网本身，它正在逐步成为一种桥接现实生活与网络世界的工具，进入了人们的日常生活之

[①] 陈原：《社会语言学》，商务印书馆2000年版，第4页。
[②] 杜园春：《62.1%受访者建议将有意义的网络词汇收进词典》，《中国青年报》2016年7月19日。

中。根据吉登斯对于结构二重性的论断,社会结构不仅对人的行动有制约作用,同时也是行动得以进行的前提和中介。[①]从这个意义上讲,网络语言既是由人们在网络生活实践中创造出来的,又是在网络传播实践中被广泛运用进而影响整个社会的语言结构的,它通过对社会语言结构的重塑,带动了社会与网络空间的"共变"。

具体体现在网民日常的政治生活层面,就是网络语言正随着政治事件在赛博空间的曝光度的不断提升而越来越多地同政治事件相结合,或生产出新的流行语(我爸是李刚、做人不能太 CNN),或者通过老词新解对政治、生活中的事件进行调侃和解读(蒜你狠)。网络语言由此和政治生活紧密联系在一起,一方面淡化了政治的神秘性,另一方面也促进了政治向软性化方向的演变。

然而,回归到一个大的社会环境之中来看,作为网络语言主要流通地的微博、微信、百度贴吧、知乎、快手等平台基本上都是由以盈利为目的公司在负责开发、推广、运营和维护的,那么这些平台所固有的市场属性是否作为一项重要的要素对网络语言的塑造和传播起到了作用呢?经济的因素在网络语言的塑造和政治软性化的推进过程中起到了什么样的作用?市场的逻辑又在多大程度上形塑了网络语言?[②]诸如此类的话题,将是本节关注的主要方面。

一、市场要素对网络语言的影响

(一)语言文字类

来自人民网的《舆情报告:2015 上半年网络流行语分析》总结了 2015 年上半年的网络流行语,统计出了其在论坛、微博、微信和博客四个平台的热度情况,并对其来源分布,以及互联网用户的年龄分布做了统计分析,如图 6-1 所示。

---

① [英]安东尼·吉登斯:《社会的构成》,李康、李猛译,生活·读书·新知三联书店 1998 年版,第 61 页。

② 吴茂林:《互联网的民主力量》,《IT 经理世界》2010 年第 6 期,第 12 页。

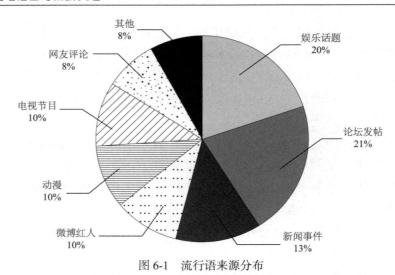

图 6-1 流行语来源分布

资料来源：人民网：《舆情报告：2015 上半年网络流行语分析》，2015 年 8 月 7 日，
http://yuqing.people.com.cn/n/2015/0807/c364391-27428118.html

从表 6-1 可以看出，在这些流行语中，来自电视节目、动漫、微博红人和娱乐话题四个方面的网络流行语占到了网络流行语总数的 50%，也就是说，在最受欢迎的网络流行语中，受市场因素影响而产生的就占据了整个榜单的一半，它们都与网民的娱乐诉求有着不可分割的联系，例如，"上交给国家"出自网剧《盗墓笔记》。另外，由新闻事件诞生的网络语言高达 13%，位列所有来源中的第三位。其中，"你妈是你妈""世界那么大我想去看看"这种源自常规新闻的语言的迅速走红，也从另一个侧面反映出政治、新闻和日常生活之间的区隔正在逐渐消弭，严肃的文字可以被娱乐化解读，娱乐性的话语也可以经过包装进入政治讨论的范畴。从这个角度讲，政治和娱乐的距离感在网络语言的催化下实现了进一步的融合。因此，虽然娱乐往往是人们试用互联网的主要诉求，但这不影响网民对政治事件的关注，他们对新闻信息的获取和消费需求同样旺盛，只是在随后的再传播过程中，网民对二者进行了结合，从而创造出了更符合网络传播规律的语言句式，被娱乐化了的政治类网络语言也就由此诞生。

表 6-1 流行语在网络平台的热度排名

排序	名词	论坛	微博	微信	博客	热度
1	颜值	131 418	464 928	394 971	50 958	294 445
2	逗比	184 894	508 421	242 309	31 073	268 412
3	也是醉了	228 821	498 340	212 058	39 839	266 851
4	约吗	229 759	171 939	434 515	79 914	243 871
5	日了狗了	158 350	123 531	242 003	43 067	149 944
6	我想静静	131 306	61 241	254 146	88 497	138 577
7	CP	53 654	333 111	17 171	60 249	127 865
8	什么鬼	108 625	159 332	153 035	37 236	122 882
9	小鲜肉	61 354	170 321	175 664	24 113	120 889
10	单身狗	73 624	215 620	126 586	9 755	119 338
11	你妈是你妈	82 257	97 036	117 887	17 095	84 347.3
12	有钱任性	60 760	64 081	110 780	17 773	68 164.9
13	且行且珍惜	35 384	74 831	98 674	23 623	63 852.9
14	没但玩	25 666	268	166 423	14 779	58 096.3
15	我们	25 665	33 352	92 731	15 979	46 153.7
16	整个人都不好了	19 114	73 863	33 196	3 591	36 658.7
17	壁咚	5 544	88 858	23 080	5 544	35 799.0
18	也是蛮拼的	21 075	38 021	50 750	7 546	32 355.5
19	世界这么大, 我想去看看	17 979	29 000	53 931	10 003	30 475.7
20	怪我咯	19 084	56 333	18 145	1 837	26 527.6
21	重要的事情说三遍	16 884	22 323	51 834	4 229	26 469.7
22	睡你麻痹起来嗨	12 681	53 445	7 013	201	20 713.8
23	歪果仁	4 398	24 008	25 711	1 400	16 075.3
24	我的内心几乎是 崩溃的	3 990	25 118	21 402	1 890	15 132.0
25	小公举	2 851	22 578	24 964	493	14 931.4
26	明明可以靠脸吃饭 非要靠才华	8 762	14 153	24 573	2 776	13 925.4
27	上交给国家	10 968	5 815	28 041	4 138	13 178.0
28	城会玩	12 683	12 317	22 767	424	13 146.6
29	本宝宝	10 319	12 074	19 464	942	11 713.6

资料来源:人民网,《舆情报告:2015 上半年网络流行语分析》,2015 年 8 月 7 日,http://yuqing.people.com.cn/n/2015/0807/c364391-27428118.html

（二）表情图片类

在传统的文字类网络流行语之外，网络语言开始以图片化的形式向视觉的维度拓展。从 emoji 开始，到微信原创表情包，以及在 FB 表情包大战中出现的大量基于拼贴、解构等后现代方法合成的自制表情包都极大地扩展了网络语言的表现空间，而图片内容和配图文字的互文作用也进一步拓展了网络表情包的意义空间。

表情包作为网络语言的一种自然的延伸，其风靡的原因主要有两点：一是网民基于在网络互动中表情达意时，由于文字过于抽象而可能导致误解，因此试图通过增加表情、符号、图片的方式来减少信息的不确定性。表情包中图片形式的存在使得传者的情绪被纳入交流的过程之中，信息的传递也因此变得更加完整，从而减少了双方误解的可能性。二是网民出于惰性，希望在传播过程中尽量使用较少的、省力的表达方式，从而使传、受双方都可以"用最少的语言传递尽可能多的信息"①。表情和图片在复制和传播信息的过程中，由于可以批量下载、快速调取和发送，在便携性上较文字有一定的优势，因此受到了大量网民的喜爱，继而在交流和对话中开始频繁使用表情包。由此可见，表情图片类的网络语言应当被视作原先文字类网络语言的自然拓展。

与此同时，网络表情包也同样深入参与到政治事件的讨论之中，然而它并不像文字类网络语言那样，用特定的字词指代特定的事件，进而广泛传播。表情包参与网络政治事件的特点集中于情绪和倾向的表达，而非意见的陈述。换句话说，就是表态多、发言少，这一特点在"帝吧出征 FaceBook"事件中表现得非常明显，众多网友通过形式各异的表情包来表达同样的"维护祖国统一"的心情。但是，值得注意的是，固然表情包可以成为表达政治态度的一种方式，然而其展现形式和更加"去理性""去文字"的特征将互联网对政治的态度向更加非严肃、去深度的软性化方向推动。

同样，网络表情包本身也深度浸染在经济的语境之下。广泛流行于各大社交平台的表情包，比如，国外的 linefriends、emoji，国内的冷兔、罗小

① 谭苗：《网络流行语——语言经济和类推机制的产物》，《语文学刊》2010 年第 11 期，第 69 页。

黑、阿狸，都在推广其表情包的同时加快商业布局，有条不紊地将周边产品在线下渠道进行推广和销售。在网友自制的表情包中，很多都是深植于娱乐领域的文体明星和娱乐偶像。造成这种现象的原因如下：一是创作者为了保证表情包的内容能够快速被辨识，需要选择一些大众相对熟悉的形象来进行二次创造；二是因为在互联网环境中，传受双方都对娱乐给予了更多的重视，因此可以说网民在自制表情包的过程中在不自觉地受到商业逻辑的影响。

由此可见，表情包作为网络语言的一种自然延伸，从起源到传播都浸润在市场的逻辑之中。网络交流的图像逻辑与视觉主导的文化产业深度契合，自然而然地被拉到了消费主义的意识形态之下，这不仅影响了网民对表情包的创作和使用，同时也影响了网民对具体情境的判断和表达策略。同时，消费文化对于速度、感觉和宣泄的推崇，也让网络表达继续向娱乐化方向发展，进而诱导网民对网上的一切信息都用娱乐的态度去解读和消费，在这种阅读和理解惯性的影响之下，政治软性化的程度也呈现出日渐加深的趋势。

二、被市场驯化的网络语言用户

除了网络语言本身，对网络语言的使用者进行分析也是一件非常必要的事情。因为用户的特征会在很大程度上影响网络语言呈现出来的样态，可以说用户的性格决定了网络语言的性格，有什么样的用户，就会有什么样的网络语言。

如前文所述，中国互联网的使用人群多为10—49岁的中青年群体，其学历以高中及以下为主，他们的日常生活或有相对规律的作息时间（学生、职员），或有相对灵活的自由支配时间（自由职业）。有学者在成都市内以及微博、微信平台进行的一次关于网络语言的认知和使用情况的调查中还发现了"对网络语言交际功能的认同与受访者的年龄呈负相关趋势"[①]。也就是说，越是年龄大的群体，对于网络语言的交际功能的认可程度越低。同时，这份

---

① 彭晓、李沁：《网络语言传播现状调查》，《成都大学学报（社会科学版）》2015年第3期，第114—118页。

调查还对用户使用网络语言的动机做了调查，结果如图 6-2 所示。

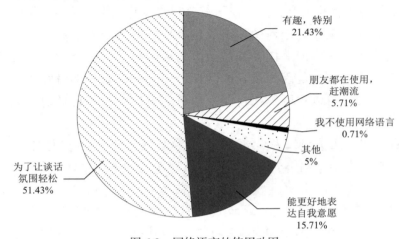

图 6-2　网络语言的使用动因

注：因四舍五入，图中数据之和不等于 100%

　　由此可见，对于网络语言的使用，表意的功能相对次要，传情的需求成为主要的。相较于常规语言，网络语言身上所带有的时尚、新奇等要素成了人们使用它的最主要原因，人们使用它更多是为了促进交际关系，而不是基础意义的传达。同时，结合中国互联网络信息中心的调查报告，不难对广大网络语言的用户做一个简单的画像：他们是一群文化程度相对不高，有着相对充裕的自由时间的年轻人，他们带着对新事物的新奇和赶时髦的乐趣而主动消费着网络语言。由此可见，网络语言的受众群体和文化工业产品的受众群体存在高度重合，正是由于这个原因，许多商家也开始把目光投向了网络语言的受众群体，包括"咸鱼""叶良辰"等网络语言也以文字或者二次创作的拟人形象创作出的商品出现在了电商平台，从而被正式纳入了商业逻辑之中，并且在网络语言同既有的文化工业产品的线上互动中交相辉映，甚至互相作为对方的能指，以便提高其话题性、影响力和商业价值。

　　接下来，我们将目光转向文化工业。作为网络语言的一大源头，影视动漫和时尚明星等文化产品在青少年群体中有着广泛的影响力，而在新技术的加持之下，青少年群体对流行文化的消费形态已经实现了"由单一的语言符号、声音符号和影像符号向综合符号的转变，表现出独特的文化走向"①。在这样的背景之下，网民对流行文化的消费逐步由广度向深度转变，流行文化产品的消费行为逐渐与其粉丝群体的价值观认同和身份构建连接在了一起；影视动漫和明星网红的粉丝经由相同的兴趣在网络空间内结成社区，通过互动、交流创造和交换意义，实现巴赫金式的打破传统社会结构，充满想象力的颠覆式狂欢。很大一部分网络语言就是在这样一次次的粉丝文本创作和交流的过程中被生产出来的。与此同时，文化产品的创造者也在主动寻求与粉丝群体的直接交流。这既是普通民众在"话语权力"层面取得的胜利，也是原话语霸权持有者主动将权力下放的策略。

文化产品对于粉丝的收编主要依靠的是简单的"快乐原则"，其中又尤以视觉快感的形式最为普遍。这一策略在网络语言的传播过程中也得到了印证，对轻松和有趣的需求要远远大于对基础的交际功能的需求。这种策略得以顺利发挥作用的客观原因是，我国网民的普遍学历水准集中在本科/大专以下，这一群体对于感官层面的快乐有着更为直接的体味，深度思考则由于自身知识结构的不完备、社会经验的不丰富而难以实现。其主观原因则是，用户接入互联网、获取和传播网上信息的主要目的还是出于娱乐的需求。因此，在主客观两方面的原因的影响之下，用户基于互联网的心理和行为就表现出了对于文化工业产品的高度认同和热烈欢迎。

当然，文化工业也乐于满足受众对于娱乐和消遣的需求，从而将娱乐的基因植入网民消费的文化产品之中，逐步将网民的审美习惯向感官刺激的方向进行引导。按照弗洛伊德的说法，"一个幸福的人从来不会幻想，幻想只发生在愿望得不到满足的人身上。幻想的动力是未被满足的愿望，每一个幻想都是一个愿望的满足，都是一次对令人不能满足的现实的校正"②，换句话说，粉丝对于文化产品中被创造出来的偶像的崇拜，更多是出自对被对象化了的他者的观看，来源于性本能的"窥淫欲"。同时，作为新晋崛起的网红，

---

① 中国青少年研究中心、苏州大学新媒介与青年文化研究中心、"青少年网络流行文化研究"课题组：《新媒介空间中的青少年文化新特征——"青少年网络流行文化研究"调研报告》，《中国青年研究》2016年第7期，第59页。

② ［奥］弗洛伊德：《弗洛伊德论美文选》，张唤民、陈伟奇译，裘小虎校，知识出版社1987年版，第31—32页。

尤其是视频直播平台中依靠搔首弄姿求关注的"美女网红",则是通过自主将"后台前台化"(戈夫曼语)的行为,主动出让隐私,获得"被窥视"的快感。由此可见,无论是"暗中观察的粉丝"还是"主动暴露的网红",他们都是在借用媒介的平台来释放被压抑的欲望,追求原始的视觉快感。在经过文化工业的整体包装之后,这种贯彻着"力比多逻辑"的文化产品被不断地用工业流水线的方式批量制作出来,供广大青少年消费,日本动漫中千人一面的美少女、韩国长腿欧巴以及活跃在中国荧屏之上的各位"小鲜肉"莫不如此。

既然是工业流水线生产出来的文化产品,那么它的主要任务就是变现,为生产者带来直接的经济收益,而当下的受众伴随着经济水平同步提升的消费欲望也让这一策略得以顺利实施。他们不仅通过为相关电视/网站贡献收视率/点击率的方式来表达对于文化产品的支持,同时也会实打实地用真金白银来表达自己对其的喜爱。

越来越成熟的粉丝经济市场实实在在地渗入了每个人的生活,各类娱乐明星、动漫人物的周边产品从粉丝自制变成企业购买版权并规模化生产和销售……粉丝狂热的态度和强大的购买力使得文化相关产业顺利地形成了一个完整的商业闭环。同时,文化工业市场日趋成熟的商业运作体系进一步推动了线上粉丝群体的交流和互动,文化产业推陈出新的速度不断加快,花样繁多的新品和层出不穷的促销活动都在加速着整个文化市场的革新。新的话题不断被制造,粉丝群体的线上交流纷至沓来,不仅巩固着线上群体的结构,同时也为新的网络语言的诞生和传播提供了土壤。

前文提到的"身体化"策略也对网络语言本身产生了直接影响:"颜值""小鲜肉"这类网络语言非常明确地指向了身体向度的审美倾向,而一些网络语言也从身体的层面出发,在其他领域生发新的含义。其中,尤其值得注意的是"白富美"之类的网络语言,它们从身体向度中产生,纳入的是众多粉丝群体的话语传播体系,内含的是因经济实力区别而产生的不同群体的不同心态,同时又被更为广阔的经济实体(企业)收编,进行针对该网络语言所指涉的群体的经济营销。因此,可以说,这一部分网络流行语从头到脚都浸染着市场经济的逻辑,尽管这类词语的创造并非市场的授意,然而由于其基因与市场逻辑的高度契合,因此最为顺利也最为彻底地被规划入了市场的运作体系之中。

如果说采用视觉快感的形式来吸引网络用户是文化产业在正面战场的胜利的话，那么文化产业通过对"快乐原则"的再三强调，对网民群体审美取向上的塑造则可以称得上是在"敌后战场"层面的胜利，因为这一策略从根本上决定了网络文化"泛娱乐化"的景观现象。

在大众工业体系将文化创作强势收至麾下之后，文化产品逐渐脱离作者化的创作，除却少量文化产品中所蕴含的"作者的灵韵"（本雅明语），大多数文化产品以流水线式的生产逻辑被制作，也就是实现了文化的经济化，体现在受众的视角就是审美的消费化。从另一个角度讲，消费主义的一大特点就是"物品的使用价值让位于符号价值，在文化产品的消费中也不例外"[①]。因此，对于各类文化产品的消费行为也由于被添加在每个文化产品身上的"符号标签"而具有了各不相同的符号价值，对一类文化产品的消费就是对这类文化产品身上的符号的消费，体现的是"消费者对意义、快乐和社会身份的选择"[②]。最为典型的现象就是受众根据自己的消费行为为文化产业产品划分等级：看美剧的瞧不起看国产剧的，看日本动画的瞧不起看国产动画的，不同明星的粉丝之间经常呈现出对立的状态……由此可见，受众在消费某种文化产品时，不自主地将某种符号标签添加到了上面，从而实现对于其他群体的"歧视性对比"，于是，这种对于文化产品的消费行为被审美化了。因此，文化产业通过"审美消费化"和"消费审美化"的策略，成功让网民的注意力集中在了各种快速更迭的"现象"身上，对于单一作品/事件的深度思考反而显得古板而过时了。在这样的语境中产生的网民的对话是无法超越这种短平快的思路预设的，那么在对话中生成的网络语言又何尝不是如此呢？谁能想到如今看来已经显得过时的"我和我的小伙伴都惊呆了""且行且珍惜""感觉不会再爱了"等流行语才仅仅是两三年前的产物？更不用说"大虾""恐龙""镁铝"等这些出现不过十年左右的流行语了。

三、被市场操纵的网络语言流通平台

既然网络语言是在互动中生成、发展和壮大的，那么讨论网络语言时不

---

① 隋岩：《媒介文化与传播》，中国广播影视出版社 2015 年版，第 136 页。
② 隋岩：《媒介文化与传播》，中国广播影视出版社 2015 年版，第 136 页。

能回避的一个要素就是网络语言的载体——网络社交平台。网络社交平台所展现出来的强劲势头不仅是对传统媒体——如报纸、电视——的强大冲击，同时也是对互联网上其他产品——如博客、论坛——的颠覆。网络社交媒体所引发的变革从根本上重塑了媒介的生态，而造成这一现象的主要原因有二：一是信息技术的推动；二是新自由主义思想的引导。其中，尤以第二点对网络语言性格的塑造作用最为明显。

（一）信息技术的推动

不同于传统媒体泾渭分明的传受关系和 Web1.0 时代由于技术壁垒导致的"传强受弱"的格局，过去处于被动接受地位的受众在 Web2.0 时代反客为主，成功地成了主角。用户不仅拥有了畅所欲言的权力，而且由于"点对面"的传播格局被打破，每一个节点发出的声音也拥有了被广泛收听的可能。社交媒体展现出的强大信息整合能力也使得它被许多人视为优质信息的获取和传播渠道。

网络社交媒体产生的广泛影响体现出了技术所拥有的强大力量，信息接收终端的发展更是不断地革新着人们与世界的互动方式。正所谓"新媒介，新场景；新场景，新行为"[①]，以手机为代表的移动网络彻底释放了每一个信息节点所拥有的传播潜力。随着网络社交行为的场景从办公桌前搬到手掌上，网络社交平台同日常生活的交集也在逐步增大，一种更加随意的、轻思考的表达习惯逐渐占据了主导地位，手机移动平台的社交行为也由此成了网络语言传播的主要途径。同时，由于网络思考和表达习惯的变迁，网络语言本身的创造和传播过程也呈现出更加灵活多变的特点，网络语言的创新和流通速度都较以往更快。

（二）新自由主义的影响

互联网的诞生恰逢新自由主义思想在全球大行其道。诞生于新自由主义时代的互联网在发展过程中越来越表现出哈耶克梦想之中的形态——"脱离社

---

① 桂琳：《媒介场景文化研究中的新思路——读梅罗维茨的〈消失的地域〉》，《文化与诗学》2008 年第 1 期，第 292 页。

历史条件的机会平等主张、去中心化的控制论逻辑、建立在原子化个体之上的自由至上主义、社会运行的自发秩序原理、不设限制的自由交易等等"①。二者在短时间内一前一后地随着中国的改革开放被引进了国内,而在改革开放期间,新自由主义与互联网去中心化的特点又进一步深度结合,引导互联网的网民在去规制、去宏大叙事的方向继续前进,这一点在社交媒体出现和普及后得到了更明显的体现。

与此同时,新自由主义也在强化着它原有的市场逻辑:去历史语境的胜者为王原则,认为通过市场公平的竞争,能留下来的一定是最好的。在这样的逻辑预设之下,任何商业竞争都是正义的,任何商业竞争带来的结果都一定是合理的。这样的看法是对是错暂且不提,但是显而易见的是,基于这个原则而生成和发展起来的中国的社交媒体格局正在呈现出一个非常明显的特点:为观点流通提供"场地"的互联网企业成了赢家,而且赢者通吃的局面已经初步显现,用户、注意力和资本开始高度向既有的超级平台和既有的意见领袖聚集。

1. 平台聚集

从图 6-3 不难发现,网民对于社交网络的使用高度聚集在前三个平台之上,腾讯的微信朋友圈和 QQ 空间占据了前两名,位于第三名的微博相对于后面几个平台的优势也非常明显。而且,在相隔半年的调查之中,前三个平台的用户使用率也表现出了逐步攀升的势头,第四名的豆瓣网使用率半年之间跌破 10% 的关口,与前三名的差距也越来越大。时至今日,如抖音、快手、微视、央视频等"现象级"短视频平台的崛起,又对之前的平台格局产生了较大的冲击。

2009 年,新浪微博凭借其平台优势和资本压制,成功击败最早引入"twitter"模式的饭否,坐上国内微博类产品的头把交椅;而今大热的微信也是借助庞大的 QQ 用户积累和腾讯强大的资金、技术支持,打败米聊,成为用户占有率最高的即时通信软件。同时,在它们发展的过程中,凭借雄厚的

---

① 王维佳:《"点新自由主义":赛博迷思的历史与政治》,《经济导刊》2014 年第 6 期,第 29 页。

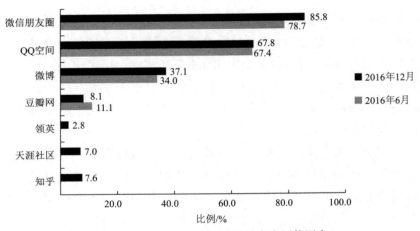

图 6-3   2016 年 6—12 月典型社交应用使用率

资料来源：中国互联网络信息中心：《第 39 次中国互联网发展状况统计报告》，2016 年 12 月，
http://www.cac.gov.cn/2017-01/22/c_1120352022.htm

集团背景和用户积累，将众多意欲涉足该领域的竞争对手斩落马下，于是中国社交媒体的市场格局就呈现出了极其明显的向"超级平台"聚集的特点，越做越大的微信早已开始尝试在微信平台内部开发"小程序"，借以提升用户的黏性，从而将更多的流量和用户锁定在微信这个超级平台之内。仔细观察这几个超级平台，每一个平台的诞生都离不开平台背后雄厚的技术和经济资本的支持，而每一个平台的发展也离不开通过技术和资金的投入，拉大与竞争对手的差距，力求实现垄断的商业逻辑。

2. 意见聚集

社交媒体所鼓励的是在新的传播平台上的自我暴露和自我实现，人们在自我披露和互相窥探中实现个人自我价值的展现和重塑。在互联网上，人人都有一个小喇叭，可以向外界发出自己的声音。然而，现实的问题是，并非人人的声音都能够平等地被他人接受。以微博为例，微博中有着持续影响力和较高关注度的"大 V"大多是现实生活中就已经具有较高知名度的人。

即使在突发情况下，那些更有名望的实名"大 V"也更容易成为关键的信息节点，处于信息链下游的普通用户在绝大多数情况下只能成为"转发"和"评论"按钮下的一个数字，他们发出的信息很少会有人看到，自然难说产生影响力了。也就是说，微博给广大网友带来的更多是一种可能性、乌托邦式的愿景，真正主导社交媒体内容的还是原本就具有强大号召力的人和组织。社交媒体并没有创造一个全新的社会结构，尼葛洛庞帝所推崇的"数字化生存"本质上还是现实社会结构的一种自然延续。

另外，既有的意见领袖通过在社交媒体上不断地对自身的形象进行完美化处理，进而维护其个人形象，巩固个人的意见领袖地位。这一过程的运作机制，其实本质上与每一个社交媒体用户的需求并无二致，一如娜塔莉·芬顿所言：个人在社交媒体上的发言"在很大程度上是自我指涉（self-referential）的，其动机是个人的自我实现"①，用户通过互联网技术创造出的全新的自我形象是一种去历史、去社会语境的完美的"我"。这种策略在互联网上往往会由于使用者在现实生活中的社会地位不同而有所差异。芬顿口中的"自我实现"对于默默无闻的普通人来说，是一种通过展示自己美好的一面来获得他人认可的尝试，强调的是自己的特殊之处；而明星则更愿意通过展示自己普通人的一面来让人感到亲近，以提升自身的影响力。

具体来说，直播平台中的部分女生希望通过展现自身姣好的容貌和身材，辅以还算过得去的才艺展示来引起关注；在微博、知乎、豆瓣等平台上，许多博主则是通过发布一些观点性较强的短文、影评、脱口秀，以满足都市中产阶级精神层面的需求。在这三种模式下，都诞生了不少面向该受众群体的意见领袖。可以看到，不管在哪个平台，意见领袖的一个重要特征就是在不断地从事内容生产，并力图使它契合更多人心理上的某种需求。在这样的内容生产过程中，网络语言或是由他们发明创造，或是被他们引用，都很容易地伴随着其内容的传播过程深入到其粉丝的脑海中。

不难看出，不管是反建制还是做自己，抑或对成功的渴望，其内核都与新自由主义去中心化的自我实现、个性解放的渴望和愿景极其相似。意见领袖通过积极的形象管理策略巩固自己在社交网络的位置，而普通受众则通过与这些明星、网红的互动体认着自己在网络空间中的身份定位，完成对"自我"的想象，进而采取与自己认同的意见领袖相似的意见和立场来进

---

① ［英］詹姆斯·柯兰、［英］娜塔莉·芬顿、［英］德斯·福里德曼：《互联网的误读》，何道宽译，中国人民大学出版社 2014 年版，第 153 页。

行社交媒体上的自我身份构建。社交网络上的意见也因此开始高度向特定的意见领袖聚集，一旦发生什么事件，这些意见领袖的言论很容易成为其粉丝群体的指导性意见。网络语言则成了协助网民完成个人身份想象的工具，同时也是新自由主义塑造"平等""自由""去中心化"等"神话"的工具：社交媒体形态各式各样，用户各不相同，发言千奇百怪，目的却殊途同归；市场的逻辑决定着软件开发者、内容创造者和软件使用者三方的思维方式，平台建造者的目标引导着用户的使用习惯。在内容生产成了一门产业的当下，承载内容的平台和内容的生产者又如何逃得过资本的目光？

四、市场思维引导下的网民政治表达

（一）有限理性与群体极化

虽然新的技术为年轻一代的意见表达，尤其是对从前他们甚少涉及的政治、经济等核心领域的意见表达提供了支持，但从实际情况来看，他们在网络空间的发言却呈现出了强烈的非理性、情绪化的特征。具体到表达特征方面，表现为"语言偏激、情绪发泄、不够冷静"以及"主观偏执，不注重逻辑与事实、无根据的批评等"[①]。由此可见，网络交流中的情绪化、非理性特点严重影响了网络空间作为现实政治空间的延伸的合理性。

当然，这并不是说互联网空间中不存在理性的交流，翻开网上新闻的评论版面，还是有非常多的理性发言存在的，而且从客观上讲，很多事件的解决离不开网民积极、热心的观察和分析。但是，由于网民结构的松散性和网络对时效性的追求，网民个体在参与时很难做到深度分析和思考，更多的是根据现有信息和自身的知识结构迅速做出判断。这非常类似于赫伯特·西蒙所说的"有限理性"原则。西蒙对于有限理性的强调专注于行政层面，也就是当面对一件事的时候，人做选择的标准是"令人满意的"而不是绝对意义上的"最优"的选项。阻止人们得到最优选项的根本原因在于："1.知识的

---

① 刘玉雪：《当前我国非理性网络利益表达的表现及成因分析》，《科技风》2014年第12期，第61—62页。

不完备性；2. 预期的困难；3. 行为的可行性范围。"①体现在互联网空间中就是网民对于事件本身的背景和事件涉及的专业知识本身存在先天不足，同时自我表达的欲望和网络匿名性带来的"法不责众"导致的责任感缺失，共同推动了网络语言中的非理性、情绪化表达。更重要的是，在做出第一次发言行为之后，网民的思维路径会沿着那一条发言的思路继续向前延伸，既有的价值偏见不仅得到了延续，而且这种偏见阻止了个体对其他意见和思路的获取。不同人从不同的角度做出自己的判断，并在拒斥异见的同时，向持类似观点者聚拢，继而在与相似意见者的讨论中形成极端的观点，造成群体极化的现象。群体极化进一步推动了群体间的对立，从而使得网络空间的政治理性越发式微。

但是，值得注意的是，群体极化现象虽然让网民与政治理性渐行渐远，但是政治相关的网络语言却并没有呈现出过分的激进和暴躁，而是呈现出一种攻击性的消解。其实反观这些网络语言所归属事件的相关评论，可以发现其中极端的讽刺和厉声批评并不少见，但是当它化为网络语言流行开来的时候，虽然讽刺的意味有所保留，但尖锐的批评语气已经完全没有了。从这个意义上讲，中国网民在创造政治相关的网络语言时，一定程度上转变了接收信息时所采用的"对抗式解码"的态度，转而采用了一种"妥协式编码"的策略，这一方面是出于网民对于娱乐化的追求，另一方面也与中华民族迂回的民族性格密切相关。②

（二）虚假的"个性化表达"

随着文化市场深度地融入资本的运作逻辑之中，创收成了文化产品的一项核心诉求。为了获得市场的认可和经济上的成功，资本开始广泛采用营销的方式来吸引潜在的消费者。谁能更好地抓住观众的兴趣点、为其提供更好的感官体验，谁就能够获得更高的市场认可度，并从中获取更加丰厚的收益。

---

① [美]赫伯特·西蒙：《管理行为》，詹正茂译，机械工业出版社 2007 年版，第 84—86 页。
② 陈一愚：《论网络语言的泛娱乐与轻政治倾向——基于受众视角的媒介文化研究》，《新闻知识》2016 年第 4 期，第 6—9 页。

如今普遍采用的分众策略便被资本视为一种精准营销的有效路径：青春片靠明星偶像圈粉，硬汉片靠肉搏和爆炸圈粉，二次元靠萌妹子圈粉……这些都已经成了固定的营销策略，在这样的成熟商业模式之中，用户的选择看似充裕，用户的个性看似受到了尊重，实则仅仅是在有限的选项中进行选择，而用户反倒乐此不疲地以为自己的个性在这种选择的过程中得到了张扬、个人的价值在消费特定选项的过程中得到了彰显。

这种基于消费主义的文化消费观仿佛是自然而然地进入了文化的场域中，同由新自由主义逻辑所主导的社交媒体实现了无缝融合。安德森曾经指出，"民族"观念的崛起源自人类进入现代性之后传统宗教、神谕性的观念的没落，因此水平、世俗的"民族观念"得以勃兴。后现代以降，当自由主义进化成新自由主义，"民族"这种宏大叙事也开始被解构了。个性和自我这种去中心化的主体意识在互联网技术的帮助下快速传播和普及。如果说民族是一种"想象的共同体"，那么当前的新自由主义语境下的网民就是一种"想象的个体"，个体通过实体层面的炫耀性消费行为和虚拟层面的文化消费行为来获得满足，穿着流行的服饰出门和使用流行的语言讲话一样，都成了一种个性展示的能指。

如此一来，网民对于网络语言的使用表面上是一种对于自我的确认，是对于个性的张扬，实际上却被隐含其中的消费主义意识形态所把控着，悄悄被市场纳入了其特有的运行逻辑之下。在这一过程中，网络语言本身所应当具有的促进政治参与、推动思想进步的潜力被一种短平快的娱乐思维所取代，网络语言被矮化成了一种可以随意玩的"梗"，人们在玩梗中"张扬个性""彰显自我"，一种简单且无深度的信息交流方式就此生成，网络语言也彻底成了一种"快速消费"时代中的一种"文化产品"，它身上的政治属性也逐步被商品属性所取代，从而失去了协助政治进步、促进社会发展的可能性。

（三）对意见领袖的依附

由于意见领袖在网民的政治意见表达中发挥了重要的信息节点作用，网民在政治表达上对于这些意见领袖存在着强烈的依附关系。但是有两点值得注意：一是意见领袖是否能够代表广泛的网民群体；二是意见领袖群体是否真正促进了网民对于政治的有机参与和有机表达。

第一个问题在王维佳等对"吴英案"的研究中得到了解答,其指出吴英案中活跃的舆论领袖呈现出在社会阶层属性上高度的一致性,即都市精英知识分子群体,其中又以高层专业技术人员和私营企业家最多。[①]因此,可以说网络舆论领袖大多是城市小资产阶级的代言人,代表的也往往是这个阶层的利益。这个群体作为改革开放政策的主要受益者,对于"市场"和"自由"的无限崇拜使得他们的话语严重向市场逻辑的方向倾斜,而广大尚未完全融入市场经济体系中的群体以及在市场经济体系中处于底层位置的群体却被有意或无意地抛弃了。

在第二个问题中,网络意见领袖群体出于对自身形象和影响力维护的目的,一方面会主动使自身的表达方式向主流审美方向靠拢,另一方面在面对具体问题时也会设法符合主流意识形态的特点,尽量做到在不出格的情况下表现出足够的差异性,以便符合自身"客观独立"的自我定位,进而维持自身意见领袖的身份。因此,可以说意见领袖群体对于政治类新闻事件的表态必然受其所代表阶层的限制,同时也不可避免地会受到其对于个人名望和经济收益两方面需求的影响。如前文所述,意见领袖在网络上的发言更多时候会基于个人形象管理的方面进行考虑,而一个好的个人形象所带来的直接影响就是经济上的收益,不管这个收益是源于他人的投资还是源于个人主动的创收,又或者是来自发广告和软文取得的收入。因此,意见领袖往往会采取一些策略,使得自己的发言更符合粉丝的期待,而且一旦粉丝的期待获得满足,他们的任务也就完成了。那么,在这样的一种信息供求关系中,信息也就不再是信息本身,而是成了一件食材,被各个意见领袖拿来烹饪,然后端给自己的粉丝。话语的转述本就不可避免地存在着一定的偏差,更何况是出于主观目的刻意添加了佐料之后的话语呢?如此一来,网民那些基于对意见领袖个体的信任而做出的"转评赞"行为便已不再是一种纯粹自由自主的行为,而是悄然之中被卷入了市场化的运作逻辑之中。这样依附于意见领袖的网民所做出的政治表达自然也被资本俘获,融入了市场的逻辑。

---

① 王维佳、杨丽娟:《被代表的民意——从"吴英案"看微博的舆论一致》,《中国党政干部论坛》2013 年第 6 期,第 74—76 页。

　　从网络语言本身在互联网上的流通角度来看，其涉及的要素包含网络语言本体、网络语言的流通平台、网络语言的用户这几个主要部分，而流通过程又具体地表现为网民在交往活动中对于网络语言的使用。然而，通过上面的分析，我们可以看到，从网络语言本身到网络语言的用户，从网络语言的流通平台到网络语言的使用过程，市场要素作为一种重要的力量已经深深介入了网络语言从生成到流通的各个环节，而且在客观上对网民的政治参与和政治表达产生了影响，这不仅导致网络语言本身所应有的促进政治参与、完成政治改良任务的能力无法顺利体现，同时还因资本诱导网民将思考方向转向消费领域，导致网络语言中的政治元素软化，进而致使网络语言所蕴含的政治潜能更加难以发挥。应当说，在当下的互联网语境中，市场要素生成了一种消解一切严肃叙事的意识形态，将网民拽离了严肃的政治讨论场域，从根本上侵蚀了互联网上的政治表达空间。这正是值得我们去思考和警惕的问题。

第三节　网络语言影响政治认知的情境模型

　　所谓政治认知，基本遵从王浦劬对于其概念的界定，他认为"政治认知是政治主体对于政治生活中各种人物、事件、活动及其规律等方面的认识、判断和评价，即对于各种政治现象的认识和理解"[①]。

　　认知是个体行为的原动力。心理学认为人的思维活动是由认知、情绪、意志这三个依次递进且相互作用的环节所共同构成的统一体，进而为人的行为选择提供内驱力，尤其是将认知环节视作整个心理活动的基础，并随着认知主体社会信息环境的变动而不断得到强化或重构，并进一步影响着人们的情绪和意志。人们在政治生活中的认知活动也影响着人们的态度、倾向以及政治行为选择。实际上，人们的认知活动与社会环境之间呈现出一种相互建构的关系，社会环境作用于人脑并在人脑中形成真实性的图景，而人脑依据

---

　　① 王浦劬：《政治学基础》，北京大学出版社 1995 年版，第 322 页。

业已形成的认知图景调节个体行为并作用于社会环境，二者相伴而行。

社会环境的复杂性无须多言，其中语言环境的全景性特征使其成为个体社会化进程中的重要环节，也成为影响认知环节的基础性因素。语言作为一种意义符号，它不仅仅是认知的对象化形式，更以一种社会环境因素影响着人们的认知。自然，语言环境的发展并非一成不变，网络语言的兴起便是对借由物质生产领域和信息生产领域的产能过剩以及媒介技术赋权所引起的民众主体性觉醒的绝佳注解。网络语言是群体传播时代的产物[①]，是网络社会中的流通话语，它所构建的语言环境正在重塑着人们的认知。

一、作为媒介话语的网络语言

网络语言不仅是一种人际交往的工具，还具有表达公众意志、承载意识形态的功能，以一种媒介话语的形态而存在。

话语是人在社会中权力和地位的表征，话语从来都是有偏向性的，"话语不只是指称和描述事物，还为我们提供了丰富的意义维度。借助话语，特殊利益可以被'说成'是普遍利益，特定思想被'描绘成'有普遍意义的思想"[②]。正如福柯所言："话语不仅是思维符号、交际工具，而且是'手段'和'目的'，并能直接体现为'权力'。"[③]因此，发际于互联网群体传播环境中的网络语言，从一开始就被打上了解构权威、挑战秩序、彰显主体的后现代文化印记，是民众主体性增强的产物。受众不再是魔弹论时期被动的信息接收者，传者和受者之间的界限被模糊，媒介的赋权使得受众具有了进行信息生产和传播的可能性。在舆论场域中，官方话语和民间话语之间的互动与博弈因此而形成，网络语言则作为互联网群体传播时代民众媒介话语权的绝佳表征。

话语的传播，本质上是意识形态的传播。阿尔都塞认为，意识形态是通

① 隋岩：《论群体传播时代的莅临》，《北京大学学报（哲学社会科学版）》2012年第5期，第139—147页。
② 吴学琴：《媒介话语的意识形态性及其建设》，《马克思主义研究》2014年第1期，第118页。
③ 转引自：张国祚：《关于"话语权"的几点思考》，《求是》2009年第9期，第43页。

过其"询唤"机制发挥作用的，即让人们以为自己是自己思想的主宰者，自己的思想完全来源于自己的思考，也就是说我们是自己的"主体"。实际上，我们的思想是建立在"先验"的基础之上的，我们在确立对一个事物的认知之前，大脑会调动与该事物相关的信息共同参与认知过程，我们忽视了这些背景信息和先验知识中所包含的意识形态内涵，误以为是"主体"在发挥作用。意识形态便是以这种"润物细无声"的方式侵入人们的认知系统之中，从而建构起人们的思维定式，意识形态以其虚幻性的特质让似乎已成为"主体"的我们能够自由选择并承担其后果。但在阿尔都塞看来，建立在"先验"基础上的认知活动只能臣服于意识形态。[①]

在互联网群体传播时代，网络语言早已超脱其原本作为交际工具的范围，成为一道特殊的文化景观，以媒介话语的姿态进行着意识形态的传播，并借助意识形态的虚幻性影响着接触者或使用者的认知行为。

二、网络语言影响政治认知的情境维度

阿尔都塞的意识形态理论从结构主义的视角解释了意识形态运作的机制，使得人们对自身的认识前进了一大步。但是，该理论也颇受争议：面对意识形态的"询唤"，人们是否就真的如他所描述的那样，成为束手待缚的猎物而毫无抵抗力？

"个体虽然在受询唤时成为意识形态所乐意看到的主体，但是这并不意味着主体就要彻底臣服于意识形态。"[②]意识形态的作用过程，是有多种因素共同参与构建认知的过程，主体的认知能力、社会环境、知识结构等因素都会影响主体是否接受意识形态的询唤。换言之，主体的认知过程受到多重主观因素和客观因素的共同影响，即认知具有情境性。

"所谓认知的情境性，意指人类的认知有赖于认知主体和具体情境之间的作用关系，即认知在一定程度上都是情境化的认知，强调的是认知过程与政

---

① ［法］阿尔都塞：《哲学与政治——阿尔都塞读本》，陈越编译，吉林人民出版社 2011 年版，第 367—372 页。

② 徐彦伟：《结构与询唤——阿尔都塞后期意识形态思想的文本学研究》，《社会科学战线》2009 年第 11 期，第 38 页。

治、社会、文化、历史以及身体、环境、工具等情境要素之间的内在关联性。"[①]例如，Solomon 将情境要素归结为个体具身性、环境、目标、政治定位、社会分布、历史语境、工具等 7 个维度[②]，Zwaan 等认为情境模型包括空间、时间、因果、主人公、意向 5 个维度。[③]不同的研究者在研究过程中对于情境要素的划分标准不同，具体哪些因素会影响网络语言在认知层面的传播效果，我们将通过深度访谈法去获得受众对于网络语言的理解，并采用扎根理论方法对所获得的资料进行逐级编码。

（一）样本及访谈程序

本次访谈选取了 7 名网络语言的使用者进行面对面的深度访谈，其中有 4 名男性使用者与 3 名女性使用者，这 7 名访谈对象的受教育程度涵盖了本科与硕士，年龄为 20—30 岁，每次访谈时间为 20 分钟左右。对第 5 名受访者访谈结束后，信息基本达到饱和，对剩下两名受访者采取同样的访谈方式用于验证已获得的信息。访谈主要围绕以下两个核心问题进行。

（1）你觉得网络语言会影响你对于各类政治现象的态度和看法吗？

（2）你觉得网络语言为什么能影响你对于各类政治现象的态度和看法（或为什么没有产生影响）？

在正式进入访谈之前，为了确保受访者能够对相关概念的理解不出现偏差，访谈者向受访者展示了和政治现象有关的诸多网络流行语、表情包和段子，并向受访者明确了以下 3 个概念。

（1）网络语言的内涵包括网络流行语、表情包、段子等诸多用于互联网社交行为的语言符号形式。

（2）政治认知，可以理解为受众对于一切政治现象的看法和态度，政治现象包含诸如国家形象、政府形象、官员形象、国家政策等多种形式。

---

① 王姝彦、李江：《情境认知：认知的情境性及其情境化探析》，《科学技术哲学研究》2016 年第 6 期，第 8—9 页。

② Solomon M, "Situated cognition", In Thagard P(Ed.), *Philosophy of Psychology and Cognitive Science*, Amsterdam: Elsevier, 2007, p.415.

③ Zwaan R A, Radvansky G A, "Situation models in language comprehension and memory" *Psychological Bulletin*, Vol.123, No.2, 1998, pp.162-185.

（3）影响的表现包括加深原有认知、改变原有认知、重新确立认知等。

（二）扎根理论方法

扎根理论是 20 世纪六七十年代由社会学学者 Glaser 与 Strauss 提出的，该理论的核心在于强调"在经验数据中建构理论"。Glaser 将与研究问题相关的一切资料都看作原始数据经验的来源，包括文献、访谈、观察、调研等。研究者首先通过对经验数据进行梳理并进行标签化，再对标签化后的数据进行抽象和提炼使之概念化，这两个过程即开放性编码的过程，也被称为一级编码。然后，再对不同的概念进行深入的比较与分析，使之形成相对独立的范畴，这一过程被称为主轴性编码或二级编码。最后，通过探究不同范畴之间与不同概念之间的相互关系，以此获得能够统摄不同范畴的核心范畴，获得核心范畴的过程即选择性编码的过程，即三级编码。本部分的研究立足于深度访谈所获得的文本材料，具体操作如下。

在开放性编码（一级编码）阶段，将受访者所提到的、有关本研究核心议题的表述进行逐句标号，如将"当我遇到一个新的网络语言时，我会去查询其背后的事件和来源"标记为 A1，再对其进行关键词的提炼，如 A1 可表述为"求知"。

在主轴性编码阶段，对在开放性编码中所获得的信息进行再次分类与整合，希望能建立各个信息之间的联系。在二级编码过程中，首先将具有相同观点的语句划归到同一维度，然后再分别对每一维度下的语句进行筛选，每个观点只保留一条信息，再次进行整合。由此，在二级编码过程中共产生了 15 个二级维度，分别是情绪导向、通俗易懂、幽默轻松、高度概括、隐晦表达、互联网信息偏好、群体压力、认知需求、反抗需求、表达需求、认知一致、共鸣、联想、初始印象、网络语言使用频率。

在三级编码中，对上述 15 个二级维度进行系统的分析以后，进行更高层次的维度划分。在三级编码中，共获得 5 个核心维度，分别是特性认同、传播环境感知、个体需求、记忆认同、使用频率。

特性认同的维度则来源于二级编码中的情绪导向、通俗易懂、幽默轻松、高度概括、隐晦表达，传播环境感知来源于互联网信息偏好、群体压力，个体需求来源于认知需求、反抗需求、表达需求，记忆认同来源于认知一致、共鸣、联想、初始印象，使用频率来源于网络语言使用频率（表 6-2）。

表 6-2　政治认知的网络语言情境维度

三级编码	特性认同	传播环境感知	个体需求	记忆认同	使用频率
二级编码	情绪导向 通俗易懂 幽默轻松 高度概括 隐晦表达	互联网信息偏好 群体压力	认知需求 反抗需求 表达需求	认知一致 共鸣 联想 初始印象	网络语言使用频率
一级编码	逐句编码				

三、研究设计

（一）网络语言影响受众政治认知的路径模型假设

通过前文的扎根理论方法，我们认为网络语言之所以能影响受众的政治认知，是由于特性认同、传播环境感知、个体需求、记忆认同、使用频率等 5 个情境要素在发挥作用。

根据美国心理学家罗伯特·加涅所提出的信息加工方式（图 6-4），人们在形成新的认知之前，会在其思维系统中进行长时记忆和短时记忆的确认行为。当外界刺激发生时，部分信息进入短时记忆系统，部分信息经过编码或复述进入长时记忆系统，且能够被随时提取与最新进入短时记忆系统的信息加以匹配。[①]实际上，这一过程就是"先验"发生作用的过程。有关短时记忆和长时记忆中的信息如何进入反应发生器中，以及如何激活效应器对社会环境的反应，我们暂且不论。上述的信息加工路径表明，人们的认知是在所接收到的新信息和储存在长时记忆中的信息进行匹配和对应的过程中形成和更新的。换言之，认知形成之前，人的大脑中存在信息匹配环节，即我们所提出的 5 个情境要素中的"记忆认同"要素。

---

① 林小琴：《加涅信息加工学习理论与教学设计》，《福建论坛（人文社会科学版）》2010 年第 1 期，第 100 页。

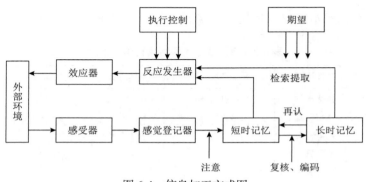

图 6-4　信息加工方式图

　　基于此，我们提出如下假设：网络语言是通过特性认同、个体需求、使用频率、传播环境感知共同作用于受众的记忆认同，从而影响受众的政治认知（图 6-5）。

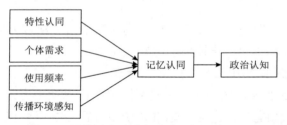

图 6-5　网络语言对受众政治认知影响的过程

（二）方法和程序

　　为了考察上述假设的适用性，本研究利用问卷进行数据的收集。本研究于 2017 年 10 月进行，共发放问卷 250 份，回收 243 份，其中 7 份问卷含有部分信息缺漏，故进行剔除。问卷对象涉及在校大学生、教师、工人等，15 岁以下的占比 0.4%，样本年龄主要集中于 15—30 岁，占比 88.4%，31—45 岁的样本数据占比 9.6%，45 岁以上的样本数据占比 1.6%，其中男性占比 48.1%，女性占比 51.9%。

　　本研究中对"特性认同""传播环境感知""个体需求""记忆认同""使用频率"等变量对受众的政治认知进行了多个指标的测量。调查问卷共分为四个部分：概念介绍、网络语言案例、个人信息、正式问卷。在概念介绍部分，对网络语言的相关概念和范围加以介绍，以防受访者在填写问卷的过程中由于相关概念含糊不清而导致出现数据偏差；网络语言案例部分则是摘取了 2007—2016 年有关政治现象的网络语言，以供参考；个人信息部分则主要涵盖年龄、性别、互联网使用时长等信息；正式问卷部分则是针对各情境要素与受众政治认知之间的关系进行测量。

　　本次研究对收集到的数据进行了信度检验，问卷的整体信度为 0.906，表明该量表的信度较好。本研究还针对每一维度的信度分别进行检测，信度均超过 0.6，说明本量表在每一因子的检测上也具有良好的信度。具体量表及数据如表 6-3 所示。

表 6-3　信度检验量表

变量	量表	α
因变量	1. 网络语言的使用和接触会影响我对各类政治现象的看法和态度 2. 达康书记表情包会改变或加深我对政府官员的看法 3. "表叔"一词加深了我对于政府官员贪污腐败的认知	0.638
特性认同	1. 我认为网络语言通俗易懂，使用起来没有门槛 2. 网络语言大多数是调侃、搞笑的，更符合我们的认知偏好 3. 我觉得网络语言能够用一种隐晦的方式来表达我的观点 4. 因为网络语言非常简洁、精练地表达了事情的核心，所以我很喜欢用 5. 我觉得网络语言本身就带有很强的情绪成分和情感偏向	0.709
传播环境感知	1. 当大家都在使用某个网络语言时，而我并不了解，我觉得我落伍了 2. 我觉得在互联网的传播环境中，信息都是搞笑、戏谑的 3. 当大家都在使用某个网络语言时，为了融入集体，我也会使用它 4. 大家都在用，我也就跟着用	0.604
个体需求	1. 网络语言能够满足我被压抑的表达欲望 2. 当遇到一种新的网络语言时，我会去查询网络语言背后的事件 3. 网络语言可以帮助我了解大家对于某个事件的态度和看法 4. 网络语言能让我表达一些平时不能表达的意见	0.625
记忆认同	1. 网络语言表达的情感能够引起我的共鸣 2. 有些网络语言让我的印象很深刻，一直存在记忆里 3. 网络语言中的情绪是符合我的生活体验的 4. 一些网络语言能让我联想起曾经的一些经历 5. 网络语言表述的很多现象和我的生活经历相似 6. 网络语言描述的情况符合我的实际情况	0.781
使用频率	1. 我平时跟朋友聊天都会使用表情包等网络语言 2. 网络语言是一种社交语言，我每天都会使用 3. 网络语言在我的生活中随处可见	0.697

（三）模型检验与数据分析

本研究通过线性回归的方法对上述模型进行检验，因变量是受众的政治认知，自变量包括受众对网络语言的特性认同、受众使用的个体需求、受众的使用频率，以及受众对网络语言的传播环境感知，受众的记忆认同作为中介变量而存在。

将样本数据导入数据分析软件 SPSS 和 AMOS 中，建构起前文所假设的路径模型，进行检验，得到如图 6-6 的数据。

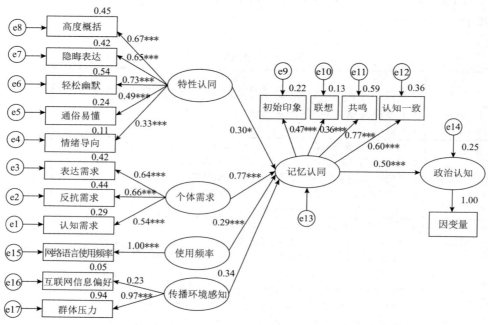

图 6-6　政治认知影响因素示意图

注：*表示 $p<0.05$，***表示 $p<0.001$

数据表明，传播环境感知被两个因子所影响，其中，互联网信息偏好对传播环境感知具有微弱且不显著的影响（$B=0.23$；$p>0.05$），而互联网中的群体压力对传播环境感知具有强大且显著的解释力（$B=0.97$；$p<0.001$），这表明传播环境感知要素则主要依赖互联网群体传播环境中的群体压力。即便如此，传播环境感知要素对于记忆认同产生了微弱且不显著的影响

（$B=0.34$；$p>0.05$）。为了验证传播环境感知要素不经过中介变量直接作用于因变量"政治认知"的效果，对其数据进行二次验证，数据显示传播环境感知要素对因变量"政治认知"具有微弱且不显著的解释力（$B=0.16$；$p=0.602>0.05$）。

特性认同对记忆认同具有微弱的影响，显著性较弱（$B=0.30$；$0.01<p<0.05$），而个体需求对记忆认同具有强大且显著的解释力（$B=0.77$；$p<0.001$），受众对网络语言的使用频率则对记忆认同具有微弱但显著的解释力（$B=0.29$；$p<0.001$）。

排除了受众对网络语言的传播环境的感知后，前文中假设的影响路径基本成立，受众对网络语言的特性认同、受众的个体需求、受众的使用频率皆可以通过影响受众的记忆认同，进而对因变量"政治认知"产生影响。

从各个自变量和中介变量对因变量的影响效应（effect size，ES）来看，记忆认同会在50%的程度上给受众政治认知带来影响，即$ES=0.50$，且具有较强且显著的解释力。对于特性认同、个体需求、使用频率来说，其ES分别为0.15、0.385、0.145，该数值由各要素对记忆认同的影响效应（即标准化回归系数B）与记忆认同对因变量政治认知的影响效应数值相乘所得。

综上所述，进行回归分析之后，可以初步得出结论：网络语言通过各情境要素来影响受众的政治认知，其中网络语言的传播环境与受众的政治认知之间无明显的相关关系，特性认同、个体需求、使用频率则是通过影响受众的记忆认同，从而影响受众的政治认知，对受众的政治认知影响最大的是记忆认同，影响最小的是网络语言使用频率。

四、结论与讨论

乔治·格伯纳在20世纪60年代就开始讨论媒介的接触和使用对受众认知方面产生的影响。他基于美国社会的暴力和犯罪问题与电视收看行为之间的关系展开调查，并提出人们接触电视的时间越长，所形成的观念就越与电视中所传递的观念趋同，这一结论被称为涵化理论。

涵化理论是从电视观看行为的时长来探讨媒介和认知之间的关系的，"受众更容易被一系列恒定的、长时间、重复的电视信息所影响，就像水滴石穿一样"①，这也就是关于媒介效果研究中的"滴漏说"，对于这一现象，也能从弗洛伊德的无意识理论中寻求支持。

在本研究中，"使用频率"这一维度对于政治认知的影响呈现出微弱但显著的解释力（ES=0.145，$p<0.001$），二者之间具有明显的相关关系。社会心理学的相关研究表明，当人们频繁接触某一信息时，该信息便会进入人脑的长时记忆系统，作为一种潜意识而存在，能够随时被提取进而影响人的认知行为、注意力倾向等。换言之，当人们频繁使用网络语言时，那些网络语言中隐含的倾向和思想便潜伏在人的大脑中，当受众遇到与该网络语言相关的社会事件时，便会率先调动这些信息参与其认知行为和判断行为。

有学者发现，在长时记忆系统中存储起来的，能够被随时提取的信息，不仅仅是由于频繁接触而导致的，一次特别的媒介接触体验也能使受众印象深刻而将其保存在长时记忆系统之中。网络语言发端于互联网传播环境之中，从其诞生之日起便带有浓厚的网化特征，其戏谑、调侃、隐晦、通俗的表达方式，被认为是对传统的常规语言形式的反抗与挑战，因此被打上了后现代的亚文化烙印。正是由于网络语言的这些特性，使得其相较于常规语言更具生动性，也更易于被网络原生代的受众接受并使用。

在本研究中，受众对于网络语言的"特性认同"和政治认知也具有明显的相关关系，网络语言的生动性特征也是影响受众政治认知的要素之一。哈佛大学教授 Brown 在对记忆进行研究的过程中，提出了"闪光灯记忆"的概念，它"是自传式记忆（autobiographical memory）（指对与自己有关的生活经历的记忆）的一个特例……人们可以记住首次听到事件时的具体细节"②，此类记忆具有极为丰富的细节线索，且直接进入长时记忆系统，如 2017 年年初因热播剧《人民的名义》而流传的表情包以及网络流行语"面币思过"，其画面中满墙的人民币给观众的震撼无须多言。该画面信息进入人脑的长时记忆中，并参与之后受众对于贪官形象甚至是政府官员形象的建构。

---

① 林功成、李莹：《涵化理论的新进展：作为方法论的直觉加工模型》，《国际新闻界》2012 年第 2 期，第 16 页。

② 吕厚超、李敏：《闪光灯记忆的理论模型》，《心理学动态》2000 年第 3 期，第 23 页。

　　此外，经过了 20 余年的发展，无论是为了彰显个性、实现身份认同和群体归依，还是作为一种媒介话语，网络语言都是为了满足受众的个体需求而被创造出来，以及被广泛使用的。在本节研究中，作为自变量的"个体需求"对于政治认知具有强且显著的解释力，网络语言作为个体需求的一种外化手段，受众通过再造能指或者替换其原有所指，从而赋予其新的意义。当具有全新意义的语言符号进入传播场域中，被更多的受众使用，无论是"水滴石穿"的频繁接触和使用，还是"闪光灯"所留下的深刻记忆，个体需求就通过这样的方式与受众的认知建立了联系，并对其产生了正相关的影响。

　　在本节研究中，受众的个体需求主要有三类，即表达需求、反抗需求和认知需求。受众的表达需求和反抗需求越强烈，网络语言的情感倾向就越呈现出极化的特征。一些网络语言无不在两极对立之中获得了强大的传播力，其两极之间的矛盾越强，就越能引发人们的关注。究其原因，网络语言的表达形式就是为了弥补人们在现实生活中针对某些话题表达途径的缺失所造成的失落感，现实生活和个体需求之间的落差越大，就越能引起受众的共鸣，互联网群体传播时代的传播"神话"便是基于这样的逻辑而产生的。"现实中越是缺失的，越是人们潜意识里渴望的，大众媒介就越有可能生产相应的符号来满足这种渴望，而观众的积极响应，让符号拥有了言说的力量，成为言说特定时代需求的流行符号。"[1]

　　此外，受众的认知需求也是影响政治认知的重要因素。所谓的认知需求是指"个体在信息加工过程中是否愿意进行周密的思考，能否从深入的思考中获得享受"[2]，认知需求有高低之分，相较于低认知需求者，高认知需求者更愿意也更主动对信息进行深入思考，这二者分别对应着信息加工的两种路径，即边缘路径与中心路径，边缘路径下的信息加工则依赖于一些浅显的外部条件，如信息传播者的地位、名望等，来选择是否接受其观点，而中心路径则依赖于理性推理和逻辑思考。认知需求影响个体信息加工的努力程度、

---

① 范明、赵乐平：《网络符号的认知模式和传播途径》，《文化与传播》2016 年第 2 期，第 31 页。

② Cacioppo J T, "The need for cognition", *Journal of Personality and Social Psychology*, Vol.42, No.1, 1982, pp.116-131.

自主性，也影响其信息加工的结果和应用范围。[①]

当信息进入人脑内部的加工系统时，大脑机能会积极调取长时记忆中的信息与之匹配，共同参与到认知行为中来。当最新接收的信息与长时记忆中的个体经验相一致时，便产生了共鸣现象，由此形成的认知则在初始印象的基础上进一步加深并存储在长时记忆之中；当接收的信息与个体经验相违背，或主体缺乏与之相关的经验时，便会产生认知一致的主流化效果或对抗式解码。

不仅如此，部分网络语言的强符号属性使其联想功能在信息加工过程中被放大。强符号是指在符号系统中具有强大传播力的部分符号，并提出其所指意义具有唯一性和不变性的特征。[②]强符号的这种能指与所指之间的意指关系的唯一性，正是造成受众对相关政治现象形成固化印象的逻辑所在，而强符号借助含蓄意指的所指和元语言的加工机制，形成了强符号的联想场。在此基础上，网络语言的符号意义被延伸且被固定，引导着受众的认知行为走向特定的方向。

在互联网群体传播时代，网络语言作为独特的文化景观，不仅仅是受众认知的载体，更能在潜移默化中影响受众的思维方式和认知行为。本节在情境认知的视域内讨论了网络语言影响受众政治认知的路径，以求在利用网络语言引导社会舆论和社会治理方面提供支持，而网络语言对于受众政治认知的影响所呈现出来的特征以及效果，则可以作为后续研究的方向。

---

① 徐洁、周宁：《认知需求对个体信息加工倾向性的影响》，《心理科学进展》2010 年第 4 期，第 686—687 页。

② 隋岩：《强符号的国际传播途径研究》，《当代传播》2012 年第 5 期，第 13 页。

参 考 文 献

一、著作

[法]阿尔都塞：《哲学与政治——阿尔都塞读本》，陈越编译，吉林人民出版社 2011 年版。

[法]埃米尔·涂尔干：《社会分工论》，渠东译，生活·读书·新知三联书店 2013 年版。

[美]安·达勒瓦：《艺术史方法与理论》，李震译，江苏美术出版社 2009 年版。

[英]安东尼·吉登斯：《社会的构成》，李康、李猛译，生活·读书·新知三联书店 1998 年版。

[英]安东尼·吉登斯：《现代性与自我认同》，赵旭东等译，生活·读书·新知三联书店 1998 年版。

[俄]巴赫金：《巴赫金全集》，李辉凡等译，河北教育出版社 1998 年版。

[美]本尼迪克特·安德森：《想象的共同体：民族主义的起源与散布》，吴叡人译，上海人民出版社 2011 年版。

[英]布鲁斯·米特福德、[英]威尔金森：《符号与象征》，周继岚译，上海三联书店 2012 年版。

蔡勇庆：《生态神学视野下的福克纳研究》，中国社会科学出版社 2012 年版。

曹进：《网络语言传播导论》，清华大学出版社 2012 年版。

[美]查尔斯·蒂利：《政权与斗争剧目》，胡位钧译，上海人民出版社 2012 年版。

陈力丹：《舆论学：舆论导向研究》，上海交通大学出版社 2012 年版。

陈原：《社会语言学》，商务印书馆 2000 年版。

[美]戴维·波普诺：《社会学》，李强等译，中国人民大学出版社 2007 年版。

杜骏飞、袁光锋：《选秀：庄严的嬉戏》，中山大学出版社 2008 年版。

段鹏：《政治传播：历史、发展与外延》，中国传媒大学出版社 2011 年版。

范逢春：《管理心理学》，中国人民大学出版社 2013 年版。

[瑞]费尔迪南·德·索绪尔：《普通语言学教程》，高名凯译，商务印书馆 1980 年版。

[奥]弗洛伊德：《弗洛伊德论美文选》，张唤民、陈伟奇译，裘小虎校，知识出版社 1987 年版。

[奥]弗洛伊德：《论艺术与文学》，常宏等译，国际文化出版公司 2007 年版。

[法]古斯塔夫·勒庞：《乌合之众：大众心理研究》，陈天群译，江西人民出版社 2010 年版。

［法］古斯塔夫·勒庞：《乌合之众：大众心理研究》，冯克利译，中央编译出版社 2011 年版。

郭庆光：《传播学教程》，中国人民大学出版社 1999 年版。

郭庆光：《传播学教程（第二版）》，中国人民大学出版社 2011 年版。

郭湛：《主体性哲学——人的存在及其意义》，中国人民大学出版社 2011 年版。

［德］哈贝马斯：《公共领域的结构转型》，曹卫东等译，学林出版社 1999 年版。

［德］哈贝马斯：《交往与社会进化》，张博树译，重庆出版社 1989 年版。

［美］赫伯特·西蒙：《管理行为》，詹正茂译，机械工业出版社 2007 年版。

黄旦：《传者图像：新闻专业主义的建构与消解》，复旦大学出版社 2005 年版。

黄弗：《理论语言学基础》，华中师范大学出版社 1988 年版。

黄华：《语言革命的社会指向——对中国近代史的一种传播学考察》，广西师范大学出版社 2016 年版。

吉益民：《网络变异语言现象的认知研究》，南京师范大学出版社 2012 年版。

［美］杰弗里·亚历山大：《社会生活的意义：一种文化社会学的视角》，周怡等译，北京大学出版社 2011 年版。

荆学民：《政治传播简明原理》，中国传媒大学出版社 2015 年版。

［德］库尔特·勒温：《拓扑心理学原理》，高觉敷译，商务印书馆 2003 年版。

［美］兰德尔·柯林斯：《互动仪式链》，林聚任、王鹏、宋丽君译，商务印书馆 2012 年版。

［法］雷吉斯·德布雷：《普通媒介学教程》，陈卫星、王杨译，清华大学出版社 2014 年版。

李彬：《中国新闻社会史》，清华大学出版社 2009 年版。

李培林、陈光金、张翼：《2018 年中国社会形势分析与预测》，社会科学文献出版社 2018 年版。

李如龙、苏新春：《词汇学理论与实践》，商务印书馆 2001 年版。

李欣人：《反思与重构：西方传播理论的人学解读》，高等教育出版社 2011 年版。

李永刚：《我们的防火墙——网络时代的表达与监管》，广西师范大学出版社 2009 年版。

［苏联］列宁：《论民族自决权》，外国文书籍出版局 1950 年版。

［美］林南：《社会资本——关于社会结构与行动的理论》，张磊译，上海人民出版社 2005 年版。

刘海燕：《网络语言》，中国广播电视出版社 2002 年版。

刘晗：《从巴赫金到哈贝马斯——20 世纪西方话语理论研究》，西南交通大学出版社 2017 年版。

刘建明：《基础舆论学》，中国人民大学出版社 1988 年版。

刘涛：《环境传播：话语、修辞与政治》，北京大学出版社 2011 年版。

刘心镛、张先模、李宇明等：《理论语言学基础》，华中师范大学出版社 1988 年版。

［美］伦斯基：《权力与特权：社会分层的理论》，关信平、陈宗显、谢晋宁译，浙江人民出版社 1988 年版。

［美］罗伯特·艾伦：《重组话语频道：电视与当代批评理论》，牟岭译，北京大学出版社 2007 年版。

罗钢、刘象愚：《文化研究读本》，中国社会科学出版社 2000 年版。

［美］马尔科姆·格拉德威尔：《引爆点：如何制造流行》，钱清、覃爱冬译，中信出版社 2016 年版。

[美]马克·波斯特：《第二媒介时代》，范静晔译，南京大学出版社 2005 年版。

[加]马歇尔·麦克卢汉：《理解媒介——论人的延伸》，何道宽译，商务印书馆 2000 年版。

[加]马歇尔·麦克卢汉：《麦克卢汉书简》，何道宽译，中国人民大学出版社 2005 年版。

[美]玛格丽特·米德：《文化与承诺——一项有关代沟问题的研究》，周晓虹、周怡译，河北人民出版社 1987 年版。

[法]米歇尔·福柯：《权力的眼睛——福柯访谈录》，严锋译，上海人民出版社 1997 年版。

[法]米歇尔·福柯：《性经验史》，佘碧平译，上海人民出版社 2005 年版。

[法]米歇尔·福柯：《知识考古学》，谢强、马月译，生活·读书·新知三联书店 2003 年版。

[美]尼尔·波兹曼：《娱乐至死》，章艳译，广西师范大学出版社 2004 年版。

[英]诺曼·费尔克拉夫：《话语与社会变迁》，殷晓蓉译，华夏出版社 2003 年版。

[美]欧文·戈夫曼：《日常生活中的自我呈现》，冯钢译，北京大学出版社 2016 年版。

[法]皮埃尔·布迪厄、[美]华康德：《实践与反思——反思社会学导引》，李猛、李康译，中央编译出版社 2004 年版。

[法]皮埃尔·布迪厄：《区分：判断力的社会批判》，刘晖译，商务印书馆 2015 年版。

钱钟书：《管锥编（四）》，生活·读书·新知三联书店 2001 年版。

[美]乔纳森·特纳、[美]简·斯戴兹：《情感社会学》，孙俊才、文军译，上海人民出版社 2007 年版。

[美]乔治·瑞泽尔：《后现代社会理论》，谢立中译，社会科学文献出版社 2003 年版。

沙莲香：《社会心理学》，中国人民大学出版社 2006 年版。

沈国麟：《控制沟通：美国政府的媒体宣传》，上海人民出版社 2007 年版。

[美]斯蒂文·内斯特、[美]道格拉斯·凯尔纳：《后现代理论：批判性的质疑》，张志斌译，中央编译出版社 2001 年版。

宋洪英：《语言文化学视野下的定型研究》，河南大学出版社 2011 年版。

隋岩：《符号中国》，中国人民大学出版社 2014 年版。

隋岩：《媒介文化与传播》，中国广播影视出版社 2015 年版。

[法]塔尔德·加布里埃尔、[美]特里·N. 克拉克：《传播与社会影响》，何道宽译，中国人民大学出版社 2005 年版。

[美]塔洛：《分割美国：广告与新媒介世界》，洪兵译，华夏出版社 2003 年版。

汤玫英：《网络语言新探》，河南人民出版社 2010 年版。

汪民安：《福柯的界限》，中国社会科学出版社 2002 年版。

王红旗：《语言学概论》，北京大学出版社 2008 年版。

王焕玲、张娜：《语言学概论》，吉林大学出版社 2014 年版。

王浦劬：《政治学基础》，北京大学出版社 1995 年版。

王文斌：《隐喻的认知构建与解读》，上海外语教育出版社 2007 年版。

王炎龙：《网络语言的传播与控制研究——兼论未成年人网络素养教育》，四川大学出版社 2009 年版。

王长江：《政党论》，人民出版社 2009 年版。

[美]沃尔特·李普曼：《公众舆论》，阎克文、江红译，上海人民出版社 2002 年版。

伍铁平：《语言学是一门领先的科学——论语言与语言学的重要性》，北京语言学院出版社1994年版。

[法]夏尔·波德莱尔：《1846年的沙龙——波德莱尔美学论文选》，郭宏安译，广西师范大学出版社2002年版。

肖云忠：《社会学概论》，清华大学出版社2012年版。

徐宝强、袁伟：《语言与翻译的政治》，中央编译出版社2001年版。

[法]雅克·拉康、[法]让·鲍德里亚：《视觉文化的奇观——视觉文化总论》，吴琼编，中国人民大学出版社2005年版。

[古希腊]亚里斯多德：《修辞学》，罗念生译，生活·读书·新知三联书店1991年版。

应金萍：《网络语言漫谈》，浙江科学技术出版社2014年版。

[德]尤尔根·哈贝马斯：《交往行为理论》，曹卫东译，上海人民出版社2004年版。

俞香顺：《传媒·语言·社会》，新华出版社2005年版。

俞正樑等：《全球化时代的国际关系》，复旦大学出版社2000年版。

袁英：《话语理论的知识谱系及其在中国的流变与重构》，华中师范大学出版社2013年版。

[英]约翰·厄里：《全球复杂性》，李冠福译，北京师范大学出版社2009年版。

[美]约翰·费斯克：《传播符号学理论》，张锦华等译，远流出版事业股份有限公司1995年版。

[美]约翰·费斯克：《传播研究导论：过程与符号（第二版）》，许静译，北京大学出版社2008年版。

[美]约翰·费斯克：《关键概念：传播与文化研究辞典》，李彬译，新华出版社2004年版。

[美]约翰·费斯克：《理解大众文化》，王晓珏、宋伟杰译，中央编译出版社2001年版。

[英]詹姆斯·柯兰、[英]娜塔莉·芬顿、[英]德斯·福里德曼：《互联网的误读》，何道宽译，中国人民大学出版社2014年版。

张慧芳：《位置消费论纲》，西安交通大学出版社2011年版。

张晓峰、赵鸿燕：《政治传播研究：理论、载体、形态、符号》，中国传媒大学出版社2011年版。

朱国华：《权力的文化逻辑》，上海三联书店2004年版。

朱立元：《美学大辞典》，上海辞书出版社2010年版。

Alexander J C, *The Meaning of Social Life: A Cultural Sociology*, New York: Oxford University Press, 2003.

Bourdieu P, *Language and Symbolic Power*, Cambridge: Harvard University Press, 1991.

Brown P, Levinson S, *Politeness: Some Universals in Language Usage* (Vol.4), Cambridge: Cambridge University Press, 1987.

Dawkins R, *The Extended Phenotype—The Gene as the Unit of Selection*, London: Oxford University Press, 1982.

Dawkins R, *The Selfish Gene*, New York: Oxford University Press, 1976.

Denzin, Norman K, *On Understanding Emotion*, San Francisco: Jossey-Bass, 1984.

Goffman E, *Frame Analysis*, Philadelphia: University of Pennsylvania Press, 1974.

Mestrovic G S, *Postemotional Society*, London: Sage, 1997.

Rheingold H, *The Virtual Community: Homesteading on the Electronic Frontier* (2nd Revised edition), Cambridge: MIT Press, 2000.

Williams R, *The Sociology of Culture*, Chicago: The University of Chicago Press, 1995.

Wimsatt W K, Brooks C, *Literary Criticism: A Short History*, New York: Knopf, 1957.

二、论文

鲍震培：《媒介粉丝文化与女性主义》，《南开学报（哲学社会科学版）》2013 年第 6 期。

蔡骐：《网络与粉丝文化的发展》，《国际新闻界》2009 年第 7 期。

蔡骐：《微博时代的粉丝传播》，《东南传播》2010 年第 8 期。

蔡志欣、赖玲玲：《虚拟社群的资讯分享行为》，《图书资讯学刊》2011 年第 9 期。

曹晋、徐婧、黄傲寒：《新媒体、新修辞与转型中国的性别政治、阶级关系：以"绿茶婊"为例》，《新闻大学》2015 年第 2 期。

常宴会：《从网络流行语看社会心态的培育》，《思想教育研究》2016 年第 2 期。

陈绍富：《基于新闻事件的网络流行语研究》，重庆工商大学硕士学位论文，2011 年。

陈伟球：《新媒体时代话语权社会分配的调整》，《国际新闻界》2014 年第 5 期。

陈卫星：《传播与媒介域：另一种历史阐释》，《全球传媒学刊》2015 年第 1 期。

陈卫星：《媒介域的方法论意义》，《国际新闻界》2018 年第 2 期。

陈一愚：《论网络语言的泛娱乐与轻政治倾向——基于受众视角的媒介文化研究》，《新闻知识》2016 年第 4 期。

陈宇航：《同谋还是反抗？——〈文化与符号权力〉简评》，《国外理论动态》2006 年第 8 期。

陈彧：《从"看"到"炫"——粉丝再生性文本中的自我展演与认同建构》，《现代传播》2013 年第 11 期。

窦卫霖、王洁：《我国官方话语的对外传播研究》，《对外传播》2014 年第 3 期。

杜骏飞：《网络政治中的问题与主义——查德威克〈互联网政治学〉译序》，《当代传播》2010 年第 3 期。

杜锐：《价值观维度中的网络语言》，《光明日报》2012 年 10 月 21 日。

杜园春：《62.1%受访者建议将有意义的网络词汇收进词典》，《中国青年报》2016 年 7 月 19 日。

段韬、潘友星：《科学思维和汉字思维的结晶——科学专著系列出版 20 年记》，《科学》2016 年第 5 期。

范明、赵乐平：《网络符号的认知模式和传播途径》，《文化与传播》2016 年第 2 期。

范燕宁、赵伟：《中国网络公共领域的两面性及网络秩序的合理构建——兼谈哈贝马斯公共领域理论的当代启示》，《湖南社会科学》2014 年第 6 期。

方毅华、罗鹏：《"年度十大网络流行语"编码规律解析》，《现代传播》2012 年第 12 期。

葛颖：《面对审美的冲突和隔阂——对"二次元审美"现象的思考》，《文汇报》2014 年 11 月 11 日。

耿占春：《主体性观念的兴起、话语策略及其衰落》，《文艺研究》2014 年第 6 期。

桂琳：《媒介场景文化研究中的新思路——读梅罗维茨的〈消失的地域〉》，《文化与诗学》
　　2008 年第 1 期。

桂勇、李秀玫、郑雯等：《网络极端情绪人群的类型及其政治与社会意涵——基于中国网络
　　社会心态调查数据（2014）的实证研究》，《社会》2015 年第 5 期。

郭继文：《从话语权视角谈和谐世界》，《前沿》2009 年第 10 期。

韩志明：《利益表达、资源动员与议程设置：对于"闹大"现象的描述性分析》，《公共管
　　理学报》2012 年第 2 期。

何自然、何雪林：《模因论与社会语用》，《现代外语（季刊）》2003 年第 2 期。

何自然：《语言模因及其修辞效应》，《外语学刊》2008 年第 1 期。

胡春阳：《后现代传播状况的几个核心问题》，《新闻与传播研究》2011 年第 5 期。

胡春阳：《网络：自由及其想象：以巴赫金狂欢理论为视角》，《复旦学报（社会科学版）》
　　2006 第 1 期。

黄碧云：《新生代网络流行语的符号学解析》，《新闻与传播研究》2011 年第 2 期。

黄慧玲：《网络情绪词的心理功能研究》，华中师范大学硕士学位论文，2014 年。

蒋建国：《新媒体事件：话语权重构与公共治理的转型》，《国际新闻界》2009 年第 2 期。

介子平：《网络语言是年轻人的母语》，《编辑之友》2017 年第 1 期。

荆学民、段锐：《政治传播的基本形态及运行模式》，《现代传播》2016 年第 11 期。

荆学民、苏颖：《中国政治传播研究的学术路径与现实维度》，《中国社会科学》2014
　　年第 2 期。

郎劲松、侯月娟：《政治形象传播：建构与重构——新媒体语境下领导人的形象传播策略研
　　究》，《中国政治传播研究（第 1 辑）——基础与拓展》2015 年第 5 期。

李春雷、雷少杰：《突发群体性事件后情绪传播机制研究》，《现代传播》2016 年第 6 期。

李刚：《现代消费视阈中道德危机的理性思考》，《南京政治学院学报》2006 年第 1 期。

李强：《"丁字型"社会结构与"结构紧张"》，《社会学研究》2005 年第 2 期。

李强：《评析关于社会阶层的四大流行理论》，《当代社科视野》2010 年第 11 期。

李三达：《福特制、电子媒介与现代性》，《文化研究》2014 年第 3 期。

李书磊：《再造语言》，《战略与管理》2001 年第 2 期。

李铁锤：《后真相：社交媒体时代的新现象？》，《江西社会科学》2018 年第 11 期。

李忠杰：《当代中国社会问题的深层解析》，《大连干部学刊》2010 年第 7 期。

廖灿亮：《从网络流行语看网民舆论生态》，《网络传播》2017 年第 2 期。

廖小平：《主导价值观与主流价值观辨证——兼论改革开放以来主流价值观的变迁》，《教
　　学与研究》2008 年第 8 期。

林功成、李莹：《涵化理论的新进展：作为方法论的直觉加工模型》，《国际新闻界》2012
　　年第 2 期。

林小琴：《加涅信息加工学习理论与教学设计》，《福建论坛（人文社会科学版）》2010 年第 1 期。

刘国强、袁光锋：《论网络流行语的生产机制——以"躲猫猫"事件为例》，《现代传播》
　　2009 年第 5 期。

刘汉波：《表情包文化：权力转换下的身体述情和身份建构》，《云南社会科学》2017

年第 1 期。

刘建明：《话语研究的浮华与话语理论的重构》，《新闻爱好者》2018 年第 9 期。

刘俊：《突发公共事件中的"传播艺术"提升论要：信息与舆情——基于武汉新冠肺炎疫情的示例》，《现代视听》2020 年第 2 期。

刘锟：《洛谢夫与巴赫金：两种语言哲学的对话》，《外语学刊》2006 年第 5 期。

刘立华：《传播学研究的话语分析视野》，《国际新闻界》2011 年第 2 期。

刘佩、林如鹏：《网络问答社区"知乎"的知识分享与传播行为研究》，《图书情报知识》2015 年第 6 期。

刘少杰：《网络化时代的社会结构变迁》，《学术月刊》2012 年第 10 期。

刘艳：《自我建构研究的现状与展望》，《心理科学进展》2011 年第 3 期。

刘雁书、肖水源：《〈人民日报〉近六十年自杀行为的社会表达及变迁》，《全国第九届危机干预及自杀预防学术年会论文汇编（二）》，2011 年。

刘玉雪：《当前我国非理性网络利益表达的表现及成因分析》，《科技风》2014 年第 12 期。

刘越：《试析网络流行语的形成机制》，《延安大学学报（社会科学版）》2014 年第 2 期。

吕厚超、李敏：《闪光灯记忆的理论模型》，《心理学动态》2000 年第 3 期。

吕荣慧：《新媒体视域下的段子文化与网络狂欢》，《新闻世界》2014 年第 6 期。

马婧：《网络流行语传播属性与价值研究》，陕西师范大学硕士学位论文，2011 年。

马燕：《"准社会交往"视阈下虚拟社交的传播效果分析——基于微博用户的调查》，《东南传播》2014 年第 11 期。

马志浩、葛进平：《日本动画的弹幕评论分析：一种准社会交往的视角》，《国际新闻界》2014 年第 8 期。

莫再树、张小勇、张云：《基于语言经济学的商务英语研究》，《湖南大学学报（社会科学版）》2006 年第 4 期。

牛文元：《社会物理学与中国社会稳定预警系统》，《中国科学院院刊》2001 年第 1 期。

彭兰：《现阶段中国网民典型特征研究》，《上海师范大学学报（哲学社会科学版）》2008 年第 6 期。

彭晓、李沁：《网络语言传播现状调查》，《成都大学学报（社会科学版）》2015 年第 3 期。

皮海兵、肖昕：《试论网络文化主体间性的生成》，《大家》2011 年第 6 期。

漆祥毅：《网络语言：公共话语实践与话语博弈》，广西大学硕士学位论文，2013 年。

任艺菲：《从传播学角度看"知乎"中的"谢邀"文化》，《知识经济》2014 年第 24 期。

汝绪华：《试论当代中国社会的公共话语》，《行政论坛》2010 年第 6 期。

邵培仁、范红霞：《传播民主真的能够实现吗？——媒介象征性权力的转移与话语民主的幻象》，《现代传播》2011 年第 3 期。

宋培杰：《网络语言中的词汇变异现象探析》，《河南师范大学学报（哲学社会科学版）》2012 年第 4 期。

隋岩：《从网络语言透视两种传播形态的互动》，《北京大学学报（哲学社会科学版）》2015 年第 3 期。

隋岩：《强符号的国际传播途径研究》，《当代传播》2012 年第 5 期。

隋岩：《群体传播时代：信息生产方式的变革与影响》，《中国社会科学》2018 年第 11 期。

隋岩、曹飞：《从混沌理论认识互联网群体传播特性》，《学术界》2013 年第 2 期。

隋岩、曹飞：《论群体传播时代的莅临》，《北京大学学报（哲学社会科学版）》2012 年第 5 期。

隋岩、曹飞：《论群体传播中的第三人效果》，《新闻大学》2012 年第 5 期。

隋岩、常启云：《论群体传播中的群体主体性——基于社会化媒体的传播考察》，《当代传播》2014 年第 6 期。

隋岩、陈一愚：《论互联网群体传播时代媒介成为资源配置的重要环节》，《中国人民大学学报》2015 年第 6 期。

隋岩、李燕：《从谣言、流言的扩散机制看传播的风险》，《新闻大学》2012 年第 1 期。

隋岩、李燕：《论群体传播时代个人情绪的社会化传播》，《现代传播》2012 年第 12 期。

隋岩、罗瑜：《网络语言：舆论场博弈的策略选择》，《中国社会科学报》2016 年 5 月 3 日。

隋岩、张丽萍：《从"蚂蚁效应"看互联网群体传播的双重效果》，《新闻记者》2015 年第 2 期。

隋岩、张丽萍：《含蓄意指与隐喻的等值对应——符号传播意义的深层机制之一》，《新闻大学》2010 年第 1 期。

隋岩、周琼：《互联网群体传播时代的网络语言与准社会交往》，《社会科学战线》2016 年第 11 期。

孙静：《群体性事件的情感社会学分析——以什邡钼铜项目事件为例》，华东理工大学博士学位论文，2013 年。

孙俊才：《情绪的文化塑造与社会建构：情绪社会分离视角》，上海师范大学博士学位论文，2008 年。

孙秋云、王戈：《大众文化视野下的"网络流行语"》，《湖北社会科学》2012 年第 11 期。

孙卫华：《表达与参与：网络空间中的大众政治模式研究》，《新闻大学》2016 年第 5 期。

孙湛宁、徐海鸥：《青年政治意识表达研究述评》，《中国青年研究》2011 年第 12 期。

谭苗：《网络流行语—语言经济和类推机制的产物》，《语文学刊》2010 年第 11 期。

谭学纯：《话题转换为个人话语：修辞化及其限度》，《福建师范大学学报》2012 年第 2 期。

倘凌越、向楠：《93.4%受访者感觉如今的人很"情绪化"》，《中国青年报》2014 年 3 月 27 日。

陶长春：《非理性网络话语的舆论力量——以个体的视角》，《新闻界》2012 年第 6 期。

田文生：《大众传播媚俗化倾向评析——以勒温"B=f（P·E）"为视角》，《新闻与传播研究》2000 年第 3 期。

王斌：《身体化的网络流行语：何为与为何——一个青年亚文化的社会学解读》，《中国青年研究》2014 年第 3 期。

王冰雪：《调侃·狂欢·抵抗——网络空间中民众化转向的另类表达与实践》，《新闻大学》2014 年第 5 期。

王成志：《加强网络内容建设 推进十九大精神进网络》，《学习时报》2017 年 11 月 17 日。

王浩斌：《中国社会结构现代化的基本问题及其表现样态》，《安徽广播电视大学学报》2010

年第 4 期。

王俊秀：《社会情绪的结构和动力机制：社会心态的视角》，《云南师范大学学报（哲学社会科学版）》2013 年第 5 期。

王平、谢耘耕：《突发公共事件中微博意见领袖的实证研究——以"温州动车事故"为例》，《现代传播》2012 第 3 期。

王世雄、潘旭伟、姜毅：《基于线上线下互动网络的社会共识涌现研究》，《情报杂志》2017 年第 3 期。

王仕勇：《我国网络流行语折射的社会心理分析》，《探索》2016 年第 6 期。

王姝彦、李江：《情境认知：认知的情境性及其情境化探析》，《科学技术哲学研究》2016 年第 6 期。

王锁明：《凝聚社会共识的重要性及路径思考》，《人民论坛》2014 年第 4 期。

王维佳、杨丽娟：《被代表的民意——从"吴英案"看微博的舆论一致》，《中国党政干部论坛》2013 年第 6 期。

王维佳：《"点新自由主义"：赛博迷思的历史与政治》，《经济导刊》2014 年第 6 期。

王新松：《公民参与、政治参与及社会参与：概念辨析与理论解读》，《浙江学刊》2015 年第 1 期。

王秀丽：《网络社区意见领袖影响机制研究——以社会化问答社区"知乎"为例》，《国际新闻界》2014 年第 9 期。

王炎龙：《网络语言的传播范式》，《新闻界》2008 年第 10 期。

温淑春：《当前我国社会情绪的现状、成因及疏导对策》，《理论与现代化》2013 年第 3 期。

文凤华、杨晓光：《情绪主导型群体事件的机理研究》，《求索》2008 年第 6 期。

文贵良：《何谓话语？》，《文艺理论研究》2008 年第 1 期。

吴茂林：《互联网的民主力量》，《IT 经理世界》2010 年第 6 期。

吴学琴：《媒介话语的意识形态性及其建设》，《马克思主义研究》2014 年第 1 期。

夏忠宪：《巴赫金狂欢化诗学理论》，《北京师范大学学报（社会科学版）》1994 年第 5 期。

肖擎：《准确把握消费的阶段性特征》，《湖北日报》2014 年 12 月 15 日。

肖伟胜、王书林：《论网络语言的青年亚文化特性》，《青年研究》2008 年第 6 期。

谢朝群、何自然：《语言模因说略》，《现代外语（季刊）》2007 年第 1 期。

谢立中：《哈贝马斯的"沟通有效性"理论：前提或限制》，《北京大学学报（哲学社会科学版）》2014 第 5 期。

谢坦：《海德格尔存在主义诗歌本质论》，《外国语言文学》2015 年第 4 期。

徐洁、周宁：《认知需求对个体信息加工倾向性的影响》，《心理科学进展》2010 年第 4 期。

徐彦伟：《结构与询唤——阿尔都塞后期意识形态思想的文本学研究》，《社会科学战线》2009 年第 11 期。

许静：《论政治传播中的话语构建——以大跃进运动为例》，《中国政治传播研究（第 1 辑——基础与拓展）》2015 年第 5 期。

许燕：《以近年热点事件及其应对为例看中国社会各阶层媒介话语重构》，《新闻大学》2012 年第 6 期。

许兆昌：《试论上古时期"乐"的政治表达功能》，《吉林大学社会科学学报》2006 年第 1 期。

严励、邱理：《网络话语：一种特殊的舆论形态》，《新闻爱好者》2017 年第 1 期。

杨芳：《疏导社会情绪的"缓冲地带"——试论大众传媒的解烦功能》，《新闻实践》2010 年第 7 期。

杨国斌：《悲情与戏谑：网络事件中的情感动员》，《传播与社会学刊》2009 年第 9 期。

叶兵、蒋兆雷：《关于网络"贾君鹏"现象的文化反思》，《理论导刊》2010 年第 1 期。

叶浩生：《第二次认知革命与社会建构论的产生》，《心理科学进展》2003 年第 11 期。

佚名：《发现小众：e 时代的市场观》，《新周刊》2007 年 5 月 1 日。

易林、王蕾：《西方公民身份研究中的文化转向：面向未来的文化公民身份》，《国外社会科学》2011 年第 5 期。

殷晓蓉：《话语分析：如何为媒介社会语言实践提供说明？——兼评〈话语与社会变迁〉的传播学意义》，《广播电视大学学报（哲学社会科学版）》2005 年第 2 期。

尹弘飚：《情绪的社会学解读》，《当代教育与文化》2013 年第 4 期。

于德山：《新媒体舆情场域互动与社会共识建构》，《社会科学战线》2017 年第 11 期。

喻国明、马慧：《互联网时代的新权力范式："关系赋权"——"连接一切"场景下的社会关系的重组与权力格局的变迁》，《国际新闻界》2016 年第 10 期。

曾繁旭、钟智锦、刘黎明：《中国网络事件的行动剧目——基于 10 年数据的分析》，《新闻记者》2014 年第 8 期。

张成良、甘险峰：《融媒体语境下"第三媒介时代"媒介形态研究》，《编辑之友》2018 年第 1 期。

张国、姜微：《模因论视阈下的网络流行语的传播研究》，《中国海洋大学学报（社会科学版）》2011 年第 3 期。

张国祚：《关于"话语权"的几点思考》，《求是》2009 年第 9 期。

张楠：《植入式广告的心理学动因探析》，《新闻世界》2012 年第 11 期。

张淑华、李海莹、刘芳：《身份认同研究综述》，《心理研究》2012 年第 1 期。

张志旻、赵世奎、任之光等：《共同体的界定、内涵及其生成——共同体研究综述》，《科学学与科学技术管理》2010 年第 10 期。

章洁：《准社会交往中青少年明星崇拜的研究》，《当代传播》2009 年第 1 期。

赵健：《学习共同体——关于学习的社会文化分析》，华东师范大学博士学位论文，2005 年。

赵乐平、范明：《互联网群体传播中网络语言的社交属性研究》，《中国出版》2016 年第 3 期。

赵立坤：《符号文化中的历史——卡西尔的史学观》，《史学理论研究》2000 年第 2 期。

赵璐：《"我"与"我们"：网络交往中的身份认同建构——以豆瓣网为案例的研究》，《东南传播》2014 年第 2 期。

赵云泽、付冰清：《当下中国网络话语权的社会阶层结构分析》，《国际新闻界》2010 年第 5 期。

郑远汉：《关于"网络语言"》，《华中科技大学学报（社会科学版）》2002 年第 3 期。

中国青少年研究中心、苏州大学新媒介与青年文化研究中心、"青少年网络流行文化研究"课题组：《新媒介空间中的青少年文化新特征——"青少年网络流行文化研究"调研报告》，

《中国青年研究》2016 年第 7 期。

周鸿：《阶级阶层形成理论探析》，《学术探索》2005 年第 2 期。

周俊、毛湛文：《网络社区中用户的身份认同建构——以豆瓣网为例》，《当代传播》2012
年第 1 期。

周俊、王敏：《网络流行语传播的微观影响机制研究——基于 12 例公共事件的清晰集定性比
较分析》，《国际新闻界》2016 年第 4 期。

周卫红：《论网络语言的后现代文化内涵》，《晋阳学刊》2006 年第 5 期。

周晓虹：《中国社会心态危机蔓延》，《人民论坛》2014 年第 25 期。

邹军：《从网络象征符到社会象征系统——解析网络语言的社会影响》，《现代传播》2013
年第 9 期。

邹诗鹏：《后真相世界的民粹化现象及其治理》，《探索与争鸣》2017 年第 4 期。

左秀兰：《心理语言学和认知语言学视角下网络语言的变异》，《大连海事大学学报（社会
科学版）》2009 年第 4 期。

Averill J R, " A constructivist view of emotion", In Plutchik R, Kellerman H (Eds.), *Emotion:
Theory, Research and Experience*, New York: Academic Press,1980.

Barrett L S, "Solving the emotion paradox: Categorization and the experience of emotion",
Personality and Social Psychology Review, Vol.10, No.1, 2006.

Cacioppo J T, "The need for cognition", *Journal of Personality and Social Psychology*, Vol.42, No.1, 1982.

Christophe V, Delelis G, Antoine P, et al., "Motives for secondary social sharing of emotions",
Psychological Reports, Vol.103, 2008.

Christophe V, Rimé B, "Exposure to the social sharing of emotion: Emotional impact, listener
responses and secondary social sharing", *European Journal of Social Psychology*,Vol.27, No.1, 1997.

Claire A J, "The social functions of emotion", In Harre R (Ed.), *The Social Construction of Emotions*,
New York: Blackwell, 1986.

Curci A, Bellelli G, "Cognitive and social consequences of exposure to emotional narratives: Two
studies on secondary social sharing of emotions", *Cognition and Emotion*, Vol.18, No.7, 2004.

Daantje D, Arjan E R B, von Jasper G, "Emoticons in computer-mediated communication: Social
motives and social context", *Cyberpsychology & Behavior : The Impact of the Internet,
Multimedia and Virtual Reality on Behavior and Society*, Vol.11, No.1, 2008.

De Rivera J, "Emotional climate: Social structure and emotional dynamics", In Strongman K T (Ed.),
International Review of Studies on Emotion, New York: John Wiley & Sons, 1992.

Dobele A, Lindgreen A, Beverland M, et al., "Why pass on viral messages? Because they connect
emotionally", *Business Horizons*, Vol.50, No.4, 2007.

Ekman P, "Facial expressions of emotion: New findings, new questions", *Psychological Science*, Vol. 3,
1992.

Ekman P, Friesen W V, O'Sullivan M, et al., "Universals and cultural differences in the judgments of
facial expressions of emotion", *Journal of Personality and Social Psychology*, Vol.53, No.4, 1987.

Granovetter M S, "The strength of weak ties: A network theory revisited", *The American Journal of*

Sociology, Vol.6, 1973.

Harber K D, Cohen D J, "The emotional broadcaster theory of social sharing", *Journal of Language and Social Psychology*, Vol.24, No.4, 2005.

Harris M, Pexman P M, "Children's perceptions of the social functions of verbal irony ", *Discourse Processes*, Vol.36, No.3, 2003.

Heylighen F, "What makes a meme successful? Selection criteria for cultural evolution", *Proceedings of the 15th International Congress on Cybernetics*. Association Internat. de Cybernétique, Namur, 1999, pp.418-423.

Jetten J, Spears R, Postmes T, "Intergroup distinctiveness and differentiation: A meta-analytic integration", *Journal of Personality and Social Psychology*, Vol.86, No.6, 2004.

Lukes S, "Political ritual and social integration", *Sociology*, Vol.9, 1975.

Miller H, Thebault-Spieker J, Chang S, et al., "'Blissfully happy' or 'ready to fight': Varying interpretations of Emoji", In Proceedings of 10th International Conference on Web and Social Media, 2016.

Parkinson B, "Emotions are social", *British Journal of Psychology,* Vol.87, No.4, 1996.

Phelps P H, Lewis R, Mobilio L, et al., "Viral marketing or electronic word-of-mouth advertising: Examining consumer responses and motivations to pass along email", *Journal of Advertising Research*, Vol.44, No.4, 2004.

Rimé B, Corsini S, Herbette G, "Emotion, verbal expression and the social sharing of emotion", In Fussell S R (Ed.), *The Verbal Communication of Emotions: Interdisciplinary Perspectives*, New Jersey: Lawrence Erlbaum Associates, Inc., 2002.

Rom H, "An outline of the social constructionist viewpoint", In Harre R(Ed.), *The Social Construction of Emotions,* New York: Blackwell, 1986.

Scott J C, "Domination and the arts of resistance: Hidden transripts", Yale University, 1990.

Solomon M, "Situated cognition", In Thagard P(Ed.), *Philosophy of Psychology and Cognitive Science*, Amsterdam: Elsevier, 2007.

Stieglitz S, Xuan L D, "Emotions and information diffusion in social media—Sentiment of microblogs and sharing behavior", *Journal of Management Information Systems*, Vol.29, No.4, 2013.

Veale T, Hao Y, "Making lexical ontologies functional and context-sensitive", In Proceedings of the 46th Annual Meeting of the Association of Computational Linguistics, Prague, 2007.

Veronique C, Rimé B, "Exposure to the social sharing of emotion: Emotional impact, listener responses and secondary social sharing", *European Journal of Social Psychology*, Vol.27, No.1, 1997.

Zwaan R A, Radvansky G A, "Situation models in language comprehension and memory", *Psychological Bulletin*, Vol.123, No.2, 1998.

三、网址文献

黄玥:《习近平的"大白话"》, 2016 年 4 月 18 日, http://www.xinhuanet.com//politics/2016-04/18/

c_128899662.htm。

林广：《表情报告：网民一年"龇牙"十亿次》，2015 年 4 月 28 日，http://paper.chinaso.com/
　　detail/20150428/100020003273256143018645036744626 6_1.html。

人民论坛问卷调查中心：《如何优化主流价值观的网络表达》，2015 年 8 月 24 日，http://www.rmlt.
　　com.cn/2015/0824/400196_2.shtml。

人民网：《"后真相"跃居牛津字典年度词汇榜首》，2016 年 11 月 17 日，http://world. people.com.cn/
　　n1/2016/1117/c1002-28875414.html。

人民网：《人民网舆情监测室发布〈2014 中国网络语象报告〉》，2015 年 1 月 20 日，http://yuqing.
　　people.com.cn/n/2015/0120/c364391-26415858.html。

人民网：《习近平：相信通过努力 APEC 蓝能保持》，2014 年 11 月 11 日，http://world.people.
　　com.cn/n/2014/1111/c1002-26005766.html。

新华网：《1996—2015 网络流行语背后的文化变迁》，2016 年 1 月 1 日，http://cul.qq.com/ a/2016
　　0101/012065.htm。

新浪财经：《最新全球网民数量公布：中国增长规模排第二》，2019 年 1 月 31 日，http://finance.
　　sina.com.cn/china/gncj/2019-01-31/doc-ihrfqzka2633567.shtml。

中国互联网络信息中心：《第 47 次中国互联网络发展状况统计报告》，2021 年 2 月 3 日，http://
　　www.cac.gov.cn/2021-02/03/c_1613923423079314.htm。

中投网：《"北上广"何时代替了"京沪穗"？》，2014 年 12 月 15 日，http://www.ocn.com.
　　cn/chanye/201412/beishangguang151641.shtml。

索　引

后　记

本书撰写分工如下：
绪论：隋岩
第一章：
　　第一节　刘俊，李凡
　　第二节　陈静静
第二章：
　　第一节　赵乐平，范明
　　第二节　范明，赵乐平
　　第三节　范明，赵乐平
第三章：
　　第一节　隋岩，周琼
　　第二节　隋岩，陈斐
　　第三节　隋岩，罗瑜
第四章：
　　第一节　刘俊，董文畅
　　第二节　刘俊，范明
　　第三节　范明，赵乐平
　　第四节　隋岩，李燕
第五章：
　　第一节　胡潇潇，周琼
　　第二节　孟繁静
第六章：
　　第一节　隋岩，姜楠
　　第二节　隋岩，罗禩
　　第三节　隋岩，魏明
本书由隋岩设定总体框架并统稿。